もっと早く、もっと良い
ソフトウェアを
作るための秘訣

Modern Software Engineering
Doing What Works to
Build Better Software Faster

# 継続的デリバリーのソフトウェア工学

デイビッド・ファーリー 著
長尾高弘 翻訳　榊原彰 解説

日経BP

MODERN SOFTWARE ENGINEERING

by David Farley

# 序文

私は大学でソフトウェア科学を学び、「ソフトウェア工学」とか、それと似た名前の科目の単位も取りました。

大学で勉強を始めたときの私には、すでにプログラミングの経験がありました。高校のキャリア図書室のために完全に動作する蔵書システムを作っていたのです。「ソフトウェア工学」にはとても困惑したことを覚えています。実際のコード作成やアプリケーションのリリースを邪魔するためのもののように見えました。

今世紀に入ってすぐの時期に大学を卒業すると、大手自動車メーカーのIT部門に就職しました。みなさんのご想像通り、ここではソフトウェア工学が幅を利かせていました。私が初めてガントチャートを見たのはここでした（もちろん、最後ではありません）。ソフトウェアチームは要件の収集と設計に時間と労力を大きく注ぎ、実装（コーディング）に残された時間はそれと比べてごくわずかでした。当然ながら、テストの時間に食い込み、テストは……まあ、そのための時間は大して残されていませんでした。「ソフトウェア工学」と呼ばれていたものは、実際には顧客のために役立つ品質の高いソフトウェアを作る邪魔をしているように感じました。

ほかの多くの開発者たちと同様に、私はもっとよい方法があるはずだと思いました。

本や雑誌でXPやScrumのことを読み、アジャイルチームで仕事をしたいと思い、そういうチームを探して何度か転職しました。多くのチームは、アジャイルと称しながら、要件や課題をインデックスカードに書いて壁に貼り、1週間をスプリントと呼び、適当に決められた納期に間に合わせるために開発チームに各スプリントでこれこれの枚数のカードを完成させろと指示するだけでした。旧来の「ソフトウェア工学」的なアプローチを取り除いただけでは、うまく機能しないような感じがしました。

ソフトウェア開発者としてのキャリアが10年目に入ったとき、ロンドンのある金融取引企業の面接を受けました。ソフトウェア部門のトップは、TDDやペアプログラミングを含むXPを実践していると言いました。彼は、継続的インテグレーションと似ているけれども本番リリースまでが含まれる継続的デリバリーと呼ばれるものも実践していると言いました。

私は手作業の手順と入力するコマンドが書かれている12ページのドキュメントで「自動化」され、デプロイに最低3時間かかっていた投資銀行で働いたことがあったので、継続的デリバリーはいいアイデアだと思いましたが、まあ不可能だろうと思っていました。

そのソフトウェア部門のトップはデイビッド・ファーリーで、私が入社したのは、ちょうど『継続的デリバリー』を執筆していたときでした。

私はその会社で4年間彼とともに働き、人生が変わりキャリアが動く経験をしました。私たちは本当にペアプログラミング、TDD、継続的デリバリーを実践しましたし、ふるまい駆動開発、自動受け入れテスト、ドメイン駆動設計、関心の分離（関心事の分離）、腐敗防止層（ACL）、メカニカルシンパシー、間接レベルも学びました。

Javaによる高パフォーマンス低レイテンシーアプリケーションの作り方についても学びましたし、ビッグO記法の本当の意味と実際のコーディングへの活かし方もやっとわかりました。つまり、私が大学で学び、本で読んだすべてのことを実際に使ったのです。

それらは意味がある形で使われ、機能し、今まで実現できなかったものを提供するきわめて高品質で高パフォーマンスなアプリケーションを生み出しました。何よりもまず、私たちは開発者として仕事に喜びを感じ満足な気持ちになりました。残業はしませんでしたし、リリース前に正念場がやってくることもありませんでした。年月がたってもコードがもつれ合ったりメンテナンス不能になったりすることはなく、私たちは安定的、定期的に新機能と「ビジネス価値」を提供し続けました。

どのようにしてそれを実現したのでしょうか。デイビッドが本書で概要を描いたプラクティスに従ったのです。ただ、当時はこのように定式化されたものにはなっていませんでした。デイビッドがほかの多くの会社、組織での経験を取り入れ、もっと広範囲のチームやビジネスドメインに応用できるようにコンセプトを煮詰めたことは明らかです。

同じ場所で働く2、3個のチームによる金融取引のハイパフォーマンスシステムの構築でうまく機能していることと、製造企業の大規模なエンタープライズプロジェクトや動きの早いスタートアップで機能することはまったく同じにはならないでしょう。

私は、現在の肩書であるデベロッパーアドボケイトという立場から、あらゆる種類の企業、事業ドメインの多くの開発者に向かって話をするともに、彼らのペインポイント（今でもその多くは20年前の私の経験と似たりよったりです）やサクセスストーリーを聞きます。デイビッドが本書で書いている考え方や概念は、これらすべての環境で通用する程度には一般的、汎用的ですが、実用的に役立つ程度には個別具体的です。

面白いことですが、私がソフトウェアエンジニアという肩書に落ち着かないものを感じるようになったのは、デイビッドのチームを離れたあとでした。自分たちがしている仕事が工学（engineering）だとは思っていませんでした。デイビッドのチームを成功に導いていたのが工学だとも思っていませんでした。私たちが複雑なシステムを構築するためにしていることは、工学と呼ぶほどがちがちに体系化されていないと思っていたのです。私は、むしろ「工芸」だと考えていました。大規模なソフトウェアの問題に取り組むときに必要なチームワークは十分強調されませんが、工芸という言葉には創造性と生産性の両方が含まれています。しかし、本書を読んで私の考えは変わりました。

デイビッドは、私たちが「本物の」工学とは何かを誤解している理由をはっきりと説明しています。工学は科学を土台とする分野ですが、厳密である必要はないことを教えてくれます。ソフトウェア開発に科学的な原則と工学的なテクニックを応用する方法を示し、私たちが工学だと考えていた製造ベースのテクニックがソフトウェア開発では不適切な理由を教えてくれます。

私が本書で気に入っているのは、私たちが仕事で扱っている実際のコードには抽象的で使うのが難しそうな概念を取り上げ、それを個別具体的な問題について考えるためのツールとして活用する方法を示しているところです。

本書は、ソフトウェア開発、いやソフトウェア工学と呼ぶべきものの煩雑な現実を否定せず、正しい答えはひとつではないとして受け入れています。ものごとは変わっていくものです。ある時点で正しかったことでも、そのすぐあとには大きな間違いになっていることがあります。

本書の前半では、この煩雑な現実のなかで生き残るだけでなく、繁栄していくための実践的な方法が示されます。後半では、一部の人々には抽象的だとか理屈っぽすぎると思われるようなテーマを取り上げ、よりよい設計のために活用する方法が示されます（「よりよい」には、より堅牢とかよりメンテナンス性が高いといったものが含まれます）。

本書では、設計とは分厚い設計ドキュメントやUML図のことではありません。「コードを書く前、書いている最中のコードについての考え」という程度の単純なことです（デイビッドとペアプログラミングして感じたことのひとつは、彼がコードのタイピングにかける時間がほんのわずかでしかないことでした。わかったのは、コードを書く前に何を書くかを考えれば、時間と労力を大きく節約できるということでした）。

デイビッドは、さまざまなプラクティスを同時に使うときの矛盾やひとつのプラクティスから生まれる混乱に触れることを回避せず、徹底的に説明する努力を払っています。トレードオフやよく見られる混乱の原因を説明してくれるのです。おかげで、私はこれらの間のバランスと緊張関係が「よりよい」システムを作るのだということを初めて理解できたように思います。プラクティスはあくまでもガイドラインだということを理解し、そのコストとメリットを理解し、コード/設計/アーキテクチャーを見るためのレンズとしてプラクティスを扱い、ときには正しいか間違っているか、白か黒かの二者択一ではなく、バランスを取ることが大切なのです。

本書を読んで、デイビッドと働いていた時期に自分たちが「ソフトウェアエンジニア」として成功し、満足な気持ちでいられた理由がわかりました。みなさんが本書を読んで、チームのためにデイビッド・ファーリーを雇わなくてもデイビッドの経験とアドバイスを活用できるようになることを期待しています。

ハッピーエンジニアリング！

——トリシャ・ジー（Trisha Gee）、<br>デベロッパーアドボケイト、<br>Javaチャンピオン

# はじめに

本書は、ソフトウェア工学に工学を取り戻す試みです。問題解決のために意識的に科学的、合理的な思考スタイルを適用するソフトウェア開発に対する実際的なアプローチを説明します。これらの概念、考え方は、私たちが過去数十年のソフトウェア開発の歴史から学んだことを矛盾なく使ううちに生まれたものです。

私は本書を通じて、工学（engineering）というものは、おそらくみなさんが思っているのとは違って、ソフトウェア開発に正しく応用でき、効果的なものだということをみなさんに確信していただこうという野望を持っています。本書ではそこからさらに進んで、ソフトウェアに対するそのような工学的アプローチの基礎と、それがなぜどのようにして機能するかを説明します。

本書はプロセスやテクノロジーの最新の流行を追いかけるような本ではありません。扱っているのは、何が機能して何が機能しないかについてのデータに裏付けられた実用的な意味のあるアプローチです。

小さなステップで反復的に仕事をすれば、そうでない場合よりも効果的です。形式張らない小さな実験の連続として仕事を組み立て、フィードバックを集めて学びを充実させれば、私たちが飛び込んでいる問題空間を深く知り、より意識的に仕事を進められるようになります。仕事をコンパートメント化し、個々の部品が明確で理解しやすくフォーカスを絞り込んだものになるようにすれば、作業を始めたときに目的地が見えていない場合でさえ、安全かつ意識的にシステムを発展させていけるようになります。

このアプローチは、答えがわかっていない場合でも、どこで何にフォーカスすべきかについての指針を与えてくれます。直面する難題の性質にかかわらず、成功の可能性を広げてくれます。

本書では、優れたソフトウェアを作るために開発者のグループや組織をどのようにまとめていくか、単純なものだけでなく複雑なものであってもシステムを効率よく作るためにどうすればよいかのモデルを提示していきます。

いつの時代にも、優れた仕事を残した人々がいました。私たちは、何が可能かを示してくれたイノベーティブな開拓者たちから多くのものを得ています。しかし、最近になって、ソフトウェア業界も何が本当に機能するかを今までよりもうまく説明できるようになりました。今ではどのような考え方がより一般的でより広く使えるかが以前よりもよくわかっていますし、裏付けとなるデータもあります。

私たちはよりよいソフトウェアをより早くより信頼できる形で作れるようになりましたし、その裏付けとなるデータもあります。ワールドクラスの難問を解決できるようになりましたし、その裏付けとなる多くの成功したプロジェクトや企業の経験が積み上げられています。

本書は、成功した以前の業績をもとに重要で基本的な概念のコレクションを築いていきます。新しいプラクティスというようなレベルでは、本書には新しい内容はありません。しかし、本書のアプローチは、既存の重要な概念やプラクティスをまとまった全体に組み立て、ソフトウェアを対象とする工学分野を確立するための基礎を提供するという点で新しいものになっています。

これは、バラバラな概念を乱雑に集めたものではありません。本書で取り上げる概念は密接につながっており、相互に支え合っています。私たちの仕事についての考え、仕事の組み立てや取り組みに、これらの概念を組み合わせて首尾一貫した形で適用すれば、仕事の効率や品質に大きな影響を与えます。一つひとつの考え方や概念はおなじみのものかもしれませんが、私たちの仕事についてのこのような考え方は今までとは根本的に異なるものです。これらがひとつにまとまってソフトウェアにおけるあらゆる意思決定の指導原理として使われるようになれば、それはソフトウェア開発の新しいパラダイムになります。

私たちはソフトウェア工学の本当の意味を学ぼうとしていますが、それはいつも予想通りになるとは限りません。工学とは、経済的な制約の範囲内で実際的な問題を解決するために、科学的合理主義のアプローチを取ることです。そのようなアプローチが純粋理論的なものや官僚主義的なものになることはあり得ません。工学は、その定義上、実際的、実用的なものです。

しかし、ソフトウェア工学を定義するための過去の試みは、特定のツールやテクノロジーしか認めない過度に押し付けがましいものを作ろうとする過ちを犯しました。ソフトウェア工学は、私たちが書くコードや私たちが使うツール以上のものです。ソフトウェア工学には製造工学（生産工学）の要素はまったくありません。私たちの問題はそういうものではないのです。私が工学という言葉を使うのを聞いて官僚主義を連想するなら、本書を読んで考え直してください。

ソフトウェア工学はコンピューター科学と混同されがちですが、両者は別のものです。ソフトウェアエンジニアとコンピューター科学者の両方が必要です。本書は、よりよいソフトウェアを信頼できる形で繰り返し作るために必要な規律、プロセス、概念を説明します。

私たちがソフトウェアエンジニアの名にふさわしい存在になるためには、問題に対する高品質なソリューションを効率よく提供するために役立つソフトウェアのための工学分野が必要です。

そのような工学的アプローチがあれば、まだ考えたこともないような問題を解くときにも、まだ発明されていないテクノロジーを使うときにも問題解決のために役立つでしょう。そのような学問分野の概念は汎用的で長持ちし広く浸透するはずです。

本書は、そのように密接に関連し、もつれ合った概念のコレクションを定義する試みです。私たちがソフトウェア開発者、ソフトウェア開発チームとして判断を下すときにほぼかならず頼れるアプローチとなるような一貫性のあるものを作ることを目的としています。

私たちがどのような意味付けをしたとしても、およそソフトウェア工学と呼ばれるものは、その概念上、単に新しいツールを取り入れる機会を提供するだけでなく、利益をもたらさなければなりません。

概念や考え方はすべて平等ではありません。良い概念と悪い概念があります。その違いはどのようにして見分けたらよいのでしょうか。ソフトウェアやソフトウェア開発の新しい考え方を評価し、よいものになりそうか悪いものになりそうかを判断するために使える原則とはどのようなものでしょうか。

ソフトウェアの問題を解決するための工学的アプローチと言えるものは、広い範囲で汎用的に使える基本的なものでなければなりません。本書はそういった概念を扱います。ツールを選ぶときにどのような基準を使うか、仕事をどのように組み立てていくべきか、成功の可能性を広げるために、構築しているシステムや書いているコードをどのようにまとめたらよいかといったことです。

## 0.1 ソフトウェア工学をどのように定義するか

私は、本書のなかでソフトウェア工学を次のようなものとして考えることを主張しています。

> **ソフトウェア工学**とは、ソフトウェアの実際的な問題に対する効率的、経済的な解を見つけるための経験的、科学的なアプローチの応用のことである。

私の目標は野心的です。ソフトウェアを対象とする本物の工学分野の概要、構造、アプローチを提案したいと思っています。その基礎にあるものは次の3つの考え方です。

- 科学とその実用的な応用である「工学」は、技術分野を効果的に発展させるために欠かせないツールである。
- ソフトウェア開発は、基本的に学びと発見の分野なので、成功するためには**学びのエキスパート**にならなければならない。そして、科学と工学はもっとも効果的に学ぶための手段である。
- 私たちが構築するシステムは複雑なことが多く、ますます複雑度を上げている。そのようなものの開発に立ち向かうためには、**複雑さ管理のエキスパート**にならなければならない。

## 0.2 本書の内容

**第1部「ソフトウェア工学とは何か」**は、ソフトウェアのコンテキストで工学がどのような意味を持つかを考えます。工学の原則と哲学を論じ、それらをソフトウェアにどのように応用するかを考えます。第1部はソフトウェア開発の技術哲学です。

**第2部「学びの最適化」**は、小さなステップで前進していけるような仕事の組み立て方を明らかにします。すばらしい前進を果たしているか、単に明日のレガシーシステムを今日作っているに過ぎないかの評価方法を示します。

**第3部「複雑さ管理の最適化」**は、複雑さ管理で必要とされる原則とテクニックを掘り下げていきます。個々の原則を深く掘り下げ、タイプの違いにかかわらず高品質なソフトウェアを作ろうとするときに個々の原則がどのような意味を持ち、どのように応用できるかを示します。

最後の**第4部「ソフトウェア工学を支えるツール」**は、学びの機会を最大限に広げるとともに、小さなステップで前進し、システムの成長にともなって増してくる複雑さを管理する私たちの能力を後押しするアイデアやアプローチを説明します。

随所に含まれている補足説明（囲み記事）は、ソフトウェア工学の歴史と哲学、思考の発展過程についての考察であり、本書で取り上げられているさまざまな概念、考え方がどのようなコンテキストで生まれてきたかを理解する上で役に立つはずです。

# 第1部

# ソフトウェア工学とは何か

# 第1章

# イントロダクション

## 1.1 工学―科学の実用的な応用

ソフトウェア開発は、探索と発見のプロセスです。そのため、ソフトウェアエンジニア（ソフトウェア工学の実践者）がこの分野で成功するには、**学び**のエキスパートになる必要があります。

人間の学びに対するアプローチで最高のものは科学なので、科学の手法と戦略を取り入れて問題に適用することが必要となります。これは、ソフトウェアのコンテキストにそぐわないほどの精度で計測を行う物理学者にならなければならないかのように誤解されがちですが、工学（engineering）はもっとプラグマティック（実利的、実用的）なものです。

科学の手法と戦略を応用しなければならないというのは、ごく初歩的ながらきわめて重要な考え方を使うべきだということです。

私たちの大半が学校で習った科学的手法は、Wikipedia（英語版）では次のように説明されています。

- **特徴づけ**：現在の状態を観察する
- **仮説の定立**：観察したものごとを説明する理論、記述を生み出す
- **予測**：仮説に基づいて起きることを予測する
- **実験**：予測を検証する

このような形で思考を組み立て、小規模で形式張らない実験を積み重ねながら前進していけば、間違った結論に飛びつくリスクを軽減し、よりよい成果を得られるようになっていきます。

結果の一貫性と信頼性を高めるために、実験の変数を管理、制御するという方法でものを考えるようになると、より決定論的なシステムとコードが得られるようになります。自分の考えに懐疑的な立場でものを考え、その考えの誤りを立証する方法を掘り下げていくと、間違った考えを早く特定、棄却できるようになり、進歩のペースを大幅に引き上げられます。

本書は、科学的原則の基本を形式張らない形で取り入れる**工学**の立場に基づいてソフトウェアの問題解決を目指す、実利的で実際的なアプローチに深く根ざして書かれています。

## 1.2　ソフトウェア工学とは何か

本書のさまざまな概念や考え方を支える私の現在のソフトウェア工学の定義は次のようなものです。

> **ソフトウェア工学**とは、ソフトウェアの現実的な問題に対する効率的、経済的な解を見つけるための経験的、科学的なアプローチの応用のことである。

ソフトウェア開発に工学的なアプローチを取り入れることが重要である大きな理由は、ふたつあります。ひとつは、ソフトウェア開発が常に発見と学びの連続であること、もうひとつは、「効率的」で「経済的」であることを目指すなら学びの能力は持続可能なものでなければならないことです。

つまり、私たちは、新しいことを学び、考えを修正する能力を保てるようにするために、作っているシステムの複雑さを管理しなければならないということです。

そのため、私たちは**学びのエキスパート**兼**複雑さ管理のエキスパート**になる必要があります。

このような学びの重視を支えるテクニックは5つあります。**学びのエキスパート**になるためには、具体的に次の5つが必要です。

- 反復的な作業（iteration）
- フィードバック（feedback）
- 漸進主義（incrementalism）
- 実験主義（experimentation）
- 経験主義（empiricism）

これは、複雑なシステムを構築するための発展的なアプローチです。複雑なシステムは、私たちの想像から一気に形成されるようなものではありません。複雑なシステムは、多数の小さな一歩の積み重ねであり、私たちはそれらの一つひとつでアイデアを試し、その成否に応えていきます。私たちが探索と発見を実現できるのは、これら5つのツールがあるからです。

このような仕事のしかたで安全に前進するためには、否応なくある制約を受け入れなければなりません。すべてのソフトウェアプロジェクトの核心である探索を促すように仕事を進められなければならないのです。

そこで、学びをとことん重視するのと同時に、答え、いやときには方向性さえ不確かな場合でも、先に進めるような仕事のしかたが必要になってきます。

つまり、私たちは、**複雑さ管理のエキスパート**にならなければなりません。解決しようとしている問題の性質や問題解決のために使うテクノロジーが何であれ、直面する問題とその解決方法の複雑さに対処できるかどうかは、よいシステムと悪いシステムを分ける重要な要素になります。

**複雑さ管理のエキスパート**になるためには、次の5つを実現することが必要になります。

- モジュラー性（modularity）
- 凝集度（一体性、cohesion）
- 関心の分離（separation of concerns）
- 抽象化（abstraction）
- 疎結合（loose coupling）

これらを見て、なんだ、よく知っていることじゃないかと片付けるのは簡単なことです。その通り、みなさんはほとんど間違いなくこれらすべてをよくご存知でしょう。本書の目標は、これらを有機的に結びつけ、ソフトウェアシステム開発に対する一貫性のあるアプローチのなかに位置付けて、これらのポテンシャルを最大限に引き出せるようにすることです。

本書は、ソフトウェア開発を舵取りするためのツールとしてこれら10個をどのように使うべきかを論じていきます。その上で、あらゆるソフトウェア開発で効果的な戦略を展開するために役立つ実践的なツールとなる5つの要素を取り上げます。

5つの要素とは次のものです。

- テスト可能性（testability）
- デプロイ可能性（deployability）
- スピード（speed）
- 変数の管理（controlling the variables）
- 継続的デリバリー（continuous delivery）

このような考え方を実践に移したときに得られる成果は目覚ましいものです。チームはより短期間でより高い品質のソフトウェアを生み出せるようになり、チームメンバーはより楽しく、よりストレスレスに仕事を進められ、よりうまくワークライフバランスを取れるようになったと口にします[1]。

これらは誇張された主張のように見えるかもしれませんが、データの裏付けがあります。

## 1.3 「ソフトウェア工学」の再生

本書の題名ではかなり悩みましたが、それは本書をどう呼んだらよいかわからなかったからではありません。ソフトウェア産業がソフトウェアのコンテキストにおける**工学**（engineering）という言葉の意味を大きく変え、工学という言葉の価値が下がってしまっているからです。

ソフトウェア工学は「コード」の同義語として扱われるか、過度に官僚的で煩雑な手続きを連想させて人々が敬遠したがるものとして扱われがちです。しかし、工学とは本来そういったものとはまったく違うものなのです。

ほかの分野では、**工学**とは単純に「役立つもの」のことです。よい仕事になる可能性を引き上げるためのプロセスとプラクティスのことです。

今ある「ソフトウェア工学」のプラクティスがよりよいソフトウェアをより早く構築するために役立たないなら、それは本物の工学ではありません。私たちはソフトウェア工学を変えるべきなのです。

これが本書を支える基本的なアイデアです。本書の目標は知的な一貫性

1 "State of DevOps Report"およびMicrosoftとGoogleの報告に基づく。

のあるモデルを描き、そこからあらゆる偉大なソフトウェア開発プロジェクトを支える基本原則を導き出せるようにすることです。

成功の保証などは決してありませんが、これらのメンタルツールと仕事の組み立て方の原則を取り入れ、自分の仕事に応用すれば、成功の可能性は間違いなく上がるはずです。

### ■ 1.3.1 進歩するための方法

ソフトウェア開発は、複雑で高度に知的な活動です。ある意味では、種としての人間が取り組む活動のなかでも特に複雑なもののひとつと言えるでしょう。新しい仕事を始めるたびに、あらゆる個人、またはあらゆるチームがゼロから新しいアプローチを生み出せるとか生み出すべきだと考えるのは愚かなことです。

私たちは、うまくいくこととそうでないことを学んできましたし、学び続けています。しかし、かつてアイザック・ニュートンが言ったように誰もがあらゆることに対する拒否権を持っているのなら、産業、あるいはチームとしての私たちは、どうすれば過去の偉大な業績の延長線上に進歩、発展を続けていくことができるのでしょうか。何らかの合意された原理、原則と、私たちの活動を導く規律、学問分野が必要です。

このような考え方には、うっかりすると過度に干渉的で強圧的な「権威が決めたことだから」的思考に陥る危険があります。

管理職やチームリーダーの仕事は何をどのようにすべきかを自分以外の全員に指示することだという古い間違った考えに先祖返りしかねません。

こういった過度に「押し付け的」、あるいは「規制的」なあり方には、考えに間違ったところや不完全なところがあったときに袋小路に入るという大きな問題があります。考えにそういう部分があることは避けられないことです。古くから確立されているけれども間違った考えを論駁、論破し、新しくてまだ試されていないが優れているかもしれない考えを評価するためにはどうすればよいのでしょうか。

私たちは、この問題の解決方法として、非常に強力なやり方を知っています。それは、教条（誰が提唱したものであれ）を論駁、論破し、単なる流行や古臭い間違った考え方と偉大なアイデアを区別できるアプローチです。そのアプローチを使えば、間違った考え方を捨ててよりよいアイデアを取り入れ、よい考え方をさらに磨くことができます。私たち人間がアプローチ、戦略、プロセス、テクノロジー、ソリューションをさらに成長、発展させるためには、基本的にある構造が必要なのです。私たちはそれを**科学**と呼んでいます。

実践的、実用的な問題を解決するためにこの種の思考を応用するときには、私たちはそれを**工学**と呼んでいます。

本書では、ソフトウェア開発という私たちの分野に科学的思考法を応用するとはどういうことなのかを明らかにし、言葉の正確な意味で本当にソフトウェア工学と呼べるものを実現するにはどうすればよいかを考えていきます。

## 1.4 ソフトウェア工学の誕生

**ソフトウェア工学**の概念は、1960年代末に作られました。この言葉を最初に使ったのは、のちにMIT器械工学研究所のソフトウェア工学部門の責任者となったマーガレット・ハミルトン（Margaret Hamilton）です。彼女は、アポロ宇宙船の飛行制御ソフトウェア開発の指揮を取っていました。

同じ時期、NATO（北太平洋条約機構）は、ドイツのガーミッシュパーテンキルヒェンでソフトウェア工学という用語の定義のために会議を開きました。これが**ソフトウェア工学**の初めての学会です。

最初期のコンピューターは、スイッチのオンオフによってプログラミングされていました。設計の一部としてプログラムがハードコードされている場合さえありました。しかし、これでは遅くて柔軟性に欠けることがすぐに明らかになり、「プログラム内蔵方式」という考え方が生まれました。ソフトウェアとハードウェアを初めて明確に区別したのは、この考え方です。

しかし、1960年代末までに、コンピュータープログラムは何らかの支援なしで作成、維持することが困難なほど複雑になりました。ソフトウェアはより複雑な問題の解決に関わるようになり、あっという間に一部の問題はソフトウェアなしでは解決不能というほどにまでなってしまいました。

ハードウェアの進歩の速度とソフトウェアの進歩の速度には大きな差が見られるようになりました。当時はこれを**ソフトウェア危機**と呼んでいました。

NATOの会議には、この危機に対処するためという側面もありました。

今、この会議の記録を読むと、明らかに長く生き残ったアイデアが多数含まれています。それらは時の試練に耐え、今でも1968年当時と同じように正しい存在であり続けています。自らの学問分野を定義する根本的な特徴を明らかにしたいと考える私たちにとって、これはとても興味深いことです。

振り返ってみると、チューリング賞受賞者のフレデリック・ブルックス(Frederick Brooks)がソフトウェアの進歩とハードウェアの進歩を比較したのはその数年後のことでした。

> テクノロジーであれ、管理テクニックであれ、単独で10年以内に生産性、信頼性、単純性を10倍以上向上させることを約束する新開発はない[2]。

ブルックスがこう言っているのは、有名なムーアの法則との対比からです[3]。ハードウェアは、長年に渡ってムーアの法則に従って進歩してきました。

これは面白い指摘であり、おそらく多くの人々を驚かせることでしょうが、いつも真実であり続けてきたことです。

ブルックスはさらに続けて、これはソフトウェア開発にとってそれほど

---

2 出典：Fred Brooks, “No Silver Bullet,”(1986)。`http://worrydream.com/refs/Brooks-NoSilverBullet.pdf`参照。(訳者付記)「銀の弾などない」というタイトルで邦訳されており、『人月の神話』の新版(2002年、2014年)に収録されています。

3 ゴードン・ムーア(Gordon Moore)は、1965年に今後10年間、集積回路の集積密度(性能ではない)は毎年2倍になっていくだろうと予想しました(のちに、2年ごとに2倍に修正)。この予想は半導体メーカーの開発目標になり、ムーア自身の予想を大きく越えてその後数十年間に渡って正しい予想であり続けてきました。現在のアプローチの限界と量子効果により、この爆発的な能力拡大の時代は終わりに近づいているとする論者もいますが、本稿執筆時点では、大規模半導体集積回路の進歩はまだムーアの法則に従っています。

大きな問題ではないとも言っています。ブルックスは、ハードウェア性能特有の驚異的な進歩の方を例外と考えているのです。

> だから、異常なのはソフトウェアの進歩が遅いことではなく、コンピューターハードウェアの進歩があまりにも速いことだと考えなければならない。人類の文明が始まって以来、30年で価格性能比が60倍も上がったテクノロジーはほかにないのだ。

彼がこれを書いたのは1986年であり、今日から見ればコンピューター時代の夜明けという時期のことです。ハードウェアの進歩は同じペースで続いており、ブルックスにはとてつもなく強力に見えた当時のコンピューターは、現代のシステムの性能、容量と比べるとおもちゃのようなものです。そして……ソフトウェア開発の進歩のペースも同じままです。

## 1.5 パラダイムシフト

パラダイムシフトという概念は、物理学を専攻していたトーマス・クーン（Thomas Kuhn）が生み出したものです。

ほとんどの学びは、付加という形を取ります。私たちは、理解の階層構造を組み立てており、各層は基本的に前の層に支えられています。

しかし、すべての学びがそうだというわけではありません。私たちはときどきあるものに対する見方を根本的に変えることがあります。それによって新しいことが学べるようになりますが、それは同時にそれまでに学んだことを捨てなければならないということでもあります。

18世紀の著名な生物学者たち（当時はそのようには呼ばれていませんでしたが）は、一部の動物は自然発生したと考えていました。しかし、19世紀半ばにダーウィンが現れ、自然選択のプロセスを論述すると、それによって自然発生説は根底から覆りました。

現代の遺伝の理解はこの思考の切り替えによって導かれ、私たちは生命をより根底的なレベルで理解し、遺伝子操作のテクノロジーを生み出し、COVID-19ワクチンや遺伝療法を実現しました。

同様に、ケプラー、コペルニクス、ガリレオは、地球が宇宙の中心だという当時の伝統的な考え方に異論を唱えました。彼らが代わって提唱したのは、太陽系という太陽を中心とするモデルでした。ニュートンが万有引力の法則、アインシュタインが一般相対性理論を打ち立て、私たちが宇宙旅行したりGPSのようなテクノロジーを生み出したりできたのも、その大元はここにあります。

パラダイムシフトという概念には、そのような切り替えが起きるときには、切り替えのプロセスの一環として、もはや正しくないことが明らかになったほかの考え方を捨てるということが含まれています。

ソフトウェア開発を本物の工学分野として扱うことは、科学的手法と科学的合理主義の哲学に根ざしており、深い意味を持っています。

それは、影響力と有効性という点で深いだけでなく（これについてはAccelerate本で雄弁に語られています[4]）、このアプローチによって陳腐化した考え方の放棄が必然的に求められるという点でも深いということです。

工学としてのソフトウェア開発というアプローチは、より効果的に学べて、より効率よく間違った考え方を捨てられるアプローチです。

本書で論じていく工学としてのソフトウェア開発というアプローチは、そのようなパラダイムシフトを引き起こすはずです。私たちがしているソフトウェア開発とは何か、どのように実践にすべきかについて、新しい視角を提供してくれます。

## 1.6　まとめ

ソフトウェアに工学的な思考を応用するからといって、かならずしも重々しくなったり過度に複雑になったりする必要はありません。私たちがしているソフトウェア開発とは何か、ソフトウェアを作るときにどうすべ

4　“State of DevOps Report”を支えるGoogle DORA（DevOps Research and Assessment）チームの人々は、自らの調査、研究から作り上げた予測モデルについて論じています。出典：Nicole Forsgren, Jez Humble, and Gene Kim, *Accelerate: The Science of Lean Software and DevOps* (2018)、邦訳『LeanとDevOpsの科学［Accelerate］』（インプレス、2018年）

きかについての考え方をパラダイムシフトすると、木ではなく森を見られるようになります。単純、効率的で信頼できる視角が得られるのです。

官僚主義をさらに強化しようというわけではありません。私たちの高品質なソフトウェアを作る能力をより持続的に、より信頼できる形で拡大しようということです。

第 2 章

# 工学とは何か

私がソフトウェア工学について人々に話すようになって数年たちますが、その結果、驚くほどの頻度で橋梁建設の話題に巻き込まれるようになりました。始まりはたいていこんな感じです。「そうだね、でもソフトウェア開発は橋を作るのとは違うよ」。まるで何かのお告げのような言い方です。

もちろん、ソフトウェア工学は橋梁建設と同じではありませんが、ほとんどのソフトウェア開発者が橋梁建設に対して持っているイメージも本物の橋梁建設とは違うでしょう。この会話は、実際には製造工学(生産工学)と設計工学の混同の一形態だと言うことができます。

製造工学は、物理的なものを扱うときの工学で、複雑な問題になります。その物理的なものを一定レベル以上の精度と品質で作り上げなければならないのです。

さらに、その製品を決められた予算の範囲内で特定の時間、特定の場所に送り届けることが必要になります。そして、モデルと設計に欠陥が見つかったら、物理的な現実に合わせて理論上の概念を修正しなければなりません。

デジタルアセットはそれとはまったく違います。確かに、今述べたのと似た問題はありますが、デジタルプロダクトの場合、これらの問題は実際には存在しないか、無視できるほど単純な問題にできます。どのようなものであれ、デジタルアセットの製造コストは、本質的にタダです。少なくともそうあるべきです。

## 2.1 私たちにとって製造は問題ではない

人間が行うほとんどのことで、「もの」の製造、生産は難しい部分です。自動車、旅客機、携帯電話などは、設計でも労力と創意工夫が必要になりますが、最初のプロトタイプの設計とアイデアを大量生産できるところまで持ってくるためには、設計段階よりもはるかに大きなコストをかけて複雑な道のりをたどらなければなりません。

少しでも効率ということを考えてものを作ろうとするときには、このことが特に当てはまります。このように、難しいのは生産段階であるため、工業化時代とその思考法の産物である私たちは、少しでも腰を据えて仕事をしようとすると、ほとんど何も考えずに自動的に製造、生産の心配をしてしまいます。

その結果、私たちはかなり一貫してソフトウェア産業にも同じように「製造現場の思考法」を応用しようとしてきました。ウォーターフォールプロセスは[1]、ソフトウェアの生産ラインであり、大量生産のための道具です。私たちの仕事でもっとも大切な（少なくとも大切にすべき）発見、学び、実験のためのツールではありません。

ソフトウェア開発を選んだ私たちがバカでない限り、私たちにとっての製造とは、ビルドボタンのクリックです。

ビルドはボタンを押せば自動で実行され、恐ろしくスケーラブルで、低コストなので、タダだと考えても問題はありません。それでもミスはありますし間違えることもありますが、それらは理解できている問題であり、ツールとテクノロジーで対処できます。

私たちにとって「製造」は問題ではありません。このことが私たちの分野を特殊なものにしています。製造がここまで簡単なのは非常に特殊なことなので、誤解を招きやすく、考え方やプラクティスの間違いも簡単に起きてしまいます。

## 2.2 製造工学ではなく設計工学

現実の世界でも、橋梁建設会社が新しいタイプの橋を初めて建設する場合は、ほとんどの人々がイメージする「橋梁建設」とは事情が異なります。このような状況には2種類の問題があり、片方はソフトウェア開発にも関係ありますが、もう片方は無関係です。

第1に、ソフトウェア開発とは無関係な方ですが、新種の橋を初めて建設する場合にも、作るものが物理的なものなので、先ほど説明した製造の

---

1　ソフトウェア開発におけるウォーターフォールプロセスは、開発工程を一連のフェーズに分割し、次のフェーズには明確に定義された中間製品を引き渡すという形で仕事を組み立てていく逐次的、段階的なアプローチです。イテレート（反復）せず、各フェーズを順につぶしていくという考え方をします。

あらゆる問題（およびそれ以上の問題）が起きます。ソフトウェア開発では、この部分は無視できます。

第2に、橋梁建設においても、それが新種の橋を初めて建設する場合には、製造の問題のほかに、新種の橋の設計という第2の難しい問題があります。

これが難しいのは、作るものが物理的なものなら簡単にイテレートできないからです。物理的なものの構築、製造では、改造は困難です。

そのため、ソフトウェア以外の工学の分野では、モデリングのテクニックが取り入れられています。エンジニア（工学の実践者）たちは、小さな物理的なモデルや設計のコンピューターシミュレーション（最近の場合）、さまざまな種類の数学的モデルを作ります。

この点では、私たちソフトウェア開発者は、非常に有利です。橋梁建設では、設計案のコンピューターシミュレーションを作ったとしても、それは実際の橋に近いものでしかありません。彼らのシミュレーションやモデルは不正確です。それに対し、私たちがソフトウェアの形で作るモデルや問題のコンピューターシミュレーションは、私たちのプロダクトそのものです。

私たちは、モデルが現実に一致しているかどうかを気にしなくて済みます。私たちのモデルは私たちのシステムの現実であり、確認、検証できます。それらを変えるコストを心配する必要もありません。そのため、少なくとも橋と比べれば恐ろしく簡単に改造できます。

ソフトウェア開発は技術の一分野です。私たちはそのような存在として自分のことを考えようとします。そして、自分のことをプロのソフトウェア開発者だと考えている人々の大半は、学生時代に何らかの科学を教わっているはずです。

にもかかわらず、科学的合理主義を念頭に置いて行われているソフトウェア開発はほとんどありません。その一因は、私たちの歴史にちょっとした誤りがあったことであり、科学は難しく、高くつくので、通常のソフトウェア開発のスケジュールに科学を組み込むのは不可能だと思われていることもそのひとつです。

ここでの誤りの一部は、ソフトウェア開発はもちろん、どの分野でも不可能なレベルの理念的な正確度を想定していることです。私たちは数学的な正確度を追求するという間違いを犯してきました。工学はそういうものではないのです。

### 数学としての工学

1980年代末から1990年代初めにかけては、それまでよりもプログラミングという仕事の構造についての考え方が多く議論されるようになりました。ソフトウェア工学の意義は、コードの書き方を洗い直す方向にシフトしていきました。具体的には、設計、実装に含まれる問題点をもっと効果的に見つけて取り除ける仕事の進め方はどのようなものかということです。

そのようななかで人気を集めたのが**形式手法**です。当時は、ほとんどの大学の授業で形式手法を教えていました。形式手法とは、コードの数学的な検証が組み込まれたシステムを作るというアプローチです。コードの正しさが証明されるようにしようということです。

しかし、形式手法には大きな問題がありました。それは、複雑なシステムのコードを書くだけでも難しいのに、複雑なシステムのふるまいを定義し、その正しさまで証明するコードを書くのはさらに難しいことです。

形式手法は魅力的なアイデアでしたが、一般的なソフトウェア開発プラクティスとして広く採用されるには至りませんでした。それは、開発の現場では、コードが書きにくくなることはあっても、書きやすくはならなかったからです。

しかし、もっと哲学的な議論をすると、形式手法の評価は少し変わってきます。ソフトウェアは特殊な存在です。ソフトウェアに魅力を感じる人々は、数学的思考を愛する人々でもあることが多いのです。そこで、ソフトウェアに数学的なアプローチを取り入れればアピールすることは明らかですが、そのための限界もあるのです。

現実の場面ではどうかを考えてみましょう。現代のエンジニアは、新システムの開発のために使いたいツールをすべて使います。彼らはシステムが動作するかどうかを確かめるためにモデルやシミュレーションを作り、数字を操作します。彼らの仕事には数学がふんだんに使われています。しかし、そのあとで彼らは現実の前でシステムを試します。

工学のほかの分野でも、数学は確かに重要なツールですが、だからといって、現実の世界での経験に基づく検証、学びが不要になるわけではありません。現実の世界には大きなばらつきがあるため、結果を完全に予想することはできません。数学だけで航空機を設計できるなら、航空機メーカーはそうしているでしょう。その方が実際にプロトタイプを使って検証するよりも安上がりです。しかし、そんなことをする航空機メーカーはありません。彼らは数学をふんだんに使って思考を進めた上で、実際の装置をテストして思考の正しさをチェックします。ソフトウェアは、航空機や宇宙ロケットとは違うのです。

ソフトウェアはデジタルであり、**コンピューター**という基本的に決定論的な装置で実行されます。そのため、問題が十分単純で、条件が限られ、決定論的でばらつきが小さければ、形式手法でも正しさを証明できます。問題は、システム全体がどの程度決定論的かということです。システムに並行処理が含まれていたり、「現実の世界」（人間）とのやり取りが含まれていたりすれば（単に十分複雑な分野の仕事をするだけでも）、「証明可能性」はあっという間に現実性を失ってしまいます。

そこで、私たちも航空工学の仲間たちと同じコースを歩むことになります。可能な限り数学的思考を駆使した上で、データ主導のプラグマティック、経験的、実験的なアプローチを使って学べば、システムを漸進的に成長させ、修正を加えられるようになります。

本書の執筆中、SpaceXはStarshipの仕上げ作業の過程で何度もロケットを爆発させています[2]。SpaceXは、ロケット、エンジン、燃料供給システム、発射インフラ、その他すべてのものの設計のほぼあらゆる局面で間違いなく数学的モデルを使っていますが、そのあとで数学モデルを検証し

2　本書の執筆と同じ時期に、SpaceXは完全に再利用可能な宇宙船を開発しています。目標は、人々が火星、さらには太陽系のほかの惑星に旅行して生活できるシステムを作ることです。SpaceXは、すぐに作れるプロトタイプを次々に作って評価するために、意識的に短期間で作業を繰り返す開発スタイルを採用しているのです。これは工学的な知識を生み出すための設計工学の極限的な形であり、新しいものを生み出すために何が必要かを示す魅力的な実例になっています。

ているのです。

4mmのステンレス鋼板を3mmのステンレス鋼板に切り替えるなどの一見単純なことでも、十分管理された改造になります。SpaceXは、金属の抗張力に関する詳細なデータを持っています。彼らはテストから経験を積み上げ、4mm鋼板から作られた宇宙船の強度がどれだけのものかを正確に示すデータを集めているのです。

しかし、このような数値を弾き出したあとも、SpaceXは実験的なプロトタイプを作り、違いを評価しています。彼らはテスト対象に圧力をかけて壊し、計算の正確性を確かめ、さらに深い知見を集めています。SpaceXがデータを集めモデルをテストしているのは、これらのモデルが何らかの予測し難い不可思議な形で間違いを露呈することが確実だからです。

私たちの分野がほかのすべての工学分野よりも顕著に有利なのは、私たちがソフトウェアで作るモデルは、実行して仕事の結果を示せることです。ソフトウェアモデルをテストすると、製品が直面する現実に対する私たちの最良の推量ではなく、製品そのものをテストしたことになるのです。

システムのなかの調べたい部分をほかの部分から慎重に切り離すと、本番環境とまったく同じ環境でそれを評価できます。そのため、ソフトウェア工学の実験的シミュレーションは、ほかの工学分野よりもシステムの「現実世界」をはるかに正確、詳細に表現できます。

グレン・ヴァンダーバーグ（Glenn Vanderburg）は、"Real Software Engineering"[3]と題したすばらしい講演のなかで、ほかの分野では「工学とは役立つもの」なのに、ソフトウェアではほとんど逆だったと言っています。

ヴァンダーバーグは、そうなる理由をさらに掘り下げていきます。アカデミックなソフトウェア工学のアプローチは煩雑すぎて、実践してみた人はみな、将来のプロジェクトで使うことを勧める気になれなかったというのです。

ソフトウェア工学は、重々しいくせにソフトウェア開発のプロセスに大

3 https://youtu.be/RhdlBHHimeM

した付加価値を与えてくれるわけではありませんでした。そして、ヴァンダーバーグはとどめを刺します。

> (アカデミックなソフトウェア工学が)続いてこられたのは、重要な立場にいる賢明な人々がこのプロセスを躊躇なく無視したからです。

これでは工学の真っ当な定義のどれにも当てはまりません。

ヴァンダーバーグの「役に立つものとしての工学」という言葉は大切です。よりよいソフトウェアをより早く作るために役に立たないプラクティスは、「工学的」とは呼べません。

ソフトウェア開発は、物理的なものの生産、製造とは異なり、発見、学び、設計がすべてです。私たちに求められているのは探索なので、宇宙船の設計者たち以上に、製造工学のテクニックではなく、探索のテクニックを使わなければなりません。ソフトウェア工学は、純粋に設計工学なのです。

私たちの工学の理解が混乱していることが多いのだとすれば、本物の工学とはどのようなものなのでしょうか。

### 最初のソフトウェアエンジニア

マーガレット・ハミルトンがアポロ宇宙船の飛行制御システムの開発を指揮していた頃には、従うべき「試合のルール」はありませんでした。ハミルトンは、「私たちは、重要な発見があるたびに自分たちの『ソフトウェア工学』のルールを発展させていきました。上層部のルールは『完全な自由』から『官僚主義的管理過剰』になってしまいましたけどね」と言っています。

その当時、このような複雑なプロジェクトを進めるために頼りになる経験はほとんどありませんでした。そのため、チームはたびたび誰もしたことがないことをしなければなりませんでした。ハミルトンと彼女のチームが直面した問題はどれも難問でしたが、1960年代には答えを調べられるStack Overflowはありませんでした。

ハミルトンは、直面した難問がどのようなものだったかを次のように説明しています。

> スペースミッションのソフトウェアは、有人飛行に耐えられるものでなければなりませんでした。動作しなければならないだけでなく、歴史上初めて動作しなければなりませんし、ソフトウェア自体の信頼性が圧倒的に高いだけでなく、エラーを検出してリアルタイムで修正できなければなりませんでした。私たちの言語はもっとも見つけにくいエラーを犯すように私たちを挑発してきましたが、私たちは独力でソフトウェア構築のルールを築いていかなければなりませんでした。私たちがエラーから学んだことは驚きに満ちていました。

同時に、ソフトウェアは、ほかのより「成熟した」工学と比べて「見劣りがする」ものとして見下されていました。ハミルトンがソフトウェア工学という言葉を作ったのは、ほかの分野の人々にソフトウェアを本格的な研究対象として扱ってもらいたかったからでもあります。

ハミルトンのアプローチの推進力のひとつになったのは、失敗の形、つまり私たちがどのようにして間違えるかを重視したことです。

> 私はエラーに強い興味がありました。特定のエラー、またはエラータイプがなぜ発生し、将来どのようにすれば防げるかを考え出すと止まりませんでした。

エラーの重視は、問題解決に対する科学的合理主義のアプローチに根ざしたものでした。最初から正しく計画を立てることなどできないという前提のもとに、どのようにしてエラーが起きるかについて考えを出しつくすまで、あらゆるアイデア、ソリューション、設計を懐疑的に評価していくのです。それでも現実に直面して驚かされることはありますが、それは工学の経験主義が機能しているということです。

ハミルトンの初期の仕事に見られるもうひとつの工学的な原則は、「フェイルセーフ（安全に失敗する）」という考え方です。すべてのシナリオをコーディングし尽くすことはできないという前提のもとに、システムが予想外のことにぶつかってもそれをうまく処理して前進できるようにするにはどのようにコーディングすればよいかを考えたのです。着陸作業中にコンピューターが過負荷になってエラーを起こしても、月着陸船イーグル号が無事着陸でき、アポロ11号のミッションが救われたのは、ハミルトンが指示されたわけでもないのにこの考え方をソフトウェアに組み込んでいたからです。

ニール・アームストロング（Neil Armstrong）とバズ・オルドリン（Buzz Aldrin）が月着陸船（LEM）で月面に近づいていったとき、飛行士たちとミッションコントロールセンターの間でやり取りがありました。着陸の過程でコンピューターが1201、1202というエラーを表示したのです。飛行士たちは、ミッションを続行すべきか中止すべきか指示を求めてきました。

エンジニアのひとりが「行け」と言うまで、NASAは返答を躊躇していました。彼が行けと言えたのは、ソフトウェアにどのような問題が起きたかがわかっていたからです。

> アポロ11号では、1201または1202エラーが表示されると、コンピューターがリブートし、降下エンジンの操縦部やクルーに何が起きたかを知らせるDSKYといった重要な部分を再起動していましたが、スケジューリングミスがあったランデブーレーダーのジョブは再起動していませんでした。MITが再起動機能をしっかりとテストしており、ミッション運用管理室にいたNASAの職員たちはそのことを知っていたため、ミッションを続行できたのです[4]。

いつどのように役立つかまで具体的に予測していたわけではないものの、システムにはこの「フェイルセーフ」のふるまいが組み込まれていました。

ハミルトンと彼女のチームは、経験に基づく発見と学び、ものごとがう

4　出典：“Peter Adler” (https://go.nasa.gov/1AKbDei)

まくいかなくなる状況を想像する習慣という工学的な思考スタイルのふたつの重要な特徴をこの分野に導入したのです。

## 2.3 工学の実践的な定義

ほとんどの辞書の工学の項目には、「数学の応用」「経験的証拠」、「科学的合理主義」「経済的な制約の範囲内」といった語句が含まれています。

私は次のような実践的な定義を提案したいと思います。

> 工学とは、実際的な問題に対する効率的、経済的な解を見つけるための経験的、科学的なアプローチの応用のことである。

この定義に含まれているすべての単語が重要です。工学は応用科学であり、実用のためのものです。「経験的」という単語を使っているのは、問題の解決のために学び、理解を深め、その時点での解、ソリューションを改良していくという意味です。

工学が生み出す解は、抽象的な象牙の塔的なものではありません。それらの解は実用に直結しており、状況と問題に応用できるものです。

解は状況を支配する経済に対する理解と経済による制約に基づいて作られており、効率的です。

## 2.4 工学 != コード

ソフトウェア開発を対象としたときの工学の意味についてよく見られるもうひとつの誤解は、アウトプット（コードまたは設計）だけが工学だという見方です。

これでは解釈の幅が狭すぎます。SpaceXにとっての工学とはどういう意味でしょうか。ロケットではありません。ロケットは工学の産物です。工学とは、ものを作るプロセスのことです。ロケットにも工学は含まれており、ロケットは確かに「工学的構造物」ですが、このテーマに対してよほど狭い見方をするのでもない限り、金属の溶接だけを工学だと考えたりはしないでしょう。

私の定義を言わせていただくなら、工学とは、問題解決のために科学的合理主義を応用することです。本当の意味で工学が機能しているなら、工学は解自体だけではなく、「問題解決の過程全体」です。工学はプロセス、ツール、テクニックであり、工学はアイデア、哲学、アプローチであって、それら全体がひとつの工学分野を形成するのです。

本書執筆中に私はちょっと普通ではない経験をしました。あるゲームのまずさを指摘した動画を自分のYouTubeチャンネルで発表したところ、私のほかの動画と比べて極端に多くの反響があったのです。

その動画で私は「これはソフトウェア工学の失敗だ」と言ったのですが、それに対する反論でもっとも多かったのは、私がプログラマーばかり非難していて管理職を非難していないというものでした。しかし、私が言いたかったのは、ソフトウェア製作に対するアプローチ全体がまずいということです。計画がまずく、開発文化がまずく、コードがまずい（明らかに多くのバグが含まれています）ということです。

そこで、はっきりさせておきたいことがあります。本書で私が工学という言葉を使うときには、特に限定しない限り、**ソフトウェア製作に関わるすべて**を指しているということです。プロセス、ツール、文化は、どれもその「すべて」に含まれます。

### プログラミング言語の進化

ソフトウェア工学の初期の仕事は、主としてプログラミングで使われるよりよい言語の開発に集中していました。

最初期のコンピューターには、ハードウェアとソフトウェアの区別はほとんどありませんでした。それらのマシンは、パッチパネルのワイヤーをつないだり、スイッチを反転させたりしてプログラミングされていました。

面白いことに、この仕事は、機械としてのコンピューターが登場する前に計算（数学計算）を担当していた「コンピューター」（計算係）に与えられていました。「コンピューター」には女性が多く含まれていました。

しかし、このことは、目立たないものの大きな意味を持っています。当時は、組織内の「上位の人」が「この数学問題を解決したいのだが」と言うことによって、「プログラム」（作業内容）を定義していました。指示された仕事の分担の決定（機械としてのコンピューターが登場したあとは、仕様をマシンの適切なセットアップに翻訳するための具体的な手順になったわけですが）は、これら人間の「コンピューター」（計算係）に任されていました。

今なら、この作業の内容を表現するために別の言葉を使います。実際の仕事をする人に渡される作業内容は**要件仕様**と呼び、問題解決のプランを立案する作業は**プログラミング**と呼びます。そして、人間の「コンピューター」（計算係）のことは、これら初期の電子計算機システムを操作した最初の**プログラマー**と呼びます。

次の大きな変化は、「プログラム内蔵方式」への移行で、プログラムが符号化されるようになったことです。紙テープとパンチカードの時代です。プログラムの格納媒体を取り入れた最初の一歩は、依然としてかなりハード寄りでした。プログラムは機械語コードで書かれ、紙テープかカードに格納されて、コンピューターに送り込まれました。

もっと高い抽象化レベルで概念を表現できる高水準言語の登場は、その次の大きな進歩です。これにより、プログラマーたちは従来よりもはるかにスピーディに仕事を進められるようになりました。

1980年代初めまでに、プログラミング言語設計の基本概念はほぼすべて出揃っていました。だからと言って、その後の進歩はないというわけではありませんが、主要概念の大半はすでに揃っていたということです。それでも、ソフトウェア開発の関心は、この分野の中心概念であるプログラミング言語に集中していました。

確かに、プログラマーの生産性に影響を与える重要な前進の一歩はいくつかありましたが、フレデリック・ブルックスが言う10倍の進歩、あるいはそれに近いものを生んだのは、おそらく機械コードから高水準言語への移行という一歩だけでした。

この発展の過程には、手続き型プログラミング、オブジェクト思考、関数型プログラミングといった重要な一歩がほかにもありますが、これらの概念はどれも非常に長い間生き残っています。

私たちの産業が言語とツールに取り憑かれてきたことは、私たちの職業にダメージを与えてきました。それは、言語設計に進歩がなかったという意味ではありません。言語設計の仕事の大半が間違った対象に集中しており、たとえば言語構造の進歩よりも言語構文の進歩に重点が置かれたという意味です。

確かに、初期の時代には、何が可能で何に意味があるかを学び、探ることが必要でした。しかし、その後になっても、比較的小さな進歩のために多くの労力が注ぎ込まれています。フレデリック・ブルックスは、10倍の進歩がないと指摘した上で、それあとの部分ではこの限界を乗り越えるために何ができるかを集中的に論じています。

> 病気を管理下に置くための最初の一歩は、悪魔説や気質説に代わって細菌説を取り入れたことだ。希望の始まりであるその一歩は、魔術的な治療法へのあらゆる期待を打ち砕くものだった。
>
> ……システムは、適切に構成されたダミーのサブプログラム群を呼び出す以外、何も役に立つことをしなくても、まず動作するようにすべきだ。そのあとで、サブプログラムを動作するものや下位レベルの空のスタブを呼び出すものに順に発展させて少しずつ肉付けしていくのである。

こういった考えは、言語実装の細部よりもはるかに深遠な思考から生まれています。

これらは、私たちの研究分野についての哲学や、どのような性質のテクノロジーにも当てはまる基本原則の応用に関わる問題です。

## 2.5 工学はなぜ大切なのか

この問題には、役立つものの製作にどのように取り組むかを考えるという視点もあります。人類の歴史の大部分では、私たちが作るものはすべて工芸の産物でした。工芸はものを作るためのアプローチとして効果的ですが、限界があります。

工芸は、「一度限り」のものを作るときには非常に有効です。工芸的な製作システムで作られたものは、不可避的に独自なものになります。厳密に言えば、どのような製作方法で作られたものであってもほかのものとは違いますが、工芸というアプローチでは、一般に製作プロセスの精度や反復可能性が低くなるため、一回性という性質はより明確に現れます。

これは、工芸によって作られたものの間ではばらつきが大きくなるということです。もっとも腕のよい職人が作ったものでも、人間のレベルでの精度と公差しか得られません。そのため、工芸に基礎を置く生産システムは、ものを再現することの信頼性という点では大きく見劣りがします。グレース・ホッパー（Grace Hopper）は次のように言っています。

> 私にとって、プログラミングは重要な工芸以上のものだ。知の基礎における巨大な取り組みでもある。

## 2.6 「工芸」の限界

私たちはよく工芸の産物に情緒的な反応を示します。私たちは人間として、ばらつきを好みます。手作りの大切な品物には、それを作った職人さんの技能、愛、真心が詰まっていると感じるのです。

しかし、工芸の産物は根本的に低品質です。いかに優秀な人であっても、機械ほど正確な細工ができるわけではありません。

私たちは個々の原子、あるいは原子よりも小さい粒子さえ操作できる機械を作れますが、人間の能力自体は、手作業で0.1mmの正確度でものを作れれば名人と言われる程度のものでしかありません[5]。

この精度の問題はソフトウェアとどのように関わってくるのでしょうか。プログラムを実行したときに何が起きるかを考えてみましょう。人間が認識できる変化の限界は、約13m秒です。そして、イメージの処理や

---

5　原子の大きさは種類によってまちまちですが、一般にピコメートル（$1 \times 10^{-12}$単位です）。そのため、人間の手作業は、優れた機械の精度の1千万分の1でしかありません。

事象への反応には0.01m秒単位の時間がかかります[6]。

本稿執筆時点で最新の一般向けコンピューターは、3GHz程度のクロックスピードで動作します。これは、1秒に30億サイクルということです。現代のコンピューターはマルチコアで命令を並列処理できるため、1サイクルで1個よりも多くの命令を処理しますが、ここでは話を単純にするために、レジスタ間で値を動かしてそれらを加算したり、キャッシュ内の値を参照したりする個々のマシン語命令を実行するために1クロックサイクルかかるものとします。

すると、毎秒30億個の命令を処理することになります。人間が外部事象を認識するためにかかる最短時間の間に現代のコンピューターが処理できる命令数を計算すると、3900万個となります。

仕事の質を人間の認識能力と正確度でできる範囲に制限したとすると、高々コンピューターの3900万分の1でしかサンプリングができないことになります。私たちが何かを見落とす可能性はどれだけになるでしょうか。

## 2.7 精度とスケーラビリティ

工芸と工学のこのような違いは、ソフトウェアの分野では、精度とスケーラビリティというふたつの重要な要素で大きな意味を持ちます。

ここで精度が登場するのは自明のことでしょう。手作業よりも工学のテクニックを使った方が大幅に高い分解能でものごとを操作できます。スケーラビリティの方は精度ほどわかりやすくないかもしれませんが、かえって重要です。工学によるアプローチは、工芸によるアプローチのような限界はないということです。

人間の能力頼みのあらゆるアプローチには、究極的には人間の能力の範囲内に制限されるという限界があります。何かとてつもないことを実現しようとして、1mmよりもはるかに小さい単位まで正確に線を描いたり、金属片を磨いたり、車のシートの革を縫ったりするために、どれだけ頑張

6 "How Fast is Real-time? Human Perception and Technology"（リアルタイムとはどれだけの速さか、人間の認識とテクノロジー）https://bit.ly/2Lb7pL1

って練習したとしても、またどれだけ天与の才能があったとしても、人間の筋肉と感覚能力が実現できる正確さには限界があります。

しかし、工学を学んだエンジニアは、もっと小さくもっと精度の高いものを作る機械を作れます。もっと小さな機械を作るための機械（ツール）を作れるのです。

このテクニックは、量子物理学の限界から天文学の限界までスケーラブルです。工学の応用によって原子や電子を操作したり（すでに実現しています）、星やブラックホールを操作したり（将来、そういうことを実現する日が来るかもしれません）することを妨げるものは、少なくとも理論的にはありません。

同じことをソフトウェアの文脈で具体的に言うと、一所懸命努力して人並み外れたレベルまで高速にボタンをクリックしたりテキストを入力したりできるようになれば、数分でソフトウェアのテストを終わらせられるぐらいのレベルになることは想像できます。比較のために、1分でソフトウェアのひとつのテストを実行できるようになったところを想像してみましょう（これは、私自身が長期に渡って続けられるようなペースではありません）。

1分に1個のテストを実行できるようになったとしても、コンピューターがテストを実行する速度の10万分の1、あるいは100万分の1にしかなりません。

私は、約2分で3万個のテストケースを実行するシステムを作ったことがあります。おそらく、それよりももっと高速にすることもできたはずですが、そこまでする理由がなかっただけです。Googleは、一日に1億5000万回テストを実行していると言っています。これは一分あたり104,166個のテストを実行しているということです[7]。

コンピューターを使えば、人間よりも数十万倍も高速にソフトウェアをテストできるだけでなく、コンピューターに電源を供給できる限り、そのペースをいつまでも維持できます。

---

7 "The State of Continuous Integration Testing at Google," `https://bit.ly/3VXMuhL`

## 2.8 複雑さ管理

工芸にはない工学のスケーラビリティには、もうひとつの形がありま す。工学的思考には、問題をコンパートメント化する方向に私たちを導く傾向があるということです。アメリカ南北戦争が起きた1860年代以前に銃を手に入れようと思えば、鉄砲工の店に行ったでしょう。鉄砲工は職人であり、普通は人間です。

鉄砲工は、完成品の形で銃を作ります。彼はあなたの銃のあらゆる側面を理解しており、それはあなたの銃だけに当てはまることです。おそらく、鉄砲工からは銃弾のための鋳型ももらうことになるでしょうが、それはあなたの銃で使える銃弾が他人の銃で使えるものとは異なり、あなたの銃専用だからです。銃にねじが使われているなら、それらは手作りなので、ほぼ確実にほかのねじとは異なるものです。

南北戦争には、その時代の特色が現れていました。武器が大量生産された初めての戦争だったのです。

ここで、北部州にライフル銃を売ろうとしていた男の話を紹介しましょう。彼は発明家であり、ちょっとショーマンの才能もあったようです。彼は北部州陸軍用ライフル銃の契約を獲得するために連邦議会下院に乗り込みました。

そのときに持っていったのは、ライフル銃の部品を詰め込んだ袋でした。彼は袋の中身を下院の床にぶちまけ、下院議員たちに部品を選んでくれと言いました。彼はその部品から見事にライフル銃を組み立て、契約を勝ち取りました。彼は大量生産を発明したのです。

このような標準化が可能になったのはそのときが初めてでした。標準化を実現するためには、非常に多くのことが必要でした。決められた耐久性を持つ同じ部品を繰り返し作れる機械（ツール）を開発しなければなりませんでしたし、繰り返し作るために部品の設計はモジュラーでなければなりませんでした。

結果は見事なものでした。南北戦争は、本質的に最初の近代戦争でした。十数万もの人々が殺されたのは、武器の大量生産のためです。大量生産の武器は、過去のものよりも安く、メンテナンスや修理が簡単で、正確に作られていました。

これが可能になったのは、従来よりも高い精度で作られていたからですが、それ以外の理由もたくさんあります。製造プロセスはスキルを必要としなくなり、スケールアップしました。以前は一つひとつの武器を作るために達人レベルの職人が必要でしたが、工場に機械を導入することにより、スキルの低い人々が名工に匹敵する精度でライフルを作れるようになったのです。

その後、工作機械や製造技術が改良され、工学という学問分野が進歩し、工学的な理解が進んで、大量生産の武器は、最高の技能を持つ職人が作った武器よりも生産性だけでなく品質でも優れたものになり、誰でも買えるような価格になりました。

単純な見方をすれば、これを「標準化の必要性」と解釈し、「ソフトウェアの大量生産」を受け入れなければならなくなりそうですが、それでは私たちの問題の基本的な性質にそぐわないものになります。私たちの問題は製造ではなく設計なのです。

南北戦争時代の武器メーカーのようにモジュラーでコンポーネント化された銃を設計すれば、銃の部品はより独立性の高い形で設計できます。これを製造や製造工学の立場からではなく、設計の立場から見ると、私たちは銃製作の複雑さをうまく管理できるようになったということです。

銃製作がこの段階に至る前は、設計の一部を改造したいと思った鉄砲工の職人頭は銃全体のことを考えなければなりませんでした。しかし、南北戦争時代の銃メーカーは、設計をコンポーネント化することにより、製品の品質を少しずつ向上させる漸進的な改良を実現しました。エドガー・ダイクストラ（Edsger Dijkstra）は、次のように言っています。

> プログラミングの技は、複雑さをまとめる技だ。

## 2.9 反復性と計測精度

工学の広く見られる特徴のなかで、ソフトウェアへの工学の応用を拒絶する理由として使われるものとしては、反復性というものもあります。

ボルトとナットを信頼できる精度で繰り返し生産できる機械を作って、これらを大量生産すれば、作られたすべてのボルトは作られたすべてのナットとぴったり嚙み合います。

これは製造の問題であり、本来ならソフトウェアに応用できないことです。しかし、このような能力を支えている根本的な考え方自体はソフトウェアにも応用できます。

ボルトとナット、あるいはその他すべてのものがそうですが、作られた部品はほかの部品とうまく嚙み合わなければなりません。そのためには、一定レベルの精度による計測が必要となります。あらゆる工学分野は、計測の正確性によって支えられています。

ここで複雑なソフトウェアシステムを想像してみましょう。たとえば、数週間稼働したところでシステムがエラーを起こしたとします。システムを再起動したところ、2週間後にまた同じような形でエラーが起きました。パターンがあるということです。工芸的なチームと工学的なチームがあったとして、これらはこの問題にどのように取り組むでしょうか。

工芸的なチームは、おそらくもっと徹底的にソフトウェアをテストすることになるでしょう。彼らは工芸的な視点でものを考えているので、エラーをはっきりと観察したいと思うのです。

これは愚かなことではなく、この場面で道理にかなったことですが、どうすればよいでしょうか。この種の問題が起こったときに私がもっともよく見かける対処法は、**ソークテスト**（耐久テスト）と呼ばれるものを作るというものです。ソークテストは、通常のエラー発生頻度よりも少し長い間実行されるテストで、私たちの例の場合なら3週間といったところです。問題が起きる周期よりも短い期間で問題をシミュレートできるようにスピードアップを試みることもありますが、通常はそのようなことはしません。

テストを実行すると、2週間後にテストが失敗し、バグが最終的に特定、修正されます。

これとは別の方法があるでしょうか。はい、あります。

ソークテストが検出するのは、何らかの形のリソースリークです。リークの検出方法は2種類あります。リークが自明になるのを待つか、計測精度を上げて致命的な問題になる前に検出するかです。

最近、私の家の台所が水漏れ（リーク）を起こしました。コンクリートに埋め込まれたパイプが原因でした。水をたっぷり流すとコンクリートの表面に水たまりができたので、漏れが起きていることがわかりました。これは「自明」になるのを待つ検出方法です。

水漏れを修理するためにプロに来てもらいました。彼はツールを持ってきていました。これは工学的な解決方法です。そのツールとは、地下の水漏れの音を「聞く」ための高感度マイクでした。

彼は、このツールを使ってコンクリートに埋め込まれたパイプから水が漏れ出すわずかな音を聞き分けました。それは数インチの範囲内で水漏れ箇所を特定できる超人的な精度を持っていました。彼は少し穴を掘ってパイプの破損箇所を見つけたのです。

ここで私たちの例に戻りましょう。工学的なチームは、問題が起きるのを待つのではなく、計測精度の高い手段を使います。彼らはソフトウェアのパフォーマンスを計測し、問題を起こす前にリーク箇所を見つけ出します。

このアプローチには、何重もの利点があります。本番システムの致命的なエラーがほぼ避けられるだけでなく、問題の兆候やシステムの健全性についての価値のあるフィードバックが大幅に早く得られるのです。工学的なチームは、何週間もソークテストを実行せずに、システムの定期的な検査でリークを見つけ、分単位の時間で結果を得られます。デイビッド・パーナス（David Parnas）は次のように言っています。

> ソフトウェア工学は、コンピューター科学の一分野として扱われることが多いが、これは化学工学を化学の一部と扱うのと同じようなものだ。世の中には化学者と化学工学者の両方が必要であり、彼らは別々の存在だ。

## 2.10 工学、創造力、職人技

工学全般と個別具体的なソフトウェア工学について考えるために、私はこの数年間、こういった概念を探究してきました。このテーマについては、ソフトウェアカンファレンスで話したり、ブログポストで取り上げたりしています。

そういうことをしていると、ソフトウェアクラフトマンシップ（ソフトウェアの職人芸）というものの支持者から批判を受けることがあります。この批判は、たいてい「あなたはクラフトマンシップという側面を否定することにより、重要なものを見失っている」という形式を取っています。

ソフトウェアクラフトマンシップという考え方はかつて重要でした。この考え方のおかげで、以前の製造重視で儀式的な開発アプローチから重要な一歩を踏み出せたのです。私は、ソフトウェアクラフトマンシップという考え方が間違っているとは思っていません。それでは不十分だと思っているのです。

この論争は、部分的に間違った前提から始まっています。その前提とは、私がすでに取り上げたことです。ソフトウェアクラフトマンシップを主張するソフトウェア職人の多くは、工学とは生産、製造の問題を解決するものだと考えているという共通の誤りを犯しています。しかし、すでに述べたように、ソフトウェア工学が挑む問題は「設計工学」であり、それは「製造工学」とは大きく異なっていてもっと創造的、探索的な学問分野なのです。

しかも、ソフトウェアクラフトマンシップを支持して私を批判する人々は、次のものを重視するというソフトウェアクラフトマンシップが導入したよい点を投げ捨ててしまう危険を犯しています。

- スキル
- 創造性
- 自由なイノベーション
- 指導体制

ソフトウェア開発に対する有効でプロフェッショナルなアプローチでは、これらはどれも重要です。しかし、これらはクラフトマンシップのアプローチに限られたものではありません。ソフトウェアクラフトマンシップ運動は、大切なものに改めて光を当てて、ソフトウェア開発を発展させる重要なステップでした。今挙げたものは、そういった大切なものの一部です。

これらは、1980年代から1990年代にかけて、ソフトウェア開発に対する統制的で製造中心のアプローチによって失われたか、少なくとも軽視されてしまった発想です。当時のウォーターフォールスタイルのプロセスと考え方は、一つひとつのステップが熟知されていて、反復できて、予測可能な問題に適したものでしたが、これはソフトウェア開発の現実からは大きく、あるいはまったくかけ離れています。

ソフトウェア開発本来の問題には、ソフトウェアクラフトマンシップの方がはるかに適合していました。

しかし、ソフトウェアクラフトマンシップという工芸的な発想に基づく問題解決方法には、工学ベースの解決方法のようなスケーラビリティがないという弱点があります。

工芸は優れたものを作れますが、それはある限界の範囲内のことです。

工学のアプローチは人間のほぼあらゆる活動で成立するものですが、このアプローチは品質を向上させ、コストを削減し、一般に工芸よりも頑丈で耐久力と柔軟性があるものを作り出します。

スキル、創造性、イノベーションといったものが工芸のみにあると考えるのは大きな間違いです。およそすべてのエンジニアはいつもこれらを豊富に備えていますが、特に設計に携わるエンジニアはそうです。これらは、設計工学で中心的な役割を果たします。

そういうわけで、問題解決のために工学的なアプローチを取るからといって、スキル、創造性、イノベーションの重要性が下がるということは決してありません。むしろ、これらはより必要とされます。

訓練ということではどうでしょうか。ソフトウェアクラフトマンシップを信奉する我が友たちは、大学を卒業したばかりの新人エンジニアがすぐに橋やスペースシャトルなどの設計責任者になれるとでも思っているのでしょうか。もちろん、そんなことは不可能です。

キャリアをスタートさせたばかりのエンジニアは、経験を積んだエンジニアといっしょに働くことになります。彼らは自分の分野の現実的な問題や技能を学びます。そうして学ぶことは、おそらく職人以上でしょう。

工芸（職人の世界）を少し堅苦しく、徒弟（見習い）、職人、親方という段階を踏むものと考えるなら、工学は本当はその次の段階に位置付けるべきものです。17、8世紀の啓蒙思想の時代を経て、科学的合理主義が根を下ろした頃の工学は、正確性と計測が少し加味された工芸のようなものでした。工学は、スケーラブルで効果的になった工芸の子孫です。

工芸をもっと口語的に定義するなら（工芸品の展示をイメージしてください）、それは品質や進歩の標準がない世界です。だとすると、工学は工芸と比べて飛躍以上の進歩です。

工学、特に設計に対する工学的思考様式の応用は、実際にはハイテク文明とそれ以前の農耕文明の違いです。工学は、恐ろしく複雑な問題に対して優美で効率のよい解を見つけ出せる学問分野なのです。

ソフトウェア開発に工学的思考の原則を応用すれば、ソリューションの品質、生産性、応用可能性を計測可能な形で飛躍的に向上させられます[8]。

## 2.11 私たちがソフトウェア工学をしていない理由

イーロン・マスク（Elon Musk）のSpaceXは、2019年に大きな決断を下しました。SpaceXは、人類が将来火星で生活して仕事ができるような、そして太陽系のほかの部分も探検できるような宇宙船を作る作業を進めていましたが、2019年に決断したのは、Starshipの素材をカーボンファイバー（炭素繊維）からステンレス鋼材に変えることでした。カーボンファイバーを使うというのはかなりラディカルな考え方でした。SpaceXは、カーボンファイバーで燃料タンクのプロトタイプを作るなど、膨大な作業をしていました。一方で、ステンレス鋼材という新しい選択もラディカルなものでした。現在、ほとんどのロケットは、軽くて強いという理由からアルミニウムで作られています。

SpaceXがカーボンファイバーを捨ててステンレス鋼材を選んだのは、コスト、高温性能、低温性能の3つの理由からです。1kgあたりのコストは、

8 Accelerate本は、開発に対してより工学的なアプローチを取り入れたチームがそうでないチームよりも「新しい仕事のために44%も多くの時間」を使えるようになったことを指摘しています。https://amzn.to/2YYf5Z8、https://www.amazon.co.jp/dp/B07L2R3LTN参照。

カーボンファイバーよりも鋼材の方が圧倒的に低くなります。大気圏再突入で必要とされる高温性能は、アルミニウムよりもステンレス鋼材の方が優れています。そして、低温性能は、カーボンファイバー、アルミニウムよりもステンレス鋼材の方が大幅に優れています。

極端な低温と高温では、カーボンファイバーとアルミニウムは、鉄よりもはるかに弱いのです。

それと比べてソフトウェアを作る理由はどのように説明されているでしょうか。曖昧にさえ聞こえる説明はどうしたものなのでしょうか。

これが工学的な意思決定の姿です。工学的な意思決定は、特定の温度での強度とか経済的な影響といった合理的な基準に基づいています。それは実験的、反復的、経験的でもあります。

工学では、決定がもたらす意味についての理論の前に、証拠に基づいて決定を下してから、アイデアが機能するかどうかを検証します。完全に予測可能なプロセスではないのです。

SpaceXは試験用構造物を作り、それに最初は水、次に液体窒素で圧力をかけます。素材（鉄）と製造工程の低温性能は、このようにして検査します。設計工学は知を得るための高度に探索的なアプローチです。

## 2.12 トレードオフ

あらゆる工学は、最適化とトレードオフを軸に回ります。私たちは何らかの問題を解決しようと考えており、必然的に複数の選択肢が登場します。SpaceXのロケット製作でもっとも大きなトレードオフのひとつは、重さと強度でした。これは空を飛ぶ機械はもとより、ほとんどの乗り物に共通する問題です。

直面するトレードオフを理解することは、工学的な意思決定のなかで死活的に重要なことです。

セキュリティを強化したシステムを作ると、使いにくくなります。分散化を進めると、集めた情報の集約に時間がかかります。開発のスピードアップのために人員を追加すると、コミュニケーションのオーバーヘッド、カップリング、複雑度が上がり、それによって開発のペースは下がります。

ソフトウェア開発において、エンタープライズシステム全体から1個の関数までのあらゆる粒度で等しく重要なトレードオフのひとつはカップリングです（第13章で詳しく取り上げます）。

## 2.13 進歩の幻想

私たちの産業の変化の速さは目を見張るものがありますが、私は、この変化の多くは実際には大したものではないと見ています。

今この部分は、サーバーレスコンピューティングについてのカンファレンスに出席しながら書いています[9]。サーバーレスシステムへの移行は興味深い事象ですが、AWS、Azure、Google、その他のベンダーが提供しているツールキットの間の違いには実際には大した意味はありません。

サーバーレスアプローチを採用することにすると、システムの設計にも影響が及びます。状態をどこに格納するか。状態をどこで操作するか。システムをどのように関数に分割するか。設計の単位が関数になったときに複雑なシステムを組み立て、そのなかを動き回るためにどうすればよいか。

あなたの取り組みがどのようなものであれ、これらの問いは、関数の定義のしかたやプラットフォームのストレージ、セキュリティ機能の使い方の細部よりもはるかに面白く、システムの成功のためにはるかに重要です。しかし、このテーマに関連して私が見たプレゼンテーションの大半は、システムの設計ではなく、ツールの説明に終始しています。

これでは、マイナスヘッドのねじとプラスヘッドのねじの違いばかり聞かされていて、どのねじが役に立つか、どのようなときにどのネジを使うべきか、どのようなときにねじではなく釘を使うべきかを教えてもらえない大工のようなものです。

サーバーレスコンピューティングは、コンピューティングモデルとして一歩前進した形であり、私はそのことについて疑ってはいません。本書は、重要なアイデアとそうでないアイデアを見分けるための考え方を明らかに

9 サーバーレスコンピューティングとは、「サービスとしての機能（関数）」（FaaS）を提供するクラウドベースのアプローチのことです。関数が唯一の計算単位となり、関数を実行するコードはオンデマンドで起動されます。

します。

サーバーレスが重要な理由は複数ありますが、もっとも大きいのは、**関心の分離**を促進し（特にデータについて）、より**モジュラーな設計アプローチ**に誘導することです。

サーバーレスコンピューティングは、「バイトあたりのコスト」から「CPUサイクルあたりのコスト」に計算単位を移行することにより、システムの経済を変えます。それは、今までとは大きく異なるタイプの最適化を検討しなければならないということです。

今までのように正規化されたデータストアを持ち、ストレージを最小化する方向でシステムを最適化するのではなく、おそらく非正規化ストアと結果整合性パターンを使った純粋分散モデルのコンピューティングを受け入れなければならなくなります。これらのことが重要なのは、私たちが作るシステムのモジュラー性に影響が及ぶからです。

ツールが持つ意味は、もっと根本的なところを「進化」させる度合い次第です。

## 2.14 工芸から工学へ

工芸の価値を見失わないことは大切です。高品質なものを作るために、細部に注意を注ぐことは必要不可欠なことです。それと同時に、工芸の限界を超えて製品の品質と有効性を向上させる工学の重要性を見失わないことも大切です。

空気よりも重い動力付きで操縦可能な空飛ぶ機械を初めて作ったのはライト兄弟です。彼らは優れた職人であるとともに、優れたエンジニアでした。彼らの仕事の大半は経験による発見に基づくものでしたが、自分たちの設計の有効性を本格的に研究するということもしています。彼らは飛行機を初めて作った人間であると同時に、翼の設計の有効性を計測できる風洞を初めて作った人間でもあります。

飛行機の翼は、注目すべき構造物です。ライト兄弟が作った翼は見事なものですが、現代の基準で見ればとてつもなく荒削りなものでもあります。彼らの翼は、バナナ油で耐風性を与えた布をぴんと張って木と針金で作られた構造物を包んだものだったのです。

彼らは、先駆者の業績に基づく空気力学理論の初歩的な理解を深化させるために、そのような翼と風洞を使いました。しかし、ライト兄弟の飛行機は、全体として純粋な理論的設計の産物というよりも、試行錯誤を繰り返して組み立てられたものであり、特に翼はそうです。

つまり、現代の目で見ると、ライト兄弟の飛行機は工学の産物というよりも工芸の産物のように見えるということです。しかし、その見方は部分的に正しいだけで、全体としては間違っています。多くの人々が工芸のアプローチで空飛ぶ機械を作ろうとして、失敗してきました。ライト兄弟が成功した重要な理由のひとつは、工学を取り入れたことです。彼らは計算し、計測と研究のためのツールを使いました。彼らは変数を管理して理解を深め、飛行のモデルを改良しました。さらに、彼らはモデルとグライダーと風洞を作って、自分たちの理解を検証し、深化させました。彼らが確立した原理は完璧なものではありませんでしたが、ただの実用的な知識に留まらず理論でもあるものを発展させました。

ライト兄弟は、空気よりも重い操縦可能な空飛ぶ機械を作れるようになるまでに、空気力学研究によって滑空比8.3の飛行装置を作れるようになっていました[10]。

現代の飛行機、たとえばセールプレーン（固定翼グライダー）の翼とこれを比較してみましょう。ライトフライヤーの翼はアンダーキャンバー（低速で高揚力が得られる）で、当時としては軽く作られていましたが、現代の基準からすると重いものです。単純な天然素材を使って8.3という滑空比を実現していました。

現代のセールプレーンは、工学、経験による発見、実験のほか、材料科学、進歩した空気力学理論、コンピューターによるモデリングなどを通じて、カーボンファイバーの高アスペクト比翼を採用しています。そのような翼は、揚力を生み出すときにたわみ、動くところがはっきりと見えるぐ

---

10 滑空比は、飛行体の効率の尺度のひとつです。沈下距離に対する前進距離の比率を表します。たとえば、（無動力の）滑空で1フィート（または1m）沈下したときに8.3フィート（または8.3m）前進すれば、滑空比は8.3になります。`https://en.wikipedia.org/wiki/Lift-to-drag_ratio`参照。

らいに軽く強く作られています。滑空比は70を超え、ライトフライヤーの9倍近くになっています。

## 2.15 工芸では不十分

工芸、特に創造性という意味での工芸は重要です。私たちの分野は非常に創造的な分野ですが、工学もそうです。私は、人類のアイデアと創造力の粋が工学だと思っています。ソフトウェアで偉大な仕事を生み出したいと思うならどうしても必要な思考形態が工学なのです。

## 2.16 考え直すべきときが来たのか

専門分野としての**ソフトウェア工学**は、多くの人々が望んだようには発展しませんでした。ソフトウェアは世界を変え、今なお変え続けています。イノベーティブで面白く、わくわくさせるようなすばらしい仕事も生まれていますが、ソフトウェア開発を手掛ける多くのチーム、組織、個人にとって、成功する方法、それどころか発展する方法さえ、いつもはっきりしているとはとても言えません。

私たちの産業は、哲学、プラクティス、プロセス、テクノロジーがあふれかえっています。最高のプログラミング言語、アーキテクチャーアプローチ、開発プロセス、ツールは何かについて、専門家の間で宗教戦争が起きています。私たちの職業の目的や戦略は何か、どうあるべきかという問いには、多くの場合、大雑把な答えしかないように感じられます。

現代の開発チームは、日程のプレッシャー、品質、設計のメンテナンス性と戦っています。彼らは、ユーザーにしっくり合うアイデアを見つけようとして苦闘しつつ、問題ドメインやテクノロジーを学ぶ時間を確保できず、本当にすばらしいものを作れないでいることがたびたびあります。

企業は、ソフトウェア開発から何を得たいのかがわからなくなることがたびたびあります。開発チームの能力や仕事のスピードにもたびたび不満を感じます。こういった問題を克服するために何ができるかについてもたびたび誤解が見られます。

その一方で、少なくともはっきりとした形ではあまり口に出されることがない基本的な考え方について、私が敬意を抱いているエキスパートたちの間ではかなり深いレベルの一致が見られるようにも思います。

おそらく、そういった基本的な部分の一部について考え直すべきときが来ているのでしょう。私たちの分野に共通する原理は何なのでしょうか。今のツールだけでなく、今後数十年に渡って通用する考え方は何なのでしょうか。

ソフトウェア開発は単純な仕事ではなく、同じような仕事ばかりではありません。それでも、多くのソフトウェア開発に広く通用する汎用的なプラクティスがあります。ソフトウェア開発にまつわるあらゆる難点に大きな、いや劇的なまでの効果をもたらす開発の管理、組織、実践についての考え方があります。

本書のこれからの部分では、こういった汎用的な考え方を掘り下げていきます。そして、問題ドメイン、ツール、経営上、品質上のニーズの違いにかかわらず、すべてのソフトウェア開発に共通する基本原理のリストを作っていきます。

私から見て、本書で取り上げる概念は、この分野の性質の深いところに触れるもののように感じられます。

多くのチームがこれらの原理を正しく理解して実行に移せば、私たちの生産性は上がり、チームメンバーのストレスや燃え尽きは減り、設計の品質は向上し、作ったシステムの耐久性は上がるでしょう。

私たちが作るシステムは、ユーザーをもっと喜ばせるものになります。本番システムのバグは劇的に減り、開発チームは、学びの深化にともない、担当システムのほぼあらゆる側面を今までよりもはるかに簡単に変えられるようになります。この原理を実践する企業は、実利的な効果として、一般に営業成績を大幅に引き上げられるでしょう。これらの効果は、どれも**工学**の特徴です。

**工学**は、私たちの創造力と、高品質で役立つものを自信を持って作る能力を引き上げます。アイデアを掘り下げ、創造力を伸ばせるようになり、それによってより大規模で複雑なシステムを構築できるようになります。

私たちはソフトウェアを対象とする本物の工学が誕生しようとしている

瞬間に立ち会っています。このチャンスをしっかりとつかめば、ソフトウェア開発のプラクティス、組織、教育のあり方を変えていけるようになります。

これはひと世代をかけた長い変革になるかもしれませんが、私たちを雇う企業や世界全体にとって非常に大きな価値があるので、トライしないわけにはいきません。ソフトウェアがもっと早くもっとコスト効果の高い形で作れるようになります。作られたソフトウェアが高品質で、メンテナンス、修正しやすく、高い耐久性を持ち、ユーザーのニーズにもっとぴったり合うものになります。そのとき、私たちの生活はどうなるでしょうか。

## 2.17 まとめ

ソフトウェアでは、**工学**の定義がほかの分野とは異なっていました。ソフトウェア工学を、「本物のソフトウェア開発」を邪魔する面倒で負担になるだけの不要なものとして捉えるグループさえあります。しかし、ほかの分野で実践されている本物の工学は、決してそうではありません。それらの工学は作るものの品質を上げることはあっても、下げたりはしません。

ソフトウェア開発に対しても、実践的、合理的でフットワークの軽い科学的なアプローチを取るようになれば、同じような効果が得られるようになります。ソフトウェア工学はソフトウェア固有のものになりますが、ソフトウェア開発を邪魔するものではなく、よいソフトウェアを早く作るために役立つものにもなるはずです。

第3章

# 工学的アプローチの基礎

個々の工学分野はそれぞれ異なります。橋梁工学と航空工学は同じではありませんし、これらはどちらも電気工学や化学工学とは異なります。しかし、これらすべての学問分野は、共通の考え方を持っています。これらはどれも科学的合理主義にしっかりと根ざしており、プラグマティックで経験的なアプローチで進歩を遂げています。

ソフトウェア工学の名のもとにまとめられる寿命の長い思考、アイデア、プラクティス、行動様式のコレクションを定義するという目標を達成できれば、それは現実のソフトウェア開発のしっかりとした基礎になり、時代の変化に耐えられるはずです。

## 3.1 変化の産業？

ソフトウェア産業では、変化がたびたび話題になります。新技術や新製品が登場すると私たちは興奮しますが、こういった変化は本当にソフトウェア開発の「進化」なのでしょうか。ここは疑問が残るところです。私たちを興奮させた変化の多くは、かつて予想させたほど大きな違いを生み出していないように見えます。

このことを示す例として私が気に入っているのは、クリスティン・ゴーマン（Christin Gorman）のすばらしいプレゼンテーションです[1]。そのなかで、クリスティンは当時人気を集めていたORマッピングライブラリーのHibernateを使うと、少なくとも主観的にはSQLで同等のふるまいを記述するのと比べてコード量が増えると指摘しています。しかも、SQLの方がわかりやすいとも言っています。さらに、クリスティンはソフトウェア開発をケーキ作りにたとえて、ケーキを作るときにケーキミックスを使うか、それとも新鮮な材料を選んで最初から作るかと問いかけています。

ソフトウェア産業における変化、変革の多くは一時的なもので、進化と呼べるほどのことはしていません。Hibernateのように、実際には退化だというものもあります。

1 出典: Christin Gorman, “Gordon Ramsay Doesn’t Use Cake Mixes,”`https://bit.ly/3g02cWO`

私の印象では、ソフトウェア産業は学ぶことも進化することもなかなかできないで苦闘しているように見えます。この相対的な停滞は、コードを実行するハードウェアのとてつもない進化によって見えなくされているのです。

ソフトウェアの世界に進化はなかったなどと言うつもりはありません(進化は間違いなくありました)。しかし、私たちの多くが思うほど進化のペースは早くなかったと思っています。ここでちょっと時間を割いて、ご自分のキャリアのなかで、ソフトウェア開発に対する見方や実践方法に大きな影響を与えた変化は何だったかを考えてみてください。あなたが解決できる問題の質、規模、複雑度を大きく変えたアイデアは何だったでしょうか。

普通に思うほど長いリストにはならないはずです。

たとえば、私はキャリアを通じて15種類から20種類ぐらいのプログラミング言語を使ってきました。これらに対する好みはありますが、ソフトウェアと設計に対する考え方を根本から変えた変化はふたつしかありません。

それはアセンブリ言語からCへの変化と手続き型プログラミングからオブジェクト指向プログラミングへの変化です。私からすると、個々の言語の登場にはプログラミングパラダイムの変化ほどの重要性はありません。これらふたつの変化は、コードを書くときの抽象化のレベルを大きく変えました。私たちが構築できるシステムの複雑度が格段に上がったのです。

フレデリック・ブルックスが10倍以上の進歩はないと書いたときに見落としていたことがあります。10倍の進歩はないかもしれませんが、10倍の退化はあるのです。

私は、ソフトウェア開発に対するアプローチのために立ち往生している組織をいくつも見てきました。原因はテクノロジーという場合もありますが、プロセスという場合の方が多いです。5年以上もソフトウェアを正式リリースできていない大企業のコンサルティングに入ったこともあります。

私たちは、新しい考え方を学ぶのが難しいだけでなく、古い考え方を捨てることがほとんど不可能なように見えます。たとえ、もう通用しなくなったと言われていても捨てられないのです。

## 3.2 計測の重要性

間違った考え方をなかなか捨てられない理由のひとつは、ソフトウェア開発のパフォーマンス（能力、業績）を効果的に計測できていないことにあります。

ソフトウェア開発のパフォーマンスに対する指標の大半は、実際には無関係なものか（スピード）、積極的に有害なもの（コードの行数やテストカバレッジ）です。

アジャイル開発の世界では、ソフトウェア開発チームやプロジェクトのパフォーマンスの計測は不可能だと長く考えられてきました。マーティン・ファウラー（Martin Fowler）は2003年2月に広く読まれているBliki[2]でこのことの一側面について書いています。

ファウラーの指摘は正しいものです。ソフトウェア開発の生産性にけちをつけられない完全な尺度はありません。だからといって、役立つ指標はないというわけではありません。

ニコール・フォースグレン、ジェズ・ハンブル、ジーン・キムは、"State of DevOps Report"[3]と『LeanとDevOpsの科学［Accelerate］』[4]で、証拠に基づく強力な判断を実現する方向に向かって重要な一歩を踏み出しています。彼らは、ソフトウェア開発チームのパフォーマンス計測のための興味深く魅力的なモデルを提示しているのです。

面白いことに、彼らは生産性を直接計測しようとはしていません。ふたつの重要な属性に基づいてソフトウェア開発チームのパフォーマンスを評価しているのです。これらの属性の指標は、予測モデルの一部として使われます。彼らは、これらの指標がソフトウェア開発チームのパフォーマンスとの間に因果関係があることを証明できてはいません。しかし、統計的相関があることは示せています。

2 出典: Martin Fowler, "Cannot Measure Productivity," https://bit.ly/3mDO2fB
3 出典: Nicole Forsgren, Jez Humble, Gene Kim, https://bit.ly/2PWyjw7
4 Accelerate本は、ソフトウェア開発に対して規律の取れたアプローチを採用しているチームは、そうでないチームよりも「新しい仕事に44%多くの時間」を使っていると指摘しています。

そのふたつの属性とは、**安定性**と**スループット**です。安定性が高くスループットが高いチームは「高パフォーマンス」、両者が低いチームは「低パフォーマンス」に分類されます。

面白いのは、高パフォーマンスチームと低パフォーマンスチームの行動を分析すると、パフォーマンスと行動様式に一貫した相関関係が見られることです。高パフォーマンスチームには、共通の行動様式があります。逆に、チームの行動様式に注目すると、これらの指標のスコアが予測でき、統計的相関が見られます。チームの行動様式をいくつかチェックすると、このような規模でパフォーマンスを予測できるのです。

たとえば、あなたのチームがテストの自動化、トランクベース開発、デプロイの自動化、その他約10種のことを実践しているなら、彼らのモデルはあなたが**継続的デリバリー**を実践していると予測します。継続的デリバリーを実践していれば、彼らのモデルは、あなたのチームがソフトウェアデリバリーのパフォーマンスと組織としてのパフォーマンスの両方で「高パフォーマンス」だと予測します。

逆に、パフォーマンスが高いと評価されている組織に注目すると、継続的デリバリーや小規模なチームによる組織といった共通の行動様式が見られます。

そこで、安定性とスループットの指標を使えば、チームの成果を予測するモデルが作れます。

安定性とスループットは、それぞれふたつの指標で示されます。

安定性を示す指標は次のものです。

- **変更失敗率**（Change Failure Rate）：変更によってプロセスの特定の地点でエラーが発生した割合
- **エラー修復時間**（Recovery Failure Time）：プロセスの特定の位置で起きたエラーから修復までにかかった時間

安定性の計測が重要なのは、それが行った作業の品質の指標になるからです。この指標からはチームが正しいものを作っているかどうかについてはわかりませんが、計測できる品質を持ったソフトウェアを生み出す能力の度合いは測定できます。

スループットを示す指標は次のものです。

- **リードタイム**（Lead Time）：「アイデア」を「動作するソフトウェア」に変える1行の変更にどれだけの時間がかかっているか。開発プロセスの効率性の指標。
- **デプロイ頻度**（Frequency）：変更はどれぐらいの頻度で本番環境にデプロイされているか。変更ペースの指標。

スループットは、動作するソフトウェアという形でチームがアイデアをユーザーに送り届ける能力を計測します。

ユーザーの手元に変更を送り届けるまでにどれだけの時間がかかるかと、それがどれぐらいの頻度で行われているかです。スループットは、何よりもまず、チームの学びのチャンスがどれだけあるかを示します。チームはそのチャンスを活かさないかもしれませんが、スループットが高成績でなければ、チームの学びのチャンスは減ります。

これらは、私たちのソフトウェア開発アプローチの専門的な指標です。「仕事の品質はどうか」と「その品質の仕事を生み出す能力がどれだけあるか」のふたつの問いに答えます。

これらは有意義な概念ですが、まだ抜け落ちる部分は残っています。私たちが正しいものを作っているかどうかは、正しいものを作っていなければわかりませんが、作ったものが完璧でないというだけの理由でシステムの有用度が下がるものではありません。

面白いことに、今取り上げた相関モデルは、チームのサイズや継続的デリバリーを取り入れているかどうかを予測する以上の力を持っています。Accelerate本の著者たちは、それよりももっと面白いこととの顕著な相関を示すデータを持っています。

たとえば、このモデルで高パフォーマンスと評価されるチームで構成された企業は、そうでない企業よりも多くの収益を上げています。Accelerate本には、開発アプローチとそれを実践している企業の業績には相関関係があることを示すデータがあります。

また、このモデルは、多くの人々が信じている「スピードと品質のどちらか片方は得られるが、両方を得ることはできない」という考えを退けます。単純にそのようなことはないのです。この研究のデータから見ると、スピードと品質には密接な相関関係があります。スピードを目指せば高品質なソフトウェアが得られ、高品質なソフトウェアを目指せば早くフィードバックが得られます。両方を目指すことが、工学から見て優れているのです。

## 3.3 安定性とスループットの活用

これらの指標での高成績と作ったソフトウェアの品質の高さが示す相関関係は重要です。この相関関係を使えば、プロセス、組織、文化、テクノロジーの変化、変更を評価できるのです。

たとえば、作ったソフトウェアの品質が気になっているとします。どうすれば、品質を上げられるでしょうか。変更承認委員会（Change Approval Board、CAB）を導入するとどうなるでしょうか。

レビューと承認のステップを増やせばスループットにマイナスの効果を生むのは明らかであり、そのような変更はどうしても開発プロセスをスローダウンさせます。しかし、それによって安定性は上がるのではないでしょうか。

この特定の例についてのデータはあります。おそらく意外な感じでしょうが、変更承認委員会自体は安定性を向上させませんが、変更承認委員会によるプロセスのスローダウンは安定性にマイナスの効果を与えます。

> 外部承認は、リードタイム、デプロイ頻度、エラー修復時間との間で負の相関を示し、変更失敗率とは相関がありません。つまり、外部主体（管理職やCAB）による承認は、単純に本番システムの安定性（変更失敗率とエラー修復時間によって計測される）の向上には役立たないということです。しかし、外部承認は確実にプロセスをスローダウンさせます。実際、変更承認プロセスをまったく設けない場合よりも悪くなるのです[5]。

私がここでしたいのは、変更承認委員会をおちょくることではありません。推測ではなく証拠に基づいて判断を下すことが重要だと言いたいのです。

CABが逆効果だということは自明なことではありません。むしろ、妥当な感じがしますし、多くの（おそらくほとんどの）企業が品質管理のために導入している方法です。問題は、思ったように機能しないことです。

意味のある指標がなければ、CABが役に立たないことはわかりません。ただ、推測するだけになります。

もっと科学的合理主義のアプローチに従い、証拠に基づいて判断を下すつもりなら、あれこれのテーマについて、私やフォースグレンらの言葉を鵜呑みにすべきではありません。

そうではなくて、自分自身で、あるいは自分のチームでこの計測をしてみるのです。どんなものであれ、既存のアプローチによるスループットと安定性を計測しましょう。そして、どんなものであれ、変更を加えます。その変更によって計測値はどちらの方向に動いたでしょうか。

Accelerate本には、もっと多くの相関モデルが示されています。同書では、計測のアプローチと研究とともに発展してきたモデルが説明されています。ここでそれを繰り返すつもりはありません。ただ、このモデルはソフトウェア産業に重要な影響（深遠な影響と言ってもよいかもしれません）を与えるはずだということを指摘しておきたいと思います。**私たちはついに役に立つ判断基準を手にしたのです**。

この安定性とスループットのモデルは、あらゆる変更の効果を計測するために使えます。

「この新言語を採用したら、スループットか安定性が向上するか」のように、組織、プロセス、文化、テクノロジーの変化がどのような影響を及ぼすかがわかります。

また、「現在は手作業のテストの割合が多く、自動テストよりも間違いなく時間がかかっているが、それでも安定性は向上しているか」のように、プロセスのさまざまな部分の評価にも使えます。

---

5 Nicole Forsgren, Jez Humble, and Gene Kim, 2018

それでも、慎重な考えが必要です。結果の意味をよく考えなければなりません。何かの変更によってスループットが下がるのに安定性が上がるとしたら、それはどういう意味なのかということです。

もっとも、行動様式のプラスマイナスを評価できる有意義な計測値を持つことは、証拠に基づく判断、意思決定のアプローチを広げていくために重要です（必要不可欠と言ってもよいかもしれません）。

## 3.4 ソフトウェア工学という研究分野の基礎

それでは、ソフトウェア工学の基本概念は何なのでしょうか。100年後でも正しく、問題やテクノロジーが何であるかにかかわらず適用できる概念は何かということです。

カテゴリーがふたつあります。プロセス、あるいは哲学的なアプローチとさえ言えるものとテクニック、または設計です。

もっと単純に言えば、ソフトウェア工学は、ふたつの最重要スキルを中心に据えたものでなければなりません。

まず、**学びのエキスパート**になる必要があります。ソフトウェア工学は創造的な設計工学であって、製造工学とは無関係だということをはっきりと認識し、探索、発見、学びのスキルを身に付けることに力を注ぐのです。これは、科学的なスタイルの論理的思考の実践的な活用です。

そして、複雑さを管理するスキルを伸ばす努力も必要になります。私たちは頭のなかに収まりきらないシステムを作っています。大勢の人々が開発に携わる大規模なシステムを作っています。技術的なレベルでも組織的なレベルでもこのような形の作業に適応するために、**複雑さ管理のエキスパート**になる必要があります。

## 3.5 学びのエキスパート

人類が持つ最高の問題解決テクニックは科学です。学びのエキスパートになるためには、ほかの工学分野の最重要要素でもある実用科学的な問題解決アプローチを取り入れ、習熟する必要があります。

その能力はソフトウェアの問題に特化したものでなければなりません。航空工学が化学工学とは異なるのと同じように、ソフトウェア工学はほかの工学とは異なり、ソフトウェアに特化したものになります。ソフトウェア工学は、実用的でフットワークの軽いものでなければなりませんし、ソフトウェアによる問題解決アプローチ全体に浸透していなければなりません。

ソフトウェア産業におけるこのテーマのソートリーダー[6]と多数から認められている人々の間では、この点についてかなりの一致が見られます。このような考え方は、広く知られているにもかかわらず、ソフトウェア開発に対するさまざまなアプローチの基礎として広く実践されるには至っていません。

このカテゴリーには、次の5つの相互に関連し合った行動様式があります。

- 反復的な作業
- 早くて高品質なフィードバック
- 漸進的な仕事の進め方
- 実験主義的であること
- 経験主義的であること

今までにこういうことを考えたことがなければ、これら5つのプラクティスは抽象的で、ソフトウェア工学はもとよりソフトウェア開発の日常的な活動内容からかけ離れているように感じられるかもしれません。

ソフトウェア開発は、探索と発見の連続です。私たちはいつも、顧客やユーザーがシステムに何を求めているのか、与えられた問題をより適切に解くにはどうすべきか、使えるツールやテクニックをもっとうまく使うためにどうすべきかについてよりよく学ぼうと努力しています。

私たちは、何かを見落としたことを学び、修正が必要だということを学

---

6　（訳注）ソートリーダー（Thought Leader）は、その分野のエキスパートで、新しいアイデアや考え方を生み出せる人のこと。

びます。そして、よりよい仕事をするために開発組織のあり方を学び、取り組んでいる問題をより深く理解するために学びます。

学びは私たちがするすべてのことの中心です。学びのためのプラクティスはソフトウェア開発に対する効果的なアプローチの基礎ですが、効果的でないアプローチの排除のプロセスでもあります。

たとえば、ウォーターフォールという開発アプローチには、これらの特徴がありません。しかし、これらの行動様式はすべて優れたソフトウェア開発チームのパフォーマンスの高さと相関しており、数十年にも渡って成功しているチームの顕著な特徴であり続けてきました。

第2部では、どのようにして学びのエキスパートになるか、どのようにして日々の仕事に学びを活かしていくかという実践的な観点からこれらをひとつずつ深く掘り下げていきます。

## 3.7 複雑さ管理のエキスパート

私はソフトウェア開発者として、ソフトウェア開発のレンズを通して世界を見ています。そのため、私がソフトウェア開発における失敗やそのような失敗を生み出す文化について考えるときにも、主として並行処理とカップリング（結合度）という情報科学のふたつの概念が基礎になっています。

並行処理とカップリングが難しいのは、ソフトウェアを設計するときだけではありません。これらはシステム設計の枠内に収まらず、私たちが働く組織の運営にも影響を与えます。

このことは、コンウェイの法則[7]のような考え方によっても説明できますが、コンウェイの法則は並行処理とカップリングというより深い真実が表面化したものだと考えられます。

このことを考えるときには、より専門的な用語を使うと効果的です。人間の組織は、コンピューターシステムと同じような情報システムです。人

7 メルヴィン・コンウェイ（Melvin Conway）は1967年、「システム（広い意味での）を設計する組織は、組織内のコミュニケーション構造を真似たような構造の設計を生み出す」と指摘しました。`https://bit.ly/3s2KZP2`参照。

間の組織の方がほぼ確実に複雑ですが、基本的に同じ見方で観察できます。並行処理やカップリングといった本質的に難しいことは、人間の世界でも同じように難しいのです。

プログラミングの練習問題よりも複雑なシステムを組み立てたいなら、腰を据えてこれらの問題に取り組まなければなりません。システムを作る過程では作っているシステムの複雑さを管理しなければなりませんが、ひとつの小規模なチームよりも少しでも大きな規模で複雑さを管理したいなら、よりテクニカルなソフトウェアの情報システムと同じように、人間の組織という情報システムの複雑さを管理する必要があります。

ソフトウェア産業は、全体として今触れたようなことにほとんど注意を払っていないような感じがします。そのため、巨大な泥だんごのようなシステム、手に負えなくなった技術的負債、絶望的な数のバグ、自分のシステムに変更を加えるのを恐がる組織といった少しでもソフトウェア開発に携わったことがあればおなじみの光景が生まれているのです。

こういったことはどれもチームが担当システムの複雑さについていけなくなった兆候だと私は見ています。

単純な使い捨てのソフトウェアシステムを作るなら、設計品質に大した意味はありません。しかし、それよりも複雑なものを作りたいなら、複雑さに圧倒されずに部品のことを考えられるように問題を切り分けなければなりません。

分割の線をどこに引くかは、解決しようとしている問題の性質、使っているテクノロジーなど、さまざまな要因によって決まります。おそらく、あなたがどの程度賢いかということも、ある程度は影響を与えるでしょう。しかし、いずれにしても、難しい問題を解きたいなら分割線を引かなければなりません。

このような考え方を受け入れるなら、それと同時にシステムの設計とアーキテクチャーに大きな影響を与えることを話題にすることになります。前のパラグラフで「賢さ」に触れるときに少しためらいがありましたが、「賢さ」が影響を与えるのは事実です。私が警戒したのは、ソフトウェア開発者の大半が自分のコードによる問題解決能力を過大評価しているからです。

これは、形式張らない形で科学を取り入れると学べるタイプのさまざまな課題のひとつです。自分の考えは間違っているという前提からスタートして、その前提に忠実に仕事を進めていくに越したことはありません。作っているシステムで複雑さが手に負えなくなる可能性にもっともっと警戒し、複雑さ管理に力を注ぎ、注意を払いながら前進すべきです。

このカテゴリーにも、5つの要素があります。これらは互いに密接に関連しており、学びのエキスパートになるための5要素ともつながっています。しかし、あらゆる情報システムで構造的に複雑さを管理するつもりなら、これら5要素についても考える意味があります。

- モジュラー性
- 凝集度（一体性）
- 関心の分離
- 情報隠蔽/抽象化
- カップリング

第3部ではこれらをひとつずつ深く掘り下げていきます。

## 3.8 まとめ

ソフトウェア産業でツールと呼ばれているものは、実際には私たちが思っているようなツールではありません。私たちが使う言語、フレームワークといったツールは、時間とともに変わり、プロジェクトごとに変わります。ソフトウェア開発の本物のツールは、私たちの学びを促し、システムの複雑さ管理に役立つ10種類の概念です。これらの概念を重視して仕事を進めていくと、ソフトウェアによる問題解決の仕事のためにより効果的な形で言語、ツール、フレームワークを選んで活用することができます。

流行と当て推量ではなく証拠とデータに基づいて判断を下したいと思うなら、これらを評価する物差しがあればとても役に立ちます。選択に迫られたら、**安定性**の尺度から「これによって自分たちが作るソフトウェアの品質は高くなるか」を自問自答し、**スループット**の尺度から「これによって品質の高いソフトウェアを作る作業効率は上がるか」を自問自答しましょう。どちらの基準も満足させるものなら、何でも好きなものを選んでかまいません。そうでなければ、どちらかの尺度が悪化するようなものであり、そんなものを選ぶ理由はありません。

# 第2部

# 学びの最適化

# 第4章

# 反復的な作業

**イテレーション**は、「一連の作業の繰り返しによって、望ましい結果に少しずつ近づいていく手順」[1]と定義されています。

イテレーションは、本質的に学びを促す仕事の進め方です。私たちは反復することによって学び、学んだことに反応し、以前学んだことに修正を加えていきます。イテレーションがなく、イテレーションと密接な関係にあるフィードバックの収集がなければ、現在進行形で学ぶチャンスが失われます。イテレーションの本質は、私たちが誤りを犯し、犯した誤りを正すことを認めることであり、学びを発展させ、広げていくことを認めることです。

このように定義すると、イテレーションは何らかの目標に漸進的に近づいていくことを認めることだとも考えられます。イテレーションの本当の力は、目標への近づき方がわからないときでも、目標に近づいていけることにあります。目標に近づいているか遠ざかっているかを判断するための何らかの手段さえあれば、思いつきでイテレートしても目標を達成できます。目標から遠ざかったステップを捨て、目標に近づいたステップを残すのです。進歩の本質はこのようなものです。これは最新の機械学習(ML)の仕組みの根幹でもあります。

### アジャイル革命

遅くとも1960年代の開発チームは、フィードバックに基づく反復的な開発アプローチを採用していましたが、その後は重々しいプロセスが主流になっていきました。そのような時期に、優れたソートリーダーやプラクティショナーがコロラド州のスキーリゾートで有名な会議を開いて発表したアジャイル宣言は、重厚なプロセスではなく、学びを中心に据えた柔軟な戦略という開発哲学を示しました。

アジャイル宣言は単純な文書です。9行の宣言本文と12個の原則を示しているだけですが[2]、大きな影響を与えました。

---

1 出典：メリアムウェブスター辞典、https://www.merriam-webster.com/dictionary/iteration。許可を得て使用。

2 アジャイルソフトウェア開発宣言、https://agilemanifesto.org/参照。

それ以前の古い考え方は、ソフトウェアで「本格的な」仕事をするなら、生産効率を中心に据えたウォーターフォールプロセスの開発が必要だというものでした（少数の反対者はいましたが）。

アジャイルの思想が浸透するまでは少し時間がかかりましたが、現在、少なくとも考え方としては、ウォーターフォールではなくアジャイルが主流です。

ただし、今でも組織的なレベルでは（技術的なレベルではそうでなくても）ウォーターフォールの考え方が文化として主流になっている企業がほとんどです。

それでも、現在のアジャイルは、以前の考え方よりも大幅に安定した基礎の上に構築されています。アジャイルコミュニティの思想、あるいは理想をもっともうまく捉えた言葉は、「調べて修正」でしょう。

このような認識の変化には、十分ではないものの重要な意味があります。なぜこの一歩が重要なのでしょうか。それは、ソフトウェア開発は生産効率が問題になるような代物ではなく、学びの活動だと認める方向に一歩進んだからです。ウォーターフォールプロセスはある種の生産、製造の問題には効果的ですが、探索、探究が必要とされる問題にはとてつもなく不向きです。

この一歩の前進が重要な理由はもうひとつあります。テクノロジー、ツール、プロセスではフレデリック・ブルックスが言う10倍の進歩は現れそうにないものの、アプローチのなかには極端にひどいため10倍以上の改善が可能なものが間違いなくあるからです。ソフトウェア開発に導入されたウォーターフォールは、そのようなひどいアプローチの候補のひとつです。

ウォーターフォールスタイルの思考は、「十分に考えれば/仕事すれば、最初から正しい結果が得られる」という前提からスタートします。

アジャイルの思考はこれを逆転させます。私たちは間違うことを避けられないという前提からスタートするのです。「私たちはユーザーが望むことを理解できない」、「最初から正しく設計することはできない」、「書いたコードに含まれるすべてのバグを捕まえられたかどうかはわからない」等々と考えるのです。アジャイルチームは、間違えることを前提としてスタートするため、ミスによる打撃の緩和を意識して仕事を進めます。

アジャイルのこのような考え方は科学の手法と同じです。懐疑的な視点から命題にアプローチし、命題が正しいことではなく、間違っていること（反証可能性）を証明するために力を注ぐのは、科学的なマインドセットの本質です。

予測は可能だと考える立場と探究が必要だと考える立場は、プロジェクトの組み立て方やチームプラクティスについて、根本から異なるアプローチを選びます。

アジャイルの考え方に従えば、安全に間違えられ、誤りの観察や変更が簡単で、できれば次はよりよい結果が得られるようにチーム、プロセス、テクノロジーを組織します。

スクラムかXP（エクストリームプログラミング）か、継続的インテグレーションかフィーチャーブランチか、TDD（テスト駆動開発）かスキルを積んだ開発者の熟考かといった立場の違いは大きな問題ではありません。本物のアジャイルプロセスの核心には、「経験的なプロセスによる制御」があります。

生産効率重視で予測は可能だと考えるアジャイル以前のウォーターフォールのアプローチよりも、アジャイルの方法の方が、ソフトウェア開発にははるかによく適合します。

反復的に作業を進めるという方法は、計画に基づいて逐次的に仕事を進めていく方法とは根本的なところで異なりますが、戦略としてははるかに効果的です。

多くの読者は当たり前のことじゃないかと思われるかもしれませんが、歴史的にはそうではなかったのです。ソフトウェア開発の歴史では、イテレーションは不要で、ソフトウェア開発の初期段階の目標はすべての手順の詳細な計画を立てることだと考えられていた時代が長かったのです。

イテレーションは探究を通じた学びのプロセスの核心であり、本物の知識を獲得するためにはどうしても欠かせないプロセスです。

## 4.1 反復的な作業の実践的な利点

発見と学びの活動としてソフトウェア工学にアプローチすると、イテレーション（反復）はかならずその中心に据えられることになるでしょう。しかし、反復的な作業のその他の利点は、最初はよくわからないかもしれません。

おそらく、もっとも重要なのは、作業習慣を反復的なものに変えると、自動的に焦点が絞られ、小さい単位で考えるように仕向けられるため、モジュラー性とか関心の分離をより真剣に考えるようになることでしょう。これは、反復的な作業の自然な結果として始まることですが、やがて品質を向上させる好循環の一部に組み込まれていきます。

小さな作業単位の完成を目指すという考え方は、スクラムとXPの両方に共通するものです。アジャイルは「ソフトウェア開発の進捗状況は計測しにくいが、機能の完成は計測でわかるので、作業対象の機能を小さくして、いつ完成したかがわかるようにしよう」という考え方をします。

このようなバッチサイズの縮小は、前進の大きな一歩です。しかし、「完成」までにどれだけの時間がかかるかを知りたくなると、話がややこしくなります。開発に対するこのような反復的なアプローチは、従来とは違う考え方をします。たとえば、継続的デリバリーでは、小さな変更を加えるたびにそれをリリースできるようにすること（一日に複数回）を目標にします。安全かつ信頼できる形でいつでも本番環境にソフトウェアをリリースできる状態が完成でなければなりません。そのような文脈における「完成」の本当の意味はどのようなものなのでしょうか。

リリースできればどのような変更でも完成したことになるので、意味のある「完成」の尺度は、ユーザーに何らかの価値を届けることだけです。これは非常に主観的な尺度です。ユーザーに「価値」と認められるためにどれだけの数の変更が必要かをどう予測すればよいのでしょうか。ほとんどの企業がしているのは、組み合わせたら「価値」だと認められるだけの機能が集まったかどうかを推測するということですが、ソフトウェアはどの時点でもリリース可能なので、これはちょっと曖昧な感じがします

実際、「価値」を構成するだけの機能変更が集まったかどうかを推測す

るという方法には問題があります。なぜなら、最初から必要な機能はすべてわかっており、何らかの「完成」のイメージに向かってどの程度進んだかの判定は可能だという前提に立っているからです。これはアジャイル運動の創設者たちが意図していたことを単純化しすぎていますが、アジャイルに移行しようとした古くからの開発組織はそのような前提を立てたのです。

反復的な作業には、選択できるというあまり目立たないメリットがあります。製品を反復的に開発すると、顧客やユーザーからのフィードバックに基づいてより高い価値を持つ製品にしていく方向に舵を切れるのです。これは、アジャイルを取り入れようとしている古くからの開発組織が見落としがちな反復作業の価値のひとつです。

それでも、小さな作業単位で仕事を進めるというアプローチは、意図や結果がどうであれ、ソフトウェア産業全体で作業対象の機能の規模を縮小し、複雑度を軽減するために貢献しました。これは本当に重要な一歩でした。

アジャイルの作業プランは、1回のスプリント（スクラム）、イテレーション（XP）でひとつの機能を完成させられる程度に小さく仕事を分割することによって成り立っています。初期の時代には、これは進捗状況の計測方法として宣伝されていましたが、実際には、作業の品質や適切性についてもっとも信頼できるフィードバックが定期的に得られるようになったというそれよりもはるかに深い意味のある効果がありました。このような変化により、この設計でよいか、ユーザーはこの機能を気に入っているか、システムは十分高速か、バグをすべて取り除けているか、このコードは使いやすいかといったことを学べる頻度が上がったのです。

小さく限定的ですぐに作れる作業単位を反復的に開発することには、すばらしいフィードバックが得られるというとても大きなメリットがあります。

## 4.2 守り重視の設計戦略としてのイテレーション

反復的な作業は、設計に対する守りのアプローチを促します（これの詳

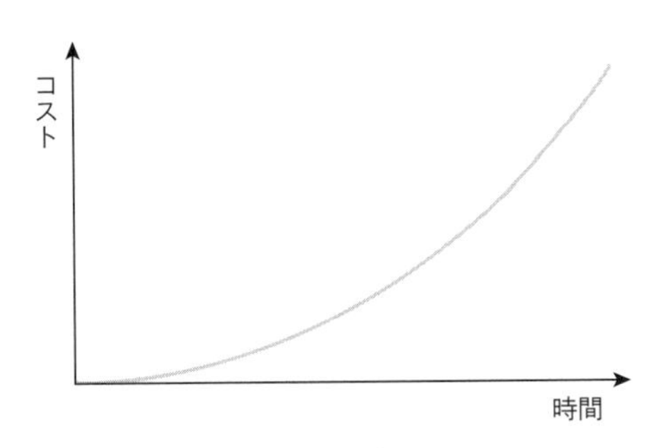


**図4-1 古典的な変更コスト**

細については第3部で説明します)。

アジャイルの思考様式の基礎についての面白い理解のしかたを初めて私に教えてくれたのは、友人のダン・ノース(Dan North) でした。ダンは、ウォーターフォールとアジャイルの違いは、実質的に経済問題だと説明してくれたのです。ウォーターフォールの思考様式は、時間とともに変更にかかるコストは高くなるという前提のもとに広がっていきました。ウォーターフォールは、昔から図4-1のような変更コストモデルを想定していました。

このような世界観には問題があります。このモデルが正しいとすると、もっとも重要な判断はプロジェクトの最初期に下さなければならなくなります。しかし、プロジェクトの最初期は、私たちの知識がもっとも少ない時期で、知識はその後にふくらんでいくのです。そのため、いかに頑張ったとしても、プロジェクトの今後にとって死活的な意味を持つことを足りない知識からの当て推量に基づいて判断することになってしまいます。

仕事を始める前にいかに一所懸命問題を分析したとしても、ソフトウェア開発は「仕事のすべての部品を完全に理解できた」状態では始まりません。最初から「明確に定義された入力集合」が得られることがない以上、いかに綿密に計画を立てたとしても、定義済みプロセスのモデル、すなわちウォーターフォールのアプローチは、最初のハードルでつまずきます。このような不適切な鋳型にソフトウェア開発を押し込めることはできません。

ソフトウェア開発は探索と発見のプロセスなので、驚いたり誤解したり

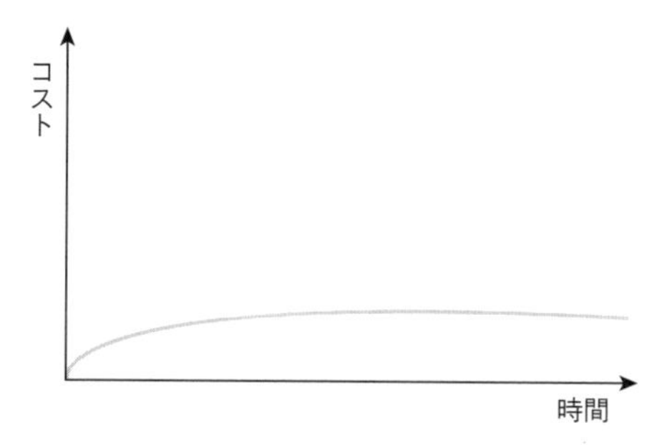


**図4-2 アジャイルの変更コスト**

間違えたりするのは日常茶飯事です。そのため、作業の過程で不可避的に発生する誤りから身を守るために、学びを重視する必要があります。

ダン・ノースは、別の世界観を示してくれました。「古くからの変更コストモデルが役に立たないことが明らかな以上、どうすべきか。変更コスト曲線が平らになればいいのになあ」（図4-2参照）

頭を切り替えて、新しいアイデアや誤りを発見し、それを実装、修正するためにかかるコストがいつも同じになるようにすればどうでしょうか。変更コスト曲線を平らにするとはそういうことです。

そうすれば、新しい知識を発見して活かす自由が得られます。私たちの理解、コード、ユーザーのエクスペリエンスを継続的に改良していくアプローチを採用できます。

それでは、変更コスト曲線を平坦にするためにはどうすればよいでしょうか。

何も作らずに分析と設計にかける時間を増やすわけにはいきません。それでは、本当に役に立つものが何かを学ばない時間が増えるだけです。そこで、各段階を圧縮し、反復的に作業を進める必要があります。私たちのアイデアを顧客とユーザーに示すために必要なだけの分析、設計、コーディング、テストをして成果をリリースし、本当に役に立つものは何かを学ぶのです。そして、学んだことをよく考え、それを活かして次のものを作ります。

これは、継続的デリバリーの核心にある考え方のひとつです（図4-3参照）。

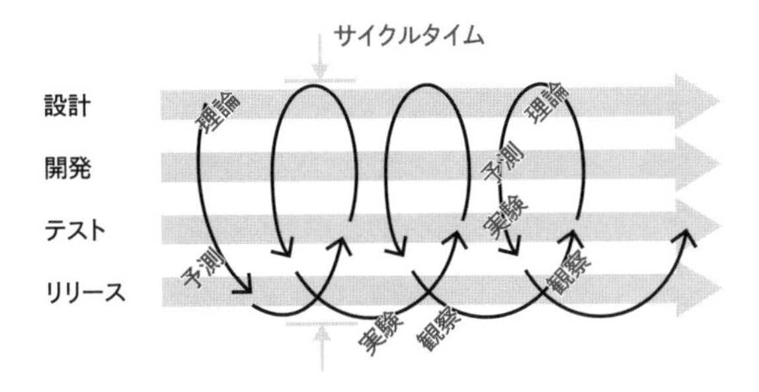


図4-3 継続的デリバリーのイテレーション

## 4.3　計画の誘惑

ウォーターフォールの思考様式を広めた人々はよい意図からそうしたのです。彼らは、ウォーターフォールこそ、最良の仕事の進め方だと思ったのです。ソフトウェア産業は、数十年をかけてこのアプローチを軌道に乗せようとしましたが、うまくいきませんでした。

問題は、ウォーターフォールのアプローチがしごくもっともに感じられることです。「始める前に慎重に考えましょう」とか「やろうとしていることを綿密に計画し、その計画を忠実に実行しましょう」といった言葉は、工業化時代の経験から判断すると、十二分に納得できることだったのです。しっかりと定義されたプロセスさえあれば、定義済みプロセスによる制御というアプローチはきわめてうまく機能していました。

物理的なものを作るときには、製造工学とスケールアップの問題の方が設計の問題よりも重要になることがよくあります。しかし、最近は物理的なものの生産でも、このような構図は変わりつつあります。製造現場の柔軟性が高まり、一部の工場は作業の方向性を変えられるようになってきたため、物理的なものの製造現場でも、厳格なプロセスに疑問を投げかけ、厳格なプロセスを捨てるところが出てきています。しかし、少なくとも過去1世紀に渡ってほとんどの企業を支配してきたこの種の「生産ライン」的思考は、問題について考えるときにプログラムされたように私たちの頭にこびりついています。

自分を動かしているパラダイムが根本的に間違っていることを認識するためには、知的な飛躍という困難な作業がともないます。全世界がそのパラダイムを正しいと思っているときには、知的な飛躍はなおさら困難になります。

**プロセス戦争**

言語、定式化、図式化では10倍の進歩が得られないのだとすれば、ほかのどこに注目すればよいのでしょうか。

学びと発見のスキルとテクニックは、私たちの分野にとって必要不可欠です。それらに合わせて私たちのアプローチと作業の組織を組み立てていけば、豊かな成果が得られるのではないでしょうか。

ソフトウェア開発の初期の時代、プログラマーたちは数学、科学、工学の高等教育を受けているのが普通でした。彼らは個人、または小規模なグループでシステムを開発していました。彼らは新しい領域の探検者であり、探検者の常として、それぞれの経験と偏見を抱えていました。初期の時代のソフトウェア開発に対するアプローチは、非常に数学的なものになりがちでした。

コンピューター革命が始まり、ソフトウェア開発が広く浸透すると、あっという間に需要が供給を追い越していきました。よりよいソフトウェアをより多くより早く開発しなければならなくなりました。そこで、ほかの産業を見て、それらの産業の人々が大規模に効率よく仕事を進めている方法をコピーしようとしました。

ソフトウェア開発の基本性質を誤解し、間違って製造現場のテクニックを導入するという恐ろしい過ちを犯したのはこのときです。私たちは大勢の開発者を集め、工場の生産ラインのソフトウェア版を作ろうとしました。

こういうことをした人々は愚かだったわけではありませんが、大きな間違いを犯しました。問題は多面的なものでした。ソフトウェアは複雑であり、その製作プロセスは従来の「製造問題」とは何の関係もありませんが、ほとんどの人々がソフトウェア開発について考えたときに思い浮かべたのは製造問題でした。

ソフトウェア製作を産業化するための最初の試みは広く普及しましたが、苦痛に満ち、悲惨な結果を生み出しました。大量のソフトウェアが生み出されましたが、その多くは問題を抱えていました。非効率で作業が進まず、予定通りに完成しない上に、ユーザーが望んでいたものにはなっておらず、メンテナンスが極端に大変なものでした。1980年代から90年代にかけて、ソフトウェア開発という分野は爆発的に成長し、大企業の開発プロセスも飛躍的に複雑化しました。

このような失敗が起きていた一方で、この分野の先進的なソートリーダーたちはこの問題のさまざまな側面をよく理解していました。

1975年に出版されたフレデリック・ブルックスの『人月の神話』[3]も、1970年代という早い時期にこの問題とその避け方を取り上げています。この画期的な本を初めて読むと、あなたがソフトウェア開発者として仕事のなかでほぼ毎日ぶつかっている問題が正確に書かれていることに驚くことでしょう。この本は、ブルックスが1960年代末の現代と比べて未発達なテクノロジーとツールを使ってメインフレームコンピューターIBM 360のOSを開発した経験から書かれたものですが、それにもかかわらず正確なのです。ブルックスは、ここでもまた言語、ツール、テクノロジーよりも重要で根本的な問題に触れています。

この時期でも、優れたソフトウェアを作ったチームはたくさんありますが、その多くは、当時、プロジェクトの計画、管理についての「知恵」とされていたものを完全に無視していました。そういったチームにはいくつかの共通点が見られました。チームは小規模で、開発者はユーザーの近くにいました。アイデアが浮かべばすぐに試し、期待した成果が得られなければすぐに方向転換していました。これは当時としては革命的なことです。実際、あまりにも革命的だったので、こういったチームは隠密モードで仕事をしていました。彼らの所属組織は、作業スピードを下げる重々しいプロセスを押し付けていたのです。

1990年代末までには、こういった重々しいプロセスに反発した一部の人々が、より効果的な開発戦略を定義する作業に着手していました。クリスタル、スクラム、XP、その他複数の競合するソフトウェア開発アプロ

3 （訳注）Frederick Brooks, *The Mythical Man-Month*（1975）、邦訳『人月の神話【新装版】』（丸善出版、2014年）

ーチが人気を集め、しのぎを削っていました。これらの視点に正式に形を与えたのがアジャイル宣言でした。

ソフトウェア産業がウォーターフォールを捨てるためにはアジャイル革命が必要でしたが、今でも多くの、いや大半の企業が、根っこのところでは計画重視のウォーターフォールで動いています。

ウォーターフォールスタイルの計画にしがみついている企業は、問題をなかなか認識できないでいるだけでなく、次のような楽観的な考え方を残しています。

- 会社はユーザーのニーズを正確につかめるはず
- 会社はそのニーズが満たされたときの自分にとっての価値を正確に評価できるはず
- 会社はそのニーズを満たすためにかかるコストを正確に見積もれるはず
- 会社は利益がコストを上回るかどうかを合理的に判断できるはず
- 会社は正確な計画を立てられるはず
- 会社は逸脱せずに計画を遂行できるはず
- 会社は最後に儲かるはず

問題は、ビジネスのレベルでも技術のレベルでも、このような楽観論が信用できないことです。現実の世界とそこに属するソフトウェア開発は、そのようにうまく運ぶものではありません。

業界のデータによれば、世界最高クラスのソフトウェア企業でも、アイデアの2/3は利益を生み出さず、損失になることさえあります[4]。私たちはユーザーが何を望んでいるかを推測することが恐ろしく苦手です。ユーザーに尋ねたとしても、彼ら自身が自分の望みを知りません。もっとも効果的なアプローチは反復、イテレーションです。アイデアの一部、いや多くは間違っているということを受け入れ、できる限り短時間で安価かつ効率

4　出典："Online Controlled Experiments at Large Scale," https://stanford.io/2LdjvmC

的にアイデアを試せるように仕事をするのです。

アイデアのビジネス価値の見積もりも難しいことで有名です。IBMの社長だったトーマス・J・ワトソン（Thomas J. Watson）に有名な逸話があります。彼は、世界のコンピューター需要がいずれ5倍になる（！）と予測したのです。

これは技術の問題ではありません。人間の限界の問題です。前進するためには、チャンスをつかみ、推測し、リスクを取らなければなりません。しかし、私たちは推測が極端に苦手です。そこで、効率よく前進を勝ち取るためには、推測によって破滅しないような構えが必要です。より慎重に、守りを固めて仕事をするのです。小さな歩幅で進み、推測のスコープ、すなわち爆発半径を縮め、失敗から学ぶことが必要になります。要するに、反復的、イテラティブに仕事を進めなければならないのです。

試してみたいアイデアが浮かんだら、諦めどきを判断する方法を見つける必要があります。まずいアイデアの追求は、どのようにして止めたらよいのでしょうか。リスクを冒してもアイデアを試してみるべきだと判断したとき、そのアイデアのためにすべてを失わないように爆発半径を縮めるにはどうすればよいのでしょうか。できる限り早く、アイデアがまずいことに気づけるようにすることが必要です。アイデアについて考えるだけでまずいアイデアを取り除けるなら最高ですが、多くのまずいアイデアは一見して明らかにまずいわけではありません。成功はつかみどころのない概念です。アイデア自体はよくても、タイミングが悪かったり、進め方まがずかったりして失敗することがあります。

必要なのは、アイデアを最小限のコストで試すことです。そうすれば、アイデアがまずい場合には、早いうちに比較的低コストでまずいことがわかります。マッキンゼーグループがオックスフォード大学の協力を得て2012年に実施したソフトウェアプロジェクトの調査によれば、大規模プロジェクト（予算が1,500万ドル以上のもの）の17%がひどく失敗し、そのプロジェクトを始めた会社の存亡の危機を招いています。そのようなまずいアイデアはどうすれば見分けられるのでしょうか。小さなステップで仕事を進め、前進か後退かについてのリアルな反応を受け取り、アイデアを絶えず批判的に評価すれば、最速、最低コストで仕事が自分たちの希望や計画からずれ始めたことに気づけます。小さなステップで反復的に仕事を進めれば、ひとつのステップで失敗したときのコストは必然的に低くなります。まずいアイデアによるリスクも最小限に抑えられるわけです。

デイビッド・ドイッチュ（David Deutsch）は、著書『無限の始まり』[5]のなかで、範囲が限定されている考えとそうでない考えの間にある深い違いについて述べています。ウォーターフォールの計画に基づく定義済みプロセスのアプローチと反復的、探索的、実験的アプローチの違いは、そのような根本的な考え方の違いの一例です。定義済みプロセスによる制御のモデル[6]は、「定義済みプロセス」を必要とします。定義上、このモデルは範囲が限定されているのです。このようなアプローチには、プロセス全体の細部を収められる人間の脳の容量という何らかのレベルの限界があります。抽象とかモジュラー性といった賢い手を使って細部の一部を隠すことはできますが、何らかの計画でプロセスの最初から最後までを定義するためには、最終的に起きるはずのすべてのことを計画に取り込まなければなりません。これは本質的に限界のある問題解決方法です。私たちが解けるのは、あらかじめ理解できている問題だけです。

反復的なアプローチはこれとは大きく異なります。ほとんど何も知らない状態で仕事を始められ、しかも意味のある前進が得られます。最初は、システムの単純で理解可能な側面から始めます。作ったものを使って、チームがそれをどのように膨らませていけばよいかを探り、システムのアーキテクチャーについて最初に考えたことを試し、有望に感じられるテクノロジーを試してみるといったことをしていきます。試すものは確信が得られたものでなくてかまいません。アーキテクチャーについての最初の考えが間違っていたり、選んだテクノロジーがまずいものだったりすることがわかった場合でも、前進はしています。以前よりもシステムの理解が進ん

---

5 （訳注）David Deutsch, *The Beginning of Infinity*（1998）、邦訳『無限の始まり』（インターシフト、2011年）

6 ケン・シュウェイバー（Ken Schwaber）は、ウォーターフォールを「定義済みプロセスによる制御のモデル」だと説明しています。「定義済みプロセスによる制御のモデルは、仕事のすべての要素の完全な理解を必要とする。明確に定義された入力集合からは、毎回同じ出力が生成される。定義済みプロセスは開始すると最後まで実行することが認められ、毎回同じ結果が生まれる」シュウェイバーは、これとアジャイルに代表される「経験のプロセスによる制御のモデル」を比較対照しています。`https://bit.ly/2UiaZdS`参照。

でいるということです。これは本質的に限界のない無限に広がるプロセスです。何らかの「適応度関数」、すなわち目標に近づいているか目標から遠ざかっているかを判断する手段さえあれば、このようなやり方は無限に続けられます。私たちの理解、アイデア、スキル、プロダクトは改良、拡張されていくのです。作業の過程でもっとよい目標が見つかったら、「適応度関数」さえ変えられます。

**無限の始まり**

物理学者のデイビッド・ドイッチュは、『無限の始まり』のなかで、科学や啓蒙は「よい説明」を追求する活動だとし、人類の歴史で生まれてきたさまざまなアイデアが「無限の始まり」になっていることを示しています。役に立つさまざまなことにいくらでも応用できるような「よい説明」を「無限の始まり」と捉えているのです。

「無限の始まり」かどうかを示すよい例がアルファベットのような表音文字と漢字のような表意文字の違いです。

人類が初めて生み出した文字は象形文字、すなわち表意文字であり、中国語や日本語は今でも表意文字を使っています（書記法の一部として）。表意文字には見た目に美しいという特長がありますが、重大な欠陥を抱えています。初めて知る言葉を音声で聞いたとき、誰かに書き方を教わらなければその言葉を書き表せないのです。表意文字による書記システムは、漸進的に拡張していくことができません。個々の単語を表す正しい文字を知っていなければならないのです（漢字は約5万種類あります）。

アルファベットのような表音文字は、これとはまったく異なります。表音文字は、単語ではなく音を表します。表音文字ならどのような単語でも綴ることができ、少々間違っていても音声的に理解できるような間違い方なら何を書いたか理解してもらえます。

このことは、聞いたことがなく、書かれているのも見たことがない単語でも変わりません。

知らない単語でも同じように読むことができます。理解していない単語や発音方法を知らない単語でも読むことはできます。表意文字では、どちらもできません。表音文字で書けることは無限ですが、表意文字はそうではないのです。片方は考えを表すための方法としてスケーラブルであるのに対し、もう片方はそうではないということです。

アジャイルのアプローチによる開発もこのような無限の広がりを許すのに対し、ウォーターフォールのアプローチはそうではありません。

ウォーターフォールはシーケンシャル（逐次的）なアプローチです。今いるステージの問いに答えなければ次のステージに進めません。私たちがいかに賢くても、システム全体の複雑度が人間の理解力を超えるどこかの地点で限界にぶつかります。

人間の知力は有限ですが、理解力はかならずしもそうではありません。私たちは自ら開発、発展させてきたテクニックを使って脳の生理学的限界を超えることができます。ものごとを抽象化し、思考をコンパートメント化（モジュラー化）することによって、理解力を大幅にスケールアップできます。

ソフトウェア開発におけるアジャイルのアプローチは、小さな問題を解決するところから仕事を始めていくことを積極的に推奨します。すべてのものに対する答えがわかる前から仕事を始めることも推奨します。ときどき最高とは言えない方向、それどころか間違っている方向になることもありますが、それでもこのアプローチは前に進むことを認めます。たとえ間違った一歩でも、私たちは一歩進んだあとには何か新しいことを学んでいます。

この学びによって、私たちは考えを磨き、次の一歩で進むべき方向を見定め、その一歩を踏み出します。アジャイル開発は、既知のよく理解できている場所で問題のごく一部を解いてから前進するので、限界がなくいつまででも前進できるアプローチです。深い意味でウォーターフォールよりも有機的、発展的であり、ウォーターフォールと違って無限に進化する問題解決アプローチです。

これは深い意味を持つ違いであり、より困難な問題を解決する人類の能力の進化の過程において、アジャイル思考が大きく重要な一歩だった理由を説明してくれます。

だからと言って、アジャイル思考は完璧だとか最終解答だというわけではありません。人間がもっと大きな力を発揮するための大きく重要で決定的な一歩だったということです。

計画への誘惑はまずい誘惑です。それは、より入念で管理されたプロフェッショナルなアプローチだとは言えません。直感や当て推量に頼った限界のあるアプローチであり、単純小規模でよく理解され、定義されたシステムでしか機能しません。

このことはとても大きな意味を持ちます。ケント・ベック（Kent Beck）が『エクストリームプログラミング』のサブタイトルに入れたことで有名な言葉ですが、私たちは「変化を積極的に受け入れ」（Embrace Change）なければならないのです[7]。

私たちは、まだ答えがわからず、どれだけの仕事が必要かがわからないときに自信を持って仕事を始めることを学ばなければなりません。不安になる人々や企業もあるかもしれませんが、人間が現実に経験することの多くはそういうものです。新しいベンチャーが起業するとき、いつ成功するか、そもそも成功するかどうかなどわかりません。どれだけの人たちが自分たちのアイデアを気に入るか、彼らがそのアイデアにお金を払ってくれるかなどわからないのです。

自動車旅行のような起業よりありふれたことでも、どれだけの時間がかかるかとか、選んだルートが最高のルートかといったことは、旅行を始めてみなければわかりません。最近は無線接続の衛星ナビゲーションシステムのようなすばらしいツールがあって、出発時にルートのプランを立てられるだけでなく、交通情報付きの地図を随時更新してくれます。変化する旅行の状況を「調べて修正」してくれるのです。

漸進的な計画と実施のアプローチを取れば、予測的、理論的で必然的に不正確な状況ではなく、現実の最新状況をいつでも知ることができます。進んでいく過程で変化が起きても、変化を学び、変化に反応、適応することができます。変化する状況に対して有効な戦略は、反復的な作業だけな

7 （訳注）Kent Beck, Cynthia Andres, *Extreme Programming Explained*：*Embrace change*, 2nd Ed（2004）、邦訳『エクストリームプログラミング』（オーム社、2015年）

のです。

## 4.4 反復的な作業の現実

では、どのようにすれば反復的に仕事を進めていけるのでしょうか。第一に必要なのは、小さな単位で仕事をすることです。個々の変更のスコープを狭め、小さなステップで変えていくのです。一般に、ステップは小さければ小さいほどよいと考えてください。そうすれば、自分たちのテクニック、アイデア、テクノロジーをよりひんぱんに試せます。

小さな単位で仕事をするということは、想定した前提条件が正しくなければならない時間の幅も短く抑えられるということです。宇宙が私たちの仕事の邪魔になるようなものを忍び込ませられる時間が短縮されれば、ものごとがまずい方向に大きく変わる確率も下がります。そして、小さな単位で仕事を進めれば、状況の変化や私たちの側の誤解のためにひとつの作業単位が無効になっても、失われる仕事量は小さくなります。そういうわけで、小さな単位で仕事をすることはとても重要です。

この考え方がアジャイルチームに入って実体化したことが明らかなものとしては、イテレーションやスプリントが挙げられます。アジャイルは、短い決められた時間内に完全で本番稼働できるコードを生み出すという考え方を前面に押し出しています。この考え方は、この章で説明した複数の役に立つ効果を生み出します。しかし、これはより反復的な作業という考え方を粗い粒度で実体化したもののひとつに過ぎません。

継続的インテグレーション（CI）やテスト駆動開発（TDD）のプラクティスも、規模がまったく異なりますが、本質的に反復的なプロセスです。

CIを採用すると、コード変更をひんぱんにコミットするようになります。一日に何度もという頻度です。これは、個々の変更がアトミックでなければならないということであり、それは変更の影響を受ける機能がまだ完成していない場合でも変わりません。これは私たちの仕事に対するアプローチを変えますが、自分のコードがほかの人たちのコードと調和して動くかどうかを学び、理解する機会が増えるということでもあります。

TDDは多くの場合、赤、緑、リファクタリングの3つのプラクティスで説明されます。

- 赤：テストを書き、実行し、失敗することを確認する。
- 緑：テストに合格するために必要なだけのコードを書き、実行し、合格することを確認する。
- リファクタリング：より明確で、表現力があって、エレガントで汎用性が高い形にコードとテストを書き直す。少しでも書き換えたらテストを実行して合格することを確かめる。

極端に粒度が細かく反復的なアプローチになっていることがわかります。コードを書くという開発者のもっとも基本的な専門能力へのアプローチとして、従来よりも大幅に強く反復性を押し出しています。

たとえば、私自身のコーディングでは、新しいクラス、変数、関数、パラメーターを導入するたびに、ほとんどかならず数段階に分けてリファクタリングの小さなステップを繰り返し、仕事を少し進めるたびにテストを実行してコードが動作していることをチェックしています。

これは高度に反復的な作業です。従来の方法よりも、私のコードは正しく動作することが多くなり、個々のステップが安全になっています。

プロセスのどの地点でも、考えや設計、コードの方向性を見直し、変えることができます。選択肢をいつも開かれた状態に保てるのです。

反復的な作業が効果的で、ソフトウェア開発を対象とする工学分野にとって根本的に重要なプラクティスになっているのは、これらの性質からです。

## 4.5 まとめ

反復、イテレーションは重要な概念であり、学び、発見、よりよいソフトウェアやソフトウェアプロダクトの実現に適した方向に進む私たちの能力の基礎です。しかし、いつものことですが、フリーランチなどというものはありません。反復的に作業したいなら、それに合うように仕事のしかたをさまざまに変えることが必要になります。

仕事を反復的にしようとすると、システムの設計、仕事の組み立て方、開発組織の作り方が影響を受けます。反復の概念は、本書を支える思想と本書で示そうとしているソフトウェア工学のモデルに深いところで織り込まれています。すべての発想は深いところでつながっており、イテレーションが終わってフィードバックが始まるのがどこかは見分けがつきにくくなることがあります。

第5章

# フィードバック

**フィードバック**は、「行動、事象、プロセスについての評価、修正情報をそれらのもととなった主体、または管理主体に伝達すること」と定義されています[1]。

フィードバックがなければ、学びのチャンスは生まれません。現実に基づいて判断を下すのではなく、当て推量をするしかなくなります。にもかかわらず、多くの人々や企業がフィードバックにほとんど注意を払っていないのは驚くべきことです。

たとえば、多くの企業は新しいソフトウェアの「ビジネスケース」を作ります。しかし、開発コストを追跡調査するとともに、顧客に実際に届けられたメリットという観点から「ビジネスケース」が正しかったかどうかを評価している企業がどれだけあるでしょうか。

選択と行動の結果を知り、理解することができなければ、自分たちが進歩しているかどうかはわかりません。

これは当たり前のことであり、わざわざ言わなければならないようなことではなさそうですが、現実には、ほとんどの企業で意思決定の決め手になっているのは、圧倒的に当て推量、上下関係、伝統といったものの方です。

**フィードバックがあれば、意思決定のエビデンスを明確化できます**。エビデンスが明確になれば、間違いなく意思決定の質も上がります。現実から神話を取り除けるようになるのです。

## 5.1 フィードバックの重要性を示す具体例

抽象的な概念操作はわかりにくくなりがちです。フィードバックの早さと品質がいかに重要かを示す単純な具体例について考えてみましょう。

ほうきバランス（ほうきを逆さにして手のひらに乗せ、バランスを取る遊び）をうまくやりたいものとします。

ひとつの方法は、ほうきの構造を綿密に分析して重心を明らかにすると

1 出典：メリアムウェブスター辞典、https://www.merriam-webster.com/dictionary/feedback。許可を得て使用。

ともに、手の構造を解析してほうきが完璧にバランスよく立つ位置を正確に計算するというものです。あとは予定の位置にほうきが来るように慎重に操作し、ほうきがバランスを崩すような力が残らないように完璧な演技をするだけです。

この第1のアプローチは、ウォーターフォールモデルの開発に似ています。うまくいく様子を想像することはできますが、信じられないほどうまくいきません。結果は非常に不安定なものになります。このアプローチは正確な予測が頼りであり、外部からの予想外の作用や予測誤差がわずかでもあれば、ほうきは手から落ちてしまいます。

それに対し、とにかく手の上にほうきを乗せ、傾きに合わせて手を動かすという方法があります。

第2のアプローチはフィードバックを基礎としています。準備に手間がかからず、フィードバックの早さと品質が成功の決め手となります。手の動かし方が遅ければ大きな修正が必要になります。ほうきの傾きを感じるのが鈍ければやはり大きな修正が必要になり、それができなければほうきは落ちます。フィードバックが早くて効果的なら、わずかな修正でほうきはバランスを保ちます。それどころか、ほうきか私たちに予想外の力が作用しても、すばやく対応して問題を解決できます。

この第2のアプローチの方がはるかに成功しやすいので、ロケットエンジンの推進力の「バランス」を取るためにもこの方法が採用されています。ほうきバランスが少しでもうまければ、誰かに押されてぐらついてもほうきのバランスを保てるぐらいフィードバックベースの方法は効果的なのです。

第2のアプローチの方が場当たり的な感じがしますし、厳密性に欠ける感じがするかもしれません。しかし、深い意味で効果的なのです。

読者はそろそろ「この著者は酔っ払ってるのか？ ほうきバランスとソフトウェアにどんな関係があるって言うんだ」と思われているかもしれません。ここで言いたいのは、プロセスの進み方には何か深遠で重要な要因があるということです。

第1の例は、予測に基づいて計画を立てるというアプローチです。すべての変数を完全に理解していて、あなたの理解や計画に変更を迫るようなものがなければ、このアプローチでうまくいきます。実際、これは綿密な計画を立てるあらゆるアプローチの基礎です。綿密な計画があるということは正解がひとつしかないということなので、問題が極端に単純な場合か、あなたが未来予知の能力を持つ全知全能の存在である場合でもない限り成功しません。

第2のオルターナティブなアプローチにも計画（「私はほうきのバランスをうまく取ってみせるぞ」）は含まれていますが、その計画は全面的に結果に関するものであって、結果を達成するためのメカニズムについての計画は一切ありません。いきなり仕事に取りかかり、望む結果を得るために必要なあらゆることをするだけです。それがフィードバックに反応し、手をすばやく数mm動かすということなら実に好都合です。何か予想外なことが起きて手を1m以上も動かして右往左往することでも、結果が出るなら問題はありません。

第2のアプローチの方が即興的で場当たり的な感じですが、結果という点では第1のアプローチよりも深い意味で効果的で安定的です。第1のアプローチには、正解はひとつしかありません。しかし、第2のアプローチにはたくさんの正解があるため、そのなかのどれかで成功する可能性が高くなるのです。

フィードバックは、変化のある環境で稼働するシステムにとって必要不可欠な構成要素です。ソフトウェア開発は常に学びのプロセスであり、ソフトウェア開発が行われる環境は絶えず変化しています。そのため、フィードバックは効果的なソフトウェア開発にとって必要不可欠な要素なのです。

### NATOの会議[2]

1960年代末までには、コンピュータープログラミングというものは上手に行うのが難しいものだということは明らかになっていました。構築されるシステムは、規模、複雑度、重要性とも上がってきていましたし、シ

2　出典：“NATO Conference on Software Engineering 1968,” https://bit.ly/2rOtYvM

ステムをプログラミングする人々の数も急激に増加していました。プログラミングが難しくなってきていることが明らかになってくると、人々はもっと効率よく、もっとエラーが減るようにソフトウェア開発プロセスを変えるにはどうすればよいかを考えるようになりました。

そのような考えが広がってきた結果、ソフトウェア工学とは何かを定義するための有名な会議が開催されました。その会議は、広い意味でのソフトウェア工学の意義とプラクティスを探ることを目的として1968年に開催されました。

会議は、当時のこの分野の世界的なエキスパートを集めて招待者のみで開催され、ソフトウェア工学という枠のなかでさまざまなテーマを議論しました。それから50年の間にコンピューターのハードウェアが驚異的な成長を遂げているので、論じられたことのなかには非常に古く感じられる部分がどうしてもあります。

> **H・J・ヘルムズ博士**：ヨーロッパだけでも、設置されているコンピューターは約1万台あり、その数は年に25%から50%ほどの割合で増えています。これらのコンピューターを対象とするソフトウェアの品質は、まもなく25万人以上のアナリストやプログラマーに影響を与えるようになるでしょう。

しかし、あまり古さを感じさせない発言もあります。

> **A・J・パーリス**：セリグさんの図には、システムのモニタリングのためのフィードバックループを加える必要があります。将来の改良のために、システムパフォーマンスのデータを集めなければなりません。

パーリスの発言には時代を感じさせる響きがありますが、考え自体はAlgolで何かを作るときのことではなく、現代のDevOpsの開発アプローチを説明しているかのようです。

ほかにも、先見の明を感じさせる発言が多数あります。

**F・セリグ**：どのレベルでも、外部仕様は、ユーザーが管理し、ユーザーが使える項目によってソフトウェアプロダクトを説明するものです。それに対し、内部設計は、外部仕様を実現するプログラムの構造によってソフトウェアプロダクトを記述します。外部仕様と内部仕様の間での設計のフィードバックは、リアルで効果的な実装作業のために必要不可欠な要素だということを理解していただかなければなりません。

この説明は、現代のアジャイル開発のユーザーストーリー[3]と非常に近い感じがします。要件策定プロセスで「何を」から「いかに」を取り除くことの重要性を言っているわけです。

21世紀の後知恵で見ると、私たちがソフトウェア開発の問題点とプラクティスについて認識している普遍的な真実の核心を射抜いた発言もあります。

**ダガペイエフ**：プログラミングでは未だに職人芸的な要素が多すぎます。

(i) プログラムの構造とその実行フロー
(ii) プログラムをテストするためのモジュールと環境の実現
(iii) 実行時の条件のシミュレーション

といった点について実践のなかで教育、監視するためのもっとしっかりとした土台が必要です。

21世紀の後知恵で見ると、「テストするためのモジュールと環境の実現」とか「実行時の条件のシミュレーション」は現代的な課題で正しく、ソフトウェア開発に対する継続的デリバリーのアプローチの基礎を形成す

3 **ユーザーストーリー**は、システムのユーザーの視点からシステムの機能を形式張らずに記述したもので、XPが生み出したアイデアのひとつです。

るものに感じられます。

こういった草創期の業績を今読むと、長期に渡って正しいことが明らかな考えがたくさん見つかります。それらの考えは、時の試練に耐え、1968年に正しかったのと同じように今でも正しくあり続けています。

「フィードバックループを確立する」とか「間違えることを前提にする」といったことには、「X言語を使う」とか「Yという図式化のテクニックを使って設計を証明する」といったこととは違う深遠な何かがあるのです。

## 5.2 コーディングに対するフィードバック

早く品質の高いフィードバックが求められるとなると、私たちの仕事のしかたに実際にどのような影響が及ぶのでしょうか。

フィードバックを真剣に受け止めれば、多くのフィードバックを得たいと思うようになります。コードを書いたら6週間後にテストチームの報告が届くのを待つというのでは、とても十分とは言えません。

私自身のコーディングへのアプローチは、キャリアの過程で大きく発展してきています。今はいつでも複数のレベルでフィードバックをもらっています。そして、非常に小さなステップで変更を加えています。

一般に、コードの書き方としてはテスト駆動開発のアプローチを使っています。システムに何か新しいふるまいを追加したいときには、まずテストを書きます。

テストを書き始めると、テストが正しいかどうかを知りたくなります。テストの正しさを知るために何らかのフィードバックがほしくなります。そこで、テストを書いたらそのテストが失敗することを確認するためにテストを実行します。テストの失敗のしかたが、テストの正否を理解するために役立つフィードバックになります。

テストに合格するためのコードを書く前にテストに合格してしまったら、テストに何か間違ったところがあるということであり、先に進む前にそれを修正しなければなりません。以上はすべて早く学ぶことを目的とする粒度の細かいフィードバックテクニックのことです。

前章で述べたように、私は一連の小さいステップでコードを書き換えていきます。ここでは少なくとも2つのレベルのフィードバックが働いています。たとえば、私はIDE（統合開発環境）でリファクタリングツールを使っていて、これはコードを書くときにまず第1に大きく役立っていますが、それだけでなく第2に各ステップで、自分のコードが機能しているかどうか、そしてより主観的なことですが、設計の発展とともに変化してきた自分のコードに満足できるかどうかについてのフィードバックを得ています。

この第2レベルのフィードバックは、変更を加えるたびに今開発しているコードにテストを再実行できるおかげで得られるものです。このフィードバックによって、変更を加えたあともコードが機能し続けていることを非常にすばやく確認できます。

このフィードバックのサイクルは、非常に短くなっています。また、そうでなければなりません。ここで触れたフィードバックサイクルの大半は、高々数秒以内に終わります。すべてがまだ機能していることを確認するためのユニットテストの実行にかかる時間は、おそらくm秒単位です。

この短時間でスピーディなフィードバックサイクルは、そのスピードと作業対象に対する直接的な関連性のためにとても貴重なものです。

一連の小さなステップの集まりとして仕事を構成すれば、仕事の進展について考える機会や、よりよい結果が得られる方向に設計の舵取りをするチャンスが増えます。

## 5.3 インテグレーションに対するフィードバック

コードをコミットすると、継続的インテグレーションシステムが作動し、私のコードはほかの開発者たちのコードとの連動という観点から評価されます。この段階で新たなフィードバックレベルが得られ、より深い理解が得られます。ここでは、私のコードのどこかが「リーク」を起こしてシステムのほかの部分がエラーを起こしていないかどうかが学べます。

この段階のすべてのテストに合格すると、次の仕事に移ってもよいというフィードバックが得られます。

これは継続的インテグレーションというアイデアを支える死活的に重要

なフィードバックです。

残念ながら、継続的インテグレーションはまだ広く誤解されており、十分に実践されているとは言えません。ソフトウェア開発のために知的に厳格なアプローチを確立しようと思うなら、感情に流されずに考え方の長所、短所を評価する工学的アプローチが大切になります。ソフトウェア開発では、そのような工学的アプローチは困難に感じられることがたびたびです。ほかよりも優れているからではなく、優れているように感じるから広く取り入れられている考え方が多数あります。

そのよい例が**継続的インテグレーション**（CI）と**フィーチャーブランチ**（FB）の論争です。

ふたつのアプローチの長所と短所を合理的、論理的に挙げてみましょう。

継続的インテグレーションは、システムに対する変更をシステムに対するほかのすべての変更との関係でできる限りひんぱんに、現実的に可能な限りほとんど「継続的」と言えるぐらいに評価するというものです。

CIは次のように定義されます。

> CIは、一日に数回ずつ、すべての開発者のワーキングコピーを共有のメインラインにマージするプラクティスである[4]。

CIのエキスパートの大半は、望ましくないものの許容可能な妥協点として「一日に数回ずつ」を「少なくとも一日に1回」に緩和しています。

そのため、定義上、CIは少なくとも一日1回ずつという小さな差分で変更を全体的な評価にさらすことだと言えるでしょう。

それに対し、定義上、あらゆるブランチングはほかの部分からの変更の分離を認めることです。

> ブランチングは、共同作業者が自分の変更を切り離すことを認める[5]。

---

4 継続的インテグレーションのこの定義は、https://bit.ly/2JVRGivに掲載されています。
5 バージョン管理におけるブランチングのこの定義は、https://bit.ly/2N1Al18に掲載されています。

CIとFBは定義の根本の部分でまったく相容れないプラクティスです。片方はできる限り早く変更を公開することを目指すのに対し、もう片方は公開を遅らせせようとします。

FBは単純に見えます。FBを取り入れている人たちは、仕事が楽になるような感じがするのでFBを気に入っています。「チームメートに縛られずにコードが書けるんだ」。しかし、変更をマージしようとしたときに問題が起きます。CIは、「マージ地獄」の問題を解消するために考え出されたのです。

古き悪しき時代、または今日でも頑迷な組織では、個々の開発者は、コードの担当部分が「完成」したと思うまで仕事をやりきってからその部分をマージします。

ところが、そのような形でマージすると、予想外のさまざまな問題が噴出します。そのため、マージは予測不能な長い時間がかかる複雑な作業になります。

この問題を解決しようとして2種類のアプローチが登場しました。CIはそのなかのひとつです。もうひとつのアプローチは、マージツールの性能を上げるというものでした。

FBの支持者たちは口を揃えて、マージツールの性能が向上したのでマージが問題を起こすことはまずないと言います。しかし、マージツールが失敗するようなコードの書き方はいつでもできます。コードのマージは、かならずしもふるまいのマージとは一致しないのです。

たとえば、あなたと私が同じコードベースで仕事をしていて、そのコードベースに値を変換するために複数の処理をしている関数があったとします。ふたりがそれぞれ独立にこの関数は値に1を加えるべきだと考えますが、関数の別々の場所でその加算を実装します。場所が違うので、この2つの変更が関連し合っていることをマージツールが見落とし、両方が生き残る可能性は十分にあります。すると、ひとつの値が一度ではなく二度インクリメントされてしまいます。

CIが定義通りに行われていれば、高い頻度で定期的にフィードバックが得られます。そのおかげで、一日を通じてコードの状態やシステムのふるまいについてのしっかりとした知見が得られます。ただ、その分コストがかかります。

CIを機能させるためには、そのようなフィードバックや知見が得られる程度にひんぱんに変更をコミットしなければなりません。これによって仕事のしかたが大きく変わります。

継続的インテグレーション、またはその兄貴分である継続的デリバリーを実践する場合、機能が「完成する」、あるいは「本番環境で実行できる状態になる」までその仕事に集中することはできません。小さなステップで変更を加え、ひとつのステップが完了するたびにシステムを使える状態にしなければなりません。これにより、システム設計についての考え方に重要な変化が起きます。

コード設計が、指導をもらいながら進歩していくプロセスに近づくのです。個々の小さなステップは、かならずしもまだひとつの機能を形成するものにはならないかもしれませんが、フィードバックを与えてくれるようになります。多くの人々にとってこのようなものの見方の転換はきわめて難しいことですが、転換に成功すればそれは解放の一歩であり、設計品質にプラスの効果が得られます。

このアプローチには、私たちのソフトウェアが常にリリース可能になり、仕事の品質と妥当性について粒度の細かいフィードバックがひんぱんに得られるようになるという効果だけでなく、私たちの設計方法がこのアプローチを維持できるような形に変わっていくという効果もあるわけです。

## 5.4 設計に対するフィードバック

私がプラクティスとしてのTDDを非常に高く評価する理由のひとつは、設計の品質についてのフィードバックが得られることです。テストが簡単に書けないとすれば、それはコードの品質について重要な事実を伝えてきているということです。

単純で効果的なテストを書く能力と設計の能力は、本書が「よい」コードを書くために重要だと考えている品質属性を通じて関連し合っています。コードの「よい品質」とは何かについて網羅的に定義しようと思えば時間がいくらあっても足りませんが、そんなことをしなくても私の言いたいことは言えます。品質の高いコードの特徴は、次の属性があることだと言ってもほぼ同意していただけるでしょう。品質の高さの属性はこれらだけではないかもしれませんが、これらが重要だということでは賛成してもらえるはずです。

- モジュラー性
- 関心の分離
- 凝集度の高さ
- 情報隠蔽（抽象化）
- 適度なカップリング

今までの説明から、このリストはなるほどと思っていただけるでしょう。これらは「高品質の特徴」であるだけでなく、複雑さを管理するためのツールにもなっています。これは偶然の一致ではありません。

では、これらの属性を基礎としてコードに「品質」を与えるにはどうすればよいでしょうか。TDDがなければ、開発者の経験、献身、スキル次第だということになってしまうでしょう。

TDDでは、定義に従ってまずテストを書きます。テストを先に書かなければ、テスト駆動開発ではありません。

最初にテストを書こうとすると、わざわざ仕事を難しくする常識外れな変人にならなければなりません。そこで、仕事が楽になるようなテストを書こうとするようになります。

たとえば、テストしているコードから結果が得られなくなるようにテストを書くことはまずありません。テスト以外のコードを書く前にまずテストを書こうとしているのですから、テストを作るのと同時にコードに対するインターフェイスの設計もしていることになります。外部ユーザーが私たちのコードを操作するためにどうするかを定義しているのです。

テストの結果が必要なので、興味のある結果に簡単にたどり着けるようにコードを設計することになります。つまり、TDDではテストできるコードを書けという圧力がかかるということです。では、テストできるコードはどのようなものになるでしょうか。

次の特徴をすべて備えたものになります。

- モジュラー性がある
- 関心の分離がうまくできている
- 凝集度が高い
- 情報隠蔽（抽象化）を使っている
- カップリングが適度になっている

**テストの根本的な役割**

古いタイプの開発アプローチでは、テストはプロジェクトの最後に押しやられており、顧客に委ねられたり、納期のプレッシャーのために圧縮されてほとんどなしになってしまったりすることがあります。

このようなアプローチでは、フィードバックループが間延びしてほとんど役に立たなくなってしまいます。コーディングや設計で紛れ込んだ誤りは、開発チームがプロジェクトを送り出し、何らかのサポートチームにメンテナンスを委ねるまで見つからないことがよくあります。

XPとその応用としてのTDD、CIでは、このことを念頭に置いて、テストを開発プロセスの先頭に置き、開発プロセスの中心にしました。これによってフィードバックループは秒単位に縮まり、ほとんど瞬間的にミスについてのフィードバックが得られるようになりました。うまく実践すると、TDDでなければ本番環境に入り込んでいたようなあらゆるタイプのバグが根絶するほどです。

このような考え方のもとでは、テストは開発プロセスの道筋を左右するだけでなく、もっと重要なことですが、ソフトウェアの設計自体の道筋も左右するようになりました。TDDを使って書かれたソフトウェアは、そうでないソフトウェアとはまったく違って見えるものになりました。ソフトウェアをテスト可能にするには、望ましいふるまいになっているかどうかを評価できるようにすることが大切だったのです。

これによって、設計が一定の方向性を持つようになりました。「テスト可能」なソフトウェアは、モジュラーで、疎結合で、凝集度が高く、関心の分離ができていて、情報隠蔽を実装したものだったのです。これらはたまたま品質の高いソフトウェアを見分けるマーカーだと考えられていた属性でした。そのため、TDDはソフトウェアのふるまいを評価するだけではなく、設計の品質を向上させるものとなったのです。

ソフトウェアでは、テストはきわめて重要です。ソフトウェアは、人間が経験するもののなかではほかに類例がほとんどないぐらい脆弱な存在です。カンマの位置がずれているといったごくわずかな間違いが致命的なエラーを引き起こすことがあります。

ソフトウェアは、人間が作ったほかのものよりもはるかに複雑でもあります。現代の旅客機には、400万個ほどの部品があります。それに対し、現代のVOLVOのトラックに搭載されたコンピューターには約8,000万行のコードが含まれており、各行には複数の命令と変数が含まれています。

TDDは、ケント・ベックが1990年代末に著書で説明したときにはすでに新しいアイデアではありませんでした。1968年のNATOソフトウェア工学会議でアラン・パーリスが同じようなことを言っています。しかし、ベックがTDDという概念を作り出し、その内容をはるかに深く掘り下げて説明したため、広く取り入れられるようになったのです。

TDDは未だにさまざまな論争を生んでいますが、データとして優れた成績を残しています。システムに含まれるバグの数を劇的に減らし、システム設計の質も向上させています。

TDDは、客観的に「より高品質」なコードを書くようにプレッシャーをかけてきます。これはソフトウェア開発者の能力や経験とは無関係な力です。無能な開発者を有能にするわけではありませんが、「無能なソフトウェア開発者」をましな開発者に、「偉大なソフトウェア開発者」をより偉大にはします。

TDDやその他のテスト駆動の開発アプローチは、私たちが作るコードの品質に重要な影響を与えます。それはよりよいフィードバックを得るための最適化の効果ですが、その効果はコードだけに留まるわけではありません。

## 5.5 アーキテクチャーに対するフィードバック

フィードバックによって開発の方向性を決めていくアプローチは、コードレベルの細かい設計判断だけではなく、もっと大きなシステム全体のアーキテクチャーにも微妙な形で影響を与えます。

継続的デリバリーは、フィードバックを軸に据えたパフォーマンスの高い開発アプローチです。その根幹には、いつでも本番環境にリリースできるソフトウェアを作らなければならないという考えがあります。これはハードルの高い標準であり、非常に高頻度で高品質のフィードバックを必要とします。

そのようなフィードバックを実現するためには、開発組織は開発アプローチのさまざまな側面を変えなければなりません。ここで前面に出てくるのは、システムの**テスト可能性**と**デプロイ可能性**のふたつの要素です。つまり、構築するシステムのアーキテクチャーの品質と考えられるものです。本腰を入れてこれらを向上させることが必要になります。

私はコンサルティングに入る企業に、少なくとも1時間に1回は「リリースできるソフトウェア」を作ることを目指しましょうとアドバイスします。そのためには、1時間に数万、あるいは数十万回のテストを実行できなければなりません。

資金と計算能力が無限なら、テストを並列実行してフィードバックを早く得ることができますが、限界はあります。個々のテストをほかのテストから切り離して並列実行することを前提に、その限界について考えてみましょう。

テストのなかにはシステムのデプロイと構成をテストしなければならないものが含まれているので、フィードバックを得るまでの時間の下限は、システムをデプロイして起動するための時間ともっとも遅いテストケースを実行する時間の合計になります。

単一のテストのなかに実行に1時間以上かかるものがあったり、システムのデプロイに1時間以上かかったりすれば、ハードウェアにいくら資金を注ぎ込んでも、目標の時間内にテストを実行することはできません。

以上からわかるように、フィードバックを早く得られるかどうかは、システムのテスト可能性とデプロイ可能性によって制約されるのです。より簡単にテスト、デプロイできるようにシステムを設計すれば、より短時間でより効率よくフィードバックが得られるようになります。

テストは数秒または数m秒で実行でき、デプロイは数分、できれば数秒以内で終わらせられるようにしたいところです。

ここまでのレベルのデプロイ可能性とテスト可能性を実現するためには、チームが重点的に最適化に取り組み、開発組織が本腰を入れて継続的デリバリーを推進しなければなりませんが、多くの場合、さらにアーキテクチャーの面でも綿密な配慮が必要になります。

効果的なルートはふたつあります。デプロイ可能性とテスト可能性を最適化したモノリシックなシステムを作るか、別々の「デプロイ可能なユニット」から構成されるようにモジュラー化するかです。この第2のアプローチは、マイクロサービスの人気を支えるアイデアのひとつです。

マイクロサービスアーキテクチャーというアプローチのもとでは、チームがそれぞれ独立してサービスを開発、テスト、デプロイできるようになります。チームの組織上のデカップリングも実現されるため、より効率よく効果的に組織を発展させられます。

マイクロサービスの独立性は大きな利点ですが、厄介な問題もあります。マイクロサービスは、定義上、独立してデプロイできるソフトウェアユニットです。そのため、複数のマイクロサービスを一緒にテストすることはできません。

モノリシックなシステムの継続的デリバリーは効果的ですが、依然として小さな変更を加えられる能力と、それらを一日に何度も評価できる能力は必要になります。大規模なシステムでは、引き続きコードベースに関わるほかの多数の人々と協力して仕事を進めていけるようにしなければならないので、優れた設計と継続的インテグレーションというシステムを守るための手段が必要になります。

システムをより小さく独立性の高いモジュールに分解しても（マイクロサービス）、効率はよいがより密結合なコードベースを開発しても（モノリス）、開発するソフトウェアシステムのアーキテクチャーには大きな影響を与えます。

モノリス、マイクロサービスのどちらのアプローチでも、継続的デリバリーを取り入れれば、設計はよりモジュラーで、より適切に抽象化され、より疎結合なものに向かっていきます。それは、設計がそのようなものにならなければ、継続的デリバリーを実践できるほど効率的にシステムをデプロイ、テストできないからです。

つまり、開発アプローチでフィードバックを重視し優先していくと、アーキテクチャー上の意思決定もより効果的でより適切なものになっていくのです。

これは深遠で重要な考え方です。ある汎用性の高い原則を取り入れると、開発するシステムの品質に重要で計測可能な好影響が及ぶということです。高品質なフィードバックを効率よく届けられるプロセス、テクノロジー、プラクティス、文化の実現に力を注ぐと、より高品質なソフトウェアがはるかに効率よく作れるようになるのです。

## 5.6 フィードバックは早く

一般に、できるだけ早く決定的なフィードバックを得ることを目指すのは効果的なプラクティスです。コーディング中、私は入力と同時に誤りをハイライト表示する開発ツールを使っています。これはもっとも早くてもっともコストのかからないフィードバックループであり、もっとも効果的なフィードバックループのひとつでもあります。型システムのようなテクニックとともにこの機能を利用すれば、私の作業結果の品質について早くて高品質なフィードバックが得られます。

私の開発環境からは、コードの作業中の部分に対するテストを実行でき、通常は数秒以内という短時間でフィードバックが得られます。

TDDアプローチの出力として作られる自動ユニットテストは、第2のレベルのフィードバックを与えてくれます。私は仕事をしながら、ローカル開発環境からひんぱんにユニットテストを実行しています。

コードをコミットすると、フルセットのユニットテストとその他のコミットテストが実行されます。これによって、私のコードがほかの人のコードと調和的に動作していることを包括的に検証できます（時間的なコストは高くなりますが)。

受け入れテスト、パフォーマンステスト、セキュリティテスト、その他変更の正しさを確認するために重要な各種テストは、作業結果の品質と妥当性についてさらに自信を与えてくれますが、その代わりに結果が得られるまでの時間がさらに長くなるというコストがかかります。

このように、まずコンパイルできるかどうか(開発環境で確かめられます)を確かめ、次にユニットテストを実行し、これらの検証が成功してから、その他の高水準のテストを実施するという欠陥判定優先のアプローチを取れば、最速で失敗を確認でき、もっとも効果的でもっとも品質の高いフィードバックが得られます。

継続的デリバリーとDevOpsを実践している人たちは、このように早期にエラーを見つけるプロセスを「左シフト」と呼ぶことがありますが、私は「フェイルファスト」(早い段階で失敗せよ)というより明確な表現の方が好きです。

## 5.7 製品設計に対するフィードバック

作ったシステムの品質に対するフィードバックを真剣に受け止めたときのダメージは、深く重大なものです。しかし、つまるところ、ソフトウェア開発者はうまく設計され、簡単にテストできるソフトウェアを作っただけでは給料をもらえません。所属企業のために何らかの価値を生み出さなければならないのです。

従来型の企業の大半では、これがビジネスサイドの人々と技術サイドの人々の間の関係の肝となる緊張関係のひとつになります。

この問題は、役に立つアイデアを本番システムに導入する継続的デリバリーの実現に力を注げば解決できます。

浮かんだアイデアや作ったプロダクトの良し悪しはどうすればわかるのでしょうか。

本当の答えは、私たちのアイデアを受け取る側の人々(ユーザーや顧客)からのフィードバックを得なければわかりません。

プロダクトのアイデアを生み出してから本番システムに価値を届けるま

でフィードバックループを閉じているところが継続的デリバリーの真価です。継続的デリバリーが狭い（それでも重要な）技術的なメリットを生むだけでなく、世界中の企業で人気を集めたのはそのためです。

高品質なフィードバックを早く得るという原則を取り入れ、そのための最適化を進めると、企業は従来よりも早く学べるようになります。顧客にとっていいアイデアとそうでないアイデアを知り、顧客のニーズに合うようにプロダクトを修正できるようになります。

世界でもっとも優秀なソフトウェア開発企業は、この部分に非常に真剣に取り組んでいます。

システムのどの機能がよく使われ、どのように使われているかのデータを収集できるテレメトリー（遠隔測定）のシステムへの追加は、今やごく当たり前のことになっています。問題の診断のためのみならず、次世代の製品/サービスの効果的な設計のためにも、本番システムから情報（フィードバック）を収集している企業は、「ビジネスとIT」の企業から「デジタルビジネス」の企業に進化します。情報収集は多くの分野で高度になっており、集めた情報は提供しているサービスよりも高い価値を持つことが多くなっています。顧客自身は意識していなくても、集めた情報から彼らの望み、ニーズ、行動様式についての知見が得られるようになったのです。

## 5.8 組織と文化に対するフィードバック

ソフトウェア開発の効果測定は長い間大きな問題でした。成功や進歩の度合いはどのように計測すればよいのでしょうか。加えた変更が効果的なものかどうかはどのようにすればわかるのでしょうか。

ソフトウェア開発の歴史の大部分では、簡単に計測できるもの（たとえば、「コードの行数」、「人月」、「テストカバレッジ」など）を計測するか、直感に基づく当て推量によって主観的な判断を下すかでした。問題は、こういったものでは成功（どのような意味のものであれ）との現実的な相関関係がないことです。

コードの行数が多いからといってよいコードだというわけではありません。むしろ、悪いコードでしょう。テストが役立つテストをしていなければ、テストカバレッジは無意味です。そして、ソフトウェアにかけた労力の量とその価値には関連性はありません。これらの計測値は、当て推量や主観と似たりよったりでしょう。

では、どうすればよくなるでしょうか。何らかの成功の指標がない状態で役に立つフィードバックを得るにはどうすればよいでしょうか。

この問題にはふたつのアプローチがあります。第1のアプローチは、アジャイル開発の界隈で少し前に確立されたもので、判断がどうしても主観的になることを受け入れた上で、その主観性を抑えるために合理的な規律を取り入れる努力をしています。このアプローチの成否が個人次第になるのはどうしても避けられないところです。そのアプローチとは、「プロセスやツールよりも個人と対話を」です[6]。

この戦略は、形式的儀式的なアプローチからソフトウェア開発への移行という意味で歴史的に重要な意味を持っていました。そして、今でも基本原則としては重要であり続けています。

アジャイルの開発アプローチは、チーム、すなわち仕事をしている人々をフィードバックループに組み込み、それぞれの関与の結果を観察、熟考し、時間とともに選択肢に磨きをかけて状況を改善しようとします。このフィードバックを軸にして方向性を決めていく主観的なアプローチは、「調べて修正」というアジャイルのもっとも基本的な発想法の基礎です。

この主観的なアプローチに少し修正を加えてフィードバックの質を上げれば、このアプローチの性質が明確になるでしょう。

たとえば、何かに対するアプローチを改善するアイデアがチームにあるときには、科学者の流儀に従って今いると思う地点（現状）と行きたいと思う地点（目標の状態）を明らかにします。そして、正しい方向に向かうはずだと思うステップを言葉で表現し、自分が目標の状態に近づいたか遠ざかったかを判断する方法を決めます。そして、そのステップを実行し、目標の状態に近づいたか遠ざかったかをチェックし、目標の状態に達する

6 「プロセスやツールよりも個人と対話を」はアジャイル宣言の一部です。https://agilemanifesto.org/iso/ja/manifesto.html参照。

まで繰り返します[7]。

これは科学的方法の単純で軽い応用であり、そのことは言うまでもないほど明らかでしょう。ごく当たり前のことであるはずなのに、ほとんどの企業のほとんどの人が実践していないことです。この種のアプローチを取った人は、そうでない人よりもはるかによい結果を手にします。たとえば、リーン思考[8]を支える発想はこれです。より具体的なところでは、自動車産業やその他多くの産業に革命を引き起こした生産ラインへのリーンのアプローチである「トヨタ生産方式」がそうです。

私は長年に渡って、依然として主観的ながらも、より組織立った問題解決アプローチを取りたければこれ以上のことはできないと思っていました。しかし、最近になって、Google DORAグループ[9]の卓越した業績によって私の考えは変わりました。Google DORAは、技術的な面での変化とともに、組織や文化の変化をも評価するための尺度として役立つものを編み出しました。それらは、従来よりも主観性を抑えた具体性の高い指標です。

だからと言って従来のアプローチがもう不要になったというわけではありません。人間の創造性を加えずにデータ一辺倒で判断するのでもうまくいきません。しかし、データは主観的評価を補強し、豊かにするとともに、成功の評価をより定量化することができます。

第3章で説明した安定性とスループットの指標は重要です。これらで十分だとは言えませんし、彼らは相関モデルを使っているだけで、因果関係を示しているわけではありません。"Xが原因となってYという結果が生まれる"と言えるだけの証拠はないのです。事態はそれよりも複雑です。も

---

7 マイク・ローザーは、著書*Toyota Kata*でこのアプローチを詳しく説明しています（Mike Rother, *Toyota Kata: Managing People For Improvement, Adaptiveness, and Superior Results*, 2009。邦訳『トヨタのカタ』、日経BP、2016年）。しかし、実際にはこれは科学的方法を改良したものに過ぎません。

8 リーン思考は、リーン生産方式やリーンプロセスに則った、あるいは関連した考え方の総称です。

9 DORA（DevOps Research and Assessment）グループは、科学的批判に耐えられるデータ収集、分析アプローチを生み出し、それが2014年から年刊で発行されている"State of DevOps Report"を支えています。彼らの方法と発見は、『LeanとDevOpsの科学[Accelerate]』に詳しく書かれています。

っと定量的に答えられればよいのにと思う問題もたくさんありますが、その方法がわからないのです。**安定性**と**スループット**が重要だというのは、このふたつだけで完璧だからではなく、今わかるベストだからです。

それでも、これは大きな前進です。私たちは効率と品質を測る指標を手に入れたのです。これらは、変更によってはっきりわかるよい結果が生まれたかどうかを評価するための指標として使え、ほぼすべての変更に応用できます。たとえば、コミュニケーションの活性化のためにチームメンバーの椅子の配置を変えた場合、安定性とスループットの指標を計測すれば変化があったかどうかがわかります。何らかの新技術を試したい場合、スループットの指標が上がればソフトウェア開発の作業効率が上がったということであり、安定性の指標が上がればソフトウェアの品質が上がったということです。

このフィードバックは、DORAモデルが予測するよりよい結果に向けて、現在の努力が有効かどうかを示す「適応度関数」として貴重なものです。プロセス、テクノロジー、組織、文化を変更、発展させながら安定性とスループットの指標を追跡していけば、その変更が本当に有益だったかどうかを確認できます。流行や当て推量の犠牲者から本物のエンジニアに向かって進歩していけるのです。

これらの指標は、私たちが作るソフトウェアの真価を直接測る指標の代役に過ぎません。実際の真価は、私たちの変化がユーザーに与える影響によって示されます。しかし、これらの指標は、私たちの仕事の重要な属性を計測し、人為的な操作を許しません。安定性とスループットの指標がよい値なら、よい仕事ができているということです。逆に、安定性とスループットの指標がよくなければ、プロダクトのアイデアやビジネス戦略に問題があるということです。

## 5.9 まとめ

フィードバックは、学びのために必要不可欠です。早くて効果的なフィードバックが得られなければ、当て推量に頼ることになります。フィードバックの早さと品質の両方が重要です。フィードバックが遅すぎれば役に立ちません。フィードバックが誤解を招くものだったり間違っていたりすれば、そのフィードバックに基づく判断も間違います。しかし、私たちは選択のためにどのようなフィードバックが必要か、集めたフィードバックのタイムラインがいかに重要かを考えていないことが多いのです。

継続的デリバリーと継続的インテグレーションは、フィードバックの早さと品質を最大限に引き上げて開発プロセスを最適化するという考え方に根ざした手法です。

# 第6章

# 漸進主義

**漸進主義**は「漸進的な設計は、あとでデザインを改良したり、パフォーマンスを向上させたり、その他の変更をしたりするためにコンポーネントを自由に交換できるようにする、モジュラーな設計の応用に直接つながっている」と定義されています[1]。

漸進的な作業とは、少しずつ大きくしていくという形の価値の構築のことです。単純に言えば、システムのモジュラー性とコンポーネント化を活用するということです。

反復的（イテラティブ）な作業が一連のイテレーションを通じて何かを改善、改良していくことなら、漸進的（インクリメンタル）な作業とは、部品を追加していくような形でシステムを構築し、できればリリースすることです。図6-1はジェフ・パットンの『ユーザーストーリーマッピング』[2]から引用したものですが、両者の違いを見事につかんでいます。

複雑なシステムを作るためには、両方のアプローチが必要になります。漸進的なアプローチを取ると、仕事を分解してステップバイステップで（漸進的に）価値を届けられるようになります。早い段階で何らかの価値を手に入れた上で、小さく単純なステップで価値を増やしていけるのです。

反復的（イテラティブ）

斬新的（インクリメンタル）

**図6-1 反復的（イテラティブ）と漸進的（インクリメンタル）**

---

1 出典：Wikipedia, `https://en.wikipedia.org/wiki/Continuous_design`

2 「イテラティブ」と「インクリメンタル」の違いをこのように描いているのを私が初めて見たのは、Jeff Patton, *User Story Mapping*, 2014、邦訳『ユーザーストーリーマッピング』（オライリージャパン、2015年）です。

## 6.1 モジュラー性の重要性

モジュラー性はテクノロジーの開発で重要な考え方ですが、それは情報テクノロジー（IT）に限られるものではありません。石器時代の人々は木製の柄がついたフリント石器を作っていましたが、これもモジュラーシステムです。柄が壊れたら、もとの斧頭を残しておいて新しい柄を作れば直せます。斧頭が壊れたら、もとの信頼できる柄に新しい斧頭をつければ直せます。

道具、装置が複雑になると、モジュラー性の価値と重要性もそれにともなって上がります。最後の数年を除く20世紀全体を通じて、航空機の設計者が何か新しいものを作ろうとするときには、動力装置（エンジン）と機体の2大モジュールで作業を分担していました。航空機開発の発展の大部分は、技術版のリレー競走で進められました。新しいエンジンを試したいときには、まず実績のある機体で試しました。新しい機体を試したいときには、まず実績のあるエンジンを使いました。

1960年代に有人月面着陸を目ざすアポロ計画がスタートしたとき、初期の段階で大きな飛躍となったのが、月周回ランデブー（LOR）というミッションの概念を生み出したことでした。LORは、宇宙船を一連のモジュールに分割し、それぞれがチャレンジの特定の部分を担当するという考え方に基づくものでした。まず、その他すべての部分を地球周回軌道に送り込むサターンVロケットがあり、さらに宇宙船のその他の部分を地球から月に送り込むモジュールがありました。

このようにして月に向かうアポロ宇宙船は、4つのモジュールから構成されていました。

- 機械船の仕事は、ほかの部分を地球から月に送り込み、地球に帰ってこれるようにすることでした。
- 司令船は宇宙飛行士たちの主な居住空間でしたが、最大の仕事は宇宙飛行士たちを地球周回軌道から地表に帰還させることでした。
- 月着陸船（LMまたはLEM）は、上昇部と下降部のふたつのモジュールから構成されており、下降部は月周回軌道から月面に宇宙飛行士たちを送り込みました。

- 上昇部は宇宙飛行士たちを月周回軌道に戻した上で、司令・機械船とランデブー、ドッキングします。地球に向かうのはそれからです。

このようなモジュール化にはさまざまなメリットがありました。個々のコンポーネントは問題の一部分の解決に専念する形で構築でき、その分設計上の妥協を減らせました。また、異なるグループ（この場合はまったく別の企業）がほかのグループからほぼ独立した形で各モジュールを開発できました。それぞれのモジュールがほかのモジュールとどのようにつながるかについてほかのグループと合意が取れていれば、ほかのモジュールからの制約を受けずに、それぞれのモジュールの問題の解決に取り組めたのです。そして、各モジュールは軽くできました。たとえば、月着陸船は、月面から地球に帰還する全行程のための輸送手段を持たずに済んだのです。

アポロ宇宙船で単純という言葉を使うのは無理があるかもしれませんが、各モジュールは、問題全体のもっと大きな部分に対して協調的に設計しなければならなかった場合と比べて単純になりました。

遠回りな話になりましたが、このこととソフトウェアを関連付けて考えてみてください。これらの複雑なモジュールのなかに単純なものはありませんでしたが、求められていることを満足させるということでは最小限のもので済みました。

これが設計に対するコンポーネントベースのアプローチの哲学であり、マイクロサービス、いやすべてのサービス指向設計はこのような哲学を共有しています。

問題のひとつの部分を解くことを目的として、問題を小さな部分に分割しましょう。このアプローチにはさまざまな利点があります。システムの個々のコンポーネントは単純になり、与えられた課題の解決に専念できます。個々のコンポーネントはテストしやすく、短時間でデプロイできるようになります。実際、ほかのコンポーネントからは独立した形でデプロイできる場合もあります。マイクロサービスと呼べるようになるのは、そのようなところまで進んだときです。

しかし、ソフトウェアシステムのモジュラー性を実現し、そのメリットを享受できるアプローチはマイクロサービスだけに限られたものではありません。真剣に設計に取り組めばモジュラー性に行き着くのです。

モジュラー性のアプローチを取ると、システムを構成するモジュールとモジュールの境界について真剣に考えざるを得なくなりますが、このような境界はとても重要です。これらの境界はシステムに含まれるカップリングの重要ポイントのひとつであり、モジュール間の情報交換プロトコルを熟考すると、関心を分離して柔軟性を高めるという点で大きな差が生まれます。あとの章では、これらの概念について詳しく掘り下げていきます。

## 6.2 組織上の漸進主義

分離、切断はモジュラー性の大きなメリットのひとつです。モジュール内の細部は、ほかのモジュールからは見えず、ほかのモジュールにとって無関係な存在になります。これは技術的な理由からも重要ですが、組織的な理由での重要性の方がさらに重要です。

モジュラーな開発アプローチを取ると、チームはより独立した形で仕事ができるようになります。ほかのチームとは最小限の調整をするか、まったく調整が不要になって、小さく漸進的に前進できるようになります。モジュラー性を重視する企業は、この自由のおかげで未だかつてないペースで前進し、イノベーションを起こすことができます。

このアプローチは、技術的な変更を漸進的に進められるというだけに留まりません。このアプローチを採用した企業は、組織と文化の転換にも漸進的なアプローチを取れるようになります。

多くの企業は、作業習慣を効果的な形に変えられずに苦労しています。そのような「トランスフォーメーション」は難しいことで有名です。そのような転換でいつももっとも大きな問題になるのは、どのようにして会社全体に新しい方法を浸透させるかです。そして、そのために苦労することはふたつあります。ひとつは社員に新しい方法を説明してその気になってもらうこと、もうひとつは新しい方法を取り入れる上で邪魔になる組織上、手続き上の障害を克服することです。

転換を推進するためのもっとも一般的なアプローチは、会社全体でプロセスの標準化に挑戦することのようです。「プロセスマッピング」や「ビジネス改革」は、経営コンサルティング会社の大きな収入源です。しかし、どのような企業でも（創造的な仕事に取り組む企業ならなおさらですが）社員の創造力を頼りとしているところがネックになります。プロセスを一連のステップに「標準化」すれば、プロセスは自動化され、コストがかかってミスを犯しがちな人間という存在を取り除けます。しかし、電話の自動スクリーニングシステムを使っていて、必要なオプションが入っていないメニューが出てきたり、単純に呼び出しが捨てられたりしたことが何回あったでしょうか。コンピュータープログラムを書いたことがある人なら誰でも知っているように、これは、単純なステップに分解できるほど単純ではないことが世の中にはあるからです。

ソフトウェア開発は人間の創造力なしではとても成り立ちません。そこで、ソフトウェア開発者に適用するプロセスや方針では、自由な創造を許す余地を残すことが必要です。ソフトウェア開発の分野で高いパフォーマンスを発揮しているチームには、規模が小さく、チーム外の人やグループの許可を求めずに仕事を進め、方針を変える自由が与えられているという決定的な特徴があります[3]。

ここで挙げられている条件をさらに分解しましょう。最初は「規模が小さい」というところからです。裏付けとなるデータが増えたのは最近のことですが[4]、小規模なチームが大規模なチームよりもパフォーマンスが高いことは、古くから知られていたことです。フレデリック・ブルックスは、『人月の神話』のなかで次のように書いています。

> 結論は簡単だ。200人のプロジェクトにもっとも有能で経験を積んでいるプログラマーでもある25人の管理職が含まれているなら、残りの175人をクビにして管理職をプログラミングの仕事に戻せばよい。

今なら、アジャイルを実践している大半の人々は、メンバーが25人い

---

3 Accelerate本によれば、統制的なアプローチを採用しているチームはそうでないチームよりも「新規の仕事で44%余分に時間がかかって」います。https://amzn.to/2YYf5Z8参照。
4 Accelerate本は、パフォーマンスの高いチームの特徴を示しています。

るチームは大規模だと考えるでしょう。チームの最適な規模は8人以下だと考えられています。

チームの規模を小さくすることが重要な理由はさまざまですが、小さな漸進的なステップで前進できるようになることは、そのなかでも重要なもののひとつです。組織改革をするなら、もっとも有効なのは、小規模の独立したチームを多数作り、それらに担当箇所の自由な書き換えを認めることです。ただし、このようにする場合でも、ある程度の秩序を与えることはできますし、そうすべきです。組織としてのより大きなビジョンの実現を目的として、別個の独立したチームがほぼ同じ方向に向かっていくようにある程度の枠をはめることはすべきです。しかし、そのような枠をはめても、ほとんどの大企業が古くから採用してきた組織構造と比べれば、このアプローチは根本的なところで分散的です。

そういうわけで、ほとんどの組織で必要とされるもっとも重要な改革は、人々やチームに自主性、自律性を与えて、高品質で創造的な仕事を送り出せるようにすることです。分散化された漸進的な変更がポイントです。

ソフトウェア開発では、モジュラーな組織は旧来の構造の組織よりも柔軟でスケーラブルで効率的です。

## 6.3　漸進主義のためのツール

私の学びのための5原則と複雑さ管理のための5原則は、深いところで相互につながっています。一方の原則を参照せずにもう一方の原則について語るのは困難です。

漸進主義の実現をもっとも深いところで支えるツールは**フィードバック**と**実験主義**ですが、**モジュラー性**と**関心の分離**も重視する必要があります。

漸進主義とモジュラー性には密接なつながりがあります。漸進的にシステムを変えていきたいなら、ほかの部分に与える影響を抑えながら変更を加えていけるようにしなければなりません。システムのモジュラー性を向上させるというのはよい考え方です。では、そのためにどうすればよいでしょうか。

コード変更の影響が及ぶスコープが狭くなるようなアーキテクチャーで

システムを作ることです。モジュラーで関心の分離がうまくできているシステムなら、コード変更のために注目しているスコープを越えてその変更の影響が広がることを抑えられます。

しかし、そういった深い意味を持つ基本原則よりも抽象度が低いもののなかで、漸進主義的なアプローチによるシステム変更を実現するために役立つものは何でしょうか。たとえば、私のコードが1個の巨大なスパゲティコードの泥だんごになっていて、1箇所に変更を加えると、知らないうちにコードのほかの部分に影響が出ることがあるものとします。そのような場合でも、コードを安全に書き換えるためにはどうすればよいでしょうか。

3つのプラクティス、テクニックがあります。そのなかでももっとも重要なのは**リファクタリング**です。リファクタリングとは、小さく単純で制御されたステップで変更を加えてコードを改善していくテクニックで、最低限でも安全にコードを書き換えられます。

**リファクタリング**のスキルは、リファクタリングの重要性を理解できていなさそうな開発者からはたびたび軽視されています。しかし、小さなステップでひんぱんに漸進的に変更を加えられれば、その変更の安定性には自信が持てます。

開発環境のなかで「メソッドの抽出」や「引数の導入」といったリファクタリングツールを使えば、書き換えが安全に行われていることに自信を持てます。そういったツールがなければ、もっとよい開発環境に乗り換えればよいのです。

そのような小さな変更は、結果に満足がいかなければ簡単にもとに戻せます。漸進的であるとともに反復的に仕事を進められるわけです。粒度の細かい漸進主義と強力な**バージョン管理**を結合すれば、「安全地帯」から数歩しか離れていない状態で仕事を進められます。いつでも安全な場所に引き返せるのです。

最後に**テスト**があります。テスト、特に自動テストをすれば、自信がついて安全に漸進的な書き換えができます。

あとの章で見ていくように、高度な自動テストを効果的に行うためには細かい点に注意しなければなりませんが、自動テストは、すばやく確実にコードを書き換える力を支える重要な要素になります。

自動テストには、テストを日常の作業習慣に組み込めていない人々が見落としがちな重要な側面がもうひとつあります。それはテストが設計、それも設計におけるモジュラー性と関心の分離に与える影響です。

自動テストに対するテスト駆動というアプローチでは、システムに加える変更のために否応なしに小さい実行可能な仕様を書くことになります。個々の小仕様は、テストを開始し、テストの管理下でふるまいを実行し、結果を評価するために必要な条件を記述します。

テストをできる限りシンプルに保ち、テスト可能なコードでシステムを設計しようと努力しなければ、こういったことをすべて実現するために必要な作業量は私たちの能力の限界を越えてしまいます。

テスト可能なコードはモジュラーで関心の分離がうまくできているコードなので、自動テストは、よりよいシステムを設計する私たちの能力を引き出し、推量の間違いによる爆発半径を抑え、システムに安全に書き換えていくというポジティブなフィードバックループを生み出します。これら3つのテクニックを組み合わせれば、システムに漸進的に変更を加えていく私たちの能力は大きく強化されます。

## 6.4 コード変更が与える影響の最小化

私たちの目標は、これらのテクニックで複雑さを管理し、より漸進的にシステムを開発できるようにすることです。少数の大きくてリスキーなステップではなく、多数の小さなステップで前進することを常に追求するのです。

すでに見てきたように、組織が複数の小規模な開発者チームによって構成されていて、それら開発者チームが互いに独立して仕事を進められるなら、もっとも効率よくそれを実践できます。

合理的な戦略はどちらも本質的に漸進的なふたつだけです。つまり、この章ですでに説明したようにシステムをより独立性の高い部品に分解するか、継続的インテグレーションによってそれぞれが加えた変更をひとつにまとめるときに得られるフィードバックのスピードと品質を上げるかです。

部品の独立性を上げるためには、**ポートアンドアダプター**パターン[5]という強力なテクニックがあります。

それは、システム内のデカップリングしたい2つのコンポーネントの間にあるインテグレーションポイント（**ポート**）ごとに、入出力を変換するための別個のコード（**アダプター**）を定義するというものです。こうすると、ポートを介してやり取りするほかのコンポーネントを書き換えることなく、アダプターの背後に隠れたコードを書き換える自由が広がります。

この部分のコードはロジックの核となる部分なので、ほかのチームや開発者と調整することなく書き換えられるようになれば大きな意味があります。この部分のコードでは安全な形で漸進的な進歩を繰り返せるようになり、コンポーネント間の情報交換プロトコルの変更という合意が必要で大幅に難しくコストのかかる作業は後回しにできます。理想的な形では、こういった変更の頻度は大幅に低くはずであり、ほかのチームのコードに悪影響を及ぼす頻度も低くなります。

これらのインテグレーションポイント（ポート）は、変更が必要になったときにほかの部分よりも大事（おおごと）になるので、システムのほかの部分よりも扱いに少し注意が必要です。ポートアンドアダプターアプローチは、コードのなかに「より注意が必要な部分」という概念を組み込む戦略にもなります。

これは使われるテクノロジーとは無関係だということに注意しましょう。ポートアンドアダプターは、ソケットで送られるバイナリー情報でも、REST APIで送られる構造化テキストでも同じように役に立ちます（おそらく前者の方が役に立つと思いますが）。

コード変更の影響を管理するためのもうひとつの重要なツールは、早いフィードバックという見過ごされがちなものです。あなたのコードが動かなくなるようなコードを私が書いたとき、その影響は私の間違いがいつ見つかるかによって大きく変わります。

私の間違いが何か月もあとになってからでなければ見つからないような

5 ポートアンドアダプターは、より疎結合なコンポーネントを作ることを目的としたアーキテクチャーパターンで、ヘキサゴナルアーキテクチャーとも呼ばれています。https://bit.ly/3cwH3Sd参照。

ら、重大な影響が及んでいる可能性があります。問題を見つけたときにそのコードがすでに本番システムで使われていれば、非常に重大な結果を生み出す恐れがあります。

それに対し、私がコードを書き換えてから数分後に間違いが見つかれば、それは大きな問題にはなりません。私が自分の間違いを解決したときには、あなたはまだそれに気づいてさえいないかもしれません。**継続的インテグレーション**と**継続的デリバリー**が解決してくれるのはこのような問題です。

以上からもわかるように、コード変更の影響を抑えるふたつの戦略は、どちらか片方だけでも両方でも取り入れられます。ほかの開発者に対応を強いることなく自由に書き換えられる部分が増えるようにシステムを設計しつつ、小さい漸進的なステップで変更を加えられるような作業習慣を確立することは可能です。最適化された何らかの共有評価システムにこれらの小さなコード変更をコミットすれば、私たちはすぐに評価に反応し、コード変更が引き起こす問題に対処できるようになります。

## 6.5 漸進的な設計

私は、かなり前からアジャイル開発のアプローチを支持、推進しています。その理由のひとつは、第4章でも説明したように、アジャイルが「無限の始まり」になるという重要な一歩を踏み出したことです。これが大事なのは、答えがすべてわかっていなくても仕事を始められるということだからです。漸進的に進歩しながら学んでいくということは、本書の考え方の軸のひとつです。

多くのソフトウェア開発者は、先入観のためにこの考え方をなかなか受け入れられません。作りたいものの詳細設計がわかる前にコードを書き始められるという話を私がすると、多くの人々が困惑します。

複雑なシステムのアーキテクチャーを漸進的に決めていくなどと言えば、もっと多くの人が思考不能に陥ります。しかし、これらふたつの考え方は、あらゆる高度な工学的アプローチの核心なのです。

複雑なシステムは、ある天才的な神のような創造者の頭のなかから完全な形で飛び出してくるものではありません。ときどき苦しい仕事になることがあっても、問題に向き合い、理解を深め、アイデアやソリューション候補を掘り下げた結果として生まれたものなのです。

これは、頭のなかのある種のスイッチを反転させなければならないということなので難しい部分があります。まだ現れておらず、現れたときに何の手がかりもない問題を解けるという自信も必要とされます。

私が本書で展開している工学の本当の姿とは何か、ソフトウェア開発とは本当は何なのかについての議論は、まだその頭のなかのスイッチを反転させていない人が反転させられるように後押しすることを目的としています。

それに対し、まだ見ぬ未来に直面しても前進できるという自信を持つことは、また別の問題です。これは、もっと実際に即した解があるはずの問題です。

まず、知識が深まっていくにつれて、修正が必要になったり、間違えたり、予想外の反響が生じたりするのは避けられないことだということを受け入れたくなくても受け入れる必要があります。それは、どのような種類のものであれ、あらゆる複雑な創造物の現実であり、ソフトウェア開発に話を絞ると、これはソフトウェアというものの本質的な性質です。

「あの連中」はいつも要件を誤解するという不満の声が上がるのは、この事実の兆候のひとつです。その通り、最初から何を作るべきかがわかっている人はいません。わかっていると言うようなら、その人はこの問題がわかっていないのです。

自分の無知を受け入れ、自分の知識を疑い、早く学ぶために努力することは、ドグマから工学に向かうための第一歩です。

私たちは、今自分たちが知っていると思っているすべてのことを下敷きに、私たちが少しずつ明らかにしてきた事実を駆使して、その延長線上に、未知の世界への新たな一歩を踏み出します。その方が科学的合理主義に近い方法です。物理学者であるリチャード・ファインマン（Richard Feynman）がかつて言ったように、科学とは「無知を甘受する哲学」です。彼は次のようなことも言っています。

> 科学者は無知と疑いと不確実性をいやというほど経験している。この経験こそ、何よりも重要なものだと私は思う。

複雑さ管理のテクニックは複数の理由から重要です。しかし、ソフトウェア開発に話を絞った場合、発見の行為における複雑さ管理は、私たちの「一歩前進」が誤りだということがわかったときの「爆発半径」を最小限に抑えるという死活的な重要性を持っています。これは防衛的設計とか防衛的コーディングと考えることもできますが、**漸進的な設計**と考えた方がベターです。

コードには、組織された、あるいは組織されていないステップの連なりとして、コンパートメント化をおろそかにした巨大な泥だんごとして書いていく方法もありますが、システムの発達にともなう複雑さを受け入れ、効果的に管理することを意識して書いていく方法もあります。

前者の方法を取ると、密結合でモジュラー化されておらず凝集度も低い書き換えにくいコードになります。私が繰り返し強調しているように、コードのなかの複雑さ管理に役立つ性質が重要なのはそのためです。あらゆるレベルの粒度でこれらの性質を実現すれば、変更不能として閉じてしまうドアを減らし、将来の変更（予想外の変更さえ含む）に対応できるオプションを確保できます。これはあらゆる可能性にひとつ残らず対処できるようなコードを書くというオーバーエンジニアリングとは異なります。**簡単に変更できるような構造**のコードを書くということであって、今考えつくあらゆることを実行できるコードを書くということではないのです。

何か役に立つことをした上で結果をどこかに保存しなければならないというシステムの開発に着手する場合、多くの開発者が実際にしているように、役に立つことをするコードと結果を保存するコードを混ぜこぜにするという方法はあり得ます。しかし、その場合、選んだデータ保存ソリューションのコストが高すぎたり、バグが多すぎたり、スピードが遅すぎたりしたときには、コード全体を書き直すというオプションしか残りません。

それに対し、「保存」という関心と「何か役に立つことをする」という関心を分離した場合、コードの行数は若干増えるかもしれませんし、分離をしっかりとしたものにする方法を少し真剣に考えなければならなくなるかもしれませんが、漸進的に仕事を進め、漸進的に意思決定するという道が開かれます。

私は、いっしょに仕事をした人々から優秀なプログラマーだと思われているようだと言ったとしても、あながち自惚れではないと思っています。10人力のプログラマーだと言われたことも何度かあります。それが本当だとして、私がほかの人よりも賢いとか、タイピングが速いとか、より優れたプログラミング言語を使えるという理由なら間違っています。正しいのは、私が漸進的に仕事を進めているからという理由です。私はここで書いていることを実践しているのです。

私は自分のソリューションがオーバーエンジニアリングにならないように注意しています。今必要だということがわかっていないことのためにコードを書かないようにしているのです。しかし、設計作業のなかで関心の分離はかならずするように心がけています。システムを別々の部分に分割し、それらの部分が表現していることを抽象化するようなインターフェイスを設計し、インターフェイスの向こう側で起きていることの詳細を隠すようにしているわけです。コードが単純で自明なソリューションになるように努力していますが、コードが複雑になりすぎたり、密結合になったり、ただ単にモジュラー性が足りなくなったりしたときに作動する警報システムを自分のなかに持つようにしています。

10行を超えたり、引数がおおよそ5個以上になる関数を避けるといった目安を示すことはできますが、それはあくまでも目安に過ぎません。私が目指しているのは、小さくて単純なコードを書くことではなく、新しいことを学んだときに書き換えられるコードを書くことです。時間とともに必要性が明らかになった機能を実現できるように漸進的に成長させていけるコードを書くことが目標です。

理解の深まりとともにコードを書き換え、考え方を改める自由を確保できるように仕事を進めることは、工学として優れた仕事の基礎であり、漸進主義はその基礎によって支えられています。漸進的に仕事を進められる方法の追求は、高品質システムの追求でもあります。コードが書き換えにくいものであれば、何ができたとしても、そのコードの品質は低いと言わざるを得ません。

## 6.6 まとめ

漸進的に仕事を進めていくことは、複雑なシステムを構築するための基本です。複雑なシステムがどこかのエキスパート（たち）の頭のなかから「完全な形」で飛び出してくるように思っているなら、それは間違いです。システムはそのようなものではありません。複雑なシステムは、私たちが進歩の過程でつかんだ知見を最初の仕事に少しずつ付け加えてきた結果でき上がったものです。システムを効果的に発展させていけるようにするには、このような考え方が中心になければなりません。

# 第7章

# 経験主義

科学哲学における**経験主義**は、「証拠、特に実験によって明らかになった証拠を重視する。すべての仮説、理論は、先験的な論理、直観、啓示だけに安住することなく、自然界の観察による検証を経なければならないという科学的手法を支える基礎になっている」と定義されています[1]。

この定義によれば、経験主義は実験と密接な関係にあります。しかし、私は学びの5要素のリストではそれぞれを独立した項目として立てています。なぜでしょうか。実験は管理された環境で行われるため、工学的に意味のある現実的な事実に結びつかないアイデアを実験してしまうことが簡単に起きてしまうからです。

コンピューターによるモデルとシミュレーションが整備された現代の物理工学であっても、エンジニアたちは作ったものをテストします。壊れるまでテストすることもたびたびです。それは、シミュレーションがどの程度正確か（不正確か）を学ぶためです。経験主義は、工学にとって必要不可欠の要素です。

しかし、語義の細かい詮索に興味のない読者にとって、両者の区別にはどのような意味があるのでしょうか。

純粋科学とは異なり、工学はアイデアを現実世界の問題の解決に応用できなければ意味がありません。アーキテクチャーの純粋性やパフォーマンスに関する何らかの目標を達成するためにソフトウェアで新しいテクニックを生み出し、掘り下げていこうと思うのは簡単なことですが、いかに実験を積み重ねても、そのアイデアが目に見えるような価値を生み出さず、ソフトウェアが新しい価値を生むなどの意味のあることをできなければそのテクニックは無意味です。

## 7.1 現実に根ざすということ

このことには、もうひとつの側面があります。私たちはかならず本番システムに驚かされ、それを避けることはできないということです。ひどい形でたびたび驚かされることがないようにすることが理想ですが、しょせ

1 出典：Wikipedia, https://en.wikipedia.org/wiki/Empiricism

ん、あらゆるソフトウェアは開発者のできる限りの当て推量に過ぎません。ソフトウェアを本番稼働させるということは、学びの機会が生まれるということであり、実際に学びの機会にしなければなりません。

これは科学とほかの工学分野から学べる重要な教訓です。問題解決に対する科学的合理主義のアプローチには、懐疑主義という深く重要な側面があります。誰が生み出したアイデアか、アイデアが真実であってほしいと思う気持ちがいかに強いか、そのアイデアのためにいかに多くの力を注いできたかといったことは、その前では何の意味もありません。アイデアがだめなものであれば、それはだめなのです。

ソフトウェア製品に含まれるアイデアの効果を観察して得られたエビデンスによれば、もっとも優れた企業であっても、予測した効果が得られたアイデアはごく一部だけです。

> 機能は開発チームが役に立つと考えたから作られているのだが、多くのドメインでほとんどのアイデアが重要指標を改善できていない。Microsoftでテストされたアイデアのうち、改善されるはずの指標が改善されたのは1/3だけだった[2]。

証拠と観察に基づいて判断を下す経験主義は、進歩と言えるだけのものを生み出すために必要不可欠です。経験主義による分析と省察がなければ、企業は当て推量だけで突き進み、資金と評価を失うようなアイデアに投資し続けることになります。

## 7.2 経験主義と実験主義の境界線

実験の一環として集めた情報を意思決定に活用するだけでも経験主義的にはなれます。その側面については次章で掘り下げていきます。しかし、

2 “Online Experiments at Large Scale”（「大規模なオンライン実験」、https://stanford.io/2LdjvmC）という論文のなかで、著者たちはソフトウェアを改善するためのアイデアの2/3以上が、そのアイデアを実現させた企業のために何の価値も生み出さないか、マイナスの価値を生み出したことを指摘している。

そこまでしっかりと形が整っていなくても、アイデアの結果を観察すれば経験主義的になれます。このような観察は実験の代わりになるものではありません。むしろ、次の実験について考えるときの現状分析の質を上げるための手段だと考えるべきです。

経験主義と実験主義を別個の概念として掘り下げていくと、哲学や語源学の領域に落ち込む危険があることはわかっています。そのようなことは私の本意ではありません。そこで、具体的な実例を使ってこの密接に関連し合う2つの概念を別々に考える理由を示したいと思います。

## 7.3 「そのバグはわかってる！」

数年前のことですが、私は世界最高性能の金融取引システムのひとつをゼロから作るというすばらしい経験をすることができました。それは、ソフトウェア開発に対するアプローチのなかで工学的な思考と規律を真剣に考えるようになり始めた頃のことでした。

重大なバグが見つかったのは、本番リリースの直前でした。それは、私たちにとっては比較的珍しいことでした。このチームは継続的デリバリーなど本書で推奨している方法を取り入れていたので、こまめに小さな変更のフィードバックを受けていました。一日が終わろうとしている時間に大きな問題が見つかることはまずなかったのです。

私たちのリリース候補は、リリース前の最終チェックに入ったところでした。その日の早い時間に行われたスタンドアップで、同僚の一人であるダレンが、API受け入れテストスイートを実行したときに開発ワークステーションでメッセージングシステムが奇妙な壊れ方をしたと言っていました。サードパーティーのパブサブメッセージングコードでスレッドがブロックされているのをはっきり見たというのです。彼はその問題を再現しようとし、実際に再現できましたが、再現できたのはある特定のペアリングステーションで実行したときだけでした。私たちの環境の構成は、高度なIaC (infrastructure-as-code) のアプローチを使って完全に自動化され、バージョン管理されていたので、それは奇妙なことでした。

その日の午後に入ってから、私たちは新しい変更セットの仕事に着手しましたが、ほとんどその直後から、ビルドグリッドに大きな変化が現れました。多数の受け入れテストが失敗するようになったのです。私たちは何が起きているのかの調査を始め、サービスのひとつがCPUに高い負荷をかけていることがわかりました。私たちのソフトウェアはきわめて効率的に作られていたので、これは異常なことでした。さらに調査を進めると、新しいメッセージングコードが明らかに止まっていることがわかりました。ダレンが見たのはこれに違いありません。新しいメッセージングコードには間違いなく問題があるはずです。

私たちはすぐに行動を起こしました。私たちのリリース候補がまだリリースできる状態ではないかもしれないということを関係者全員に伝え、普通なら避けるはずのブランチを作らなければならないかどうかを検討し、メッセージングコードの変更を取り消しました。

私たちは立ち止まって考える間もなく以上の行動に走りました。「ちょっと待てよ。そんなことをしても意味がないじゃないか。このメッセージングコードはもう1週間以上も使ってるんだぜ。なのに、このエラーはこの2時間で3回も起きてるんだ」とは思わなかったのです。

私たちはここで立ち止まって、わかっていることを持ち寄りました。事実についての情報を集めたのです。私たちはイテレーションの最初のところでメッセージングコードをアップグレードし、メッセージングシステムがストールしたところを示すスレッドダンプを手に入れました。ダレンと同じです。しかし、彼のダンプは別の場所でストールしていたように見えます。それに、私たちはメッセージングコードの変更後、デプロイパイプラインでこれらのテストを全部実行することを繰り返し、1週間以上も成功してきたのです。

ここで私たちは壁にぶつかりました。メッセージングコードに問題があるという私たちの仮説は事実に適合しなかったのです。私たちは新しい仮説を立てるためにもっと多くの事実を集めなければなりませんでした。普通なら問題解決の最初の時点ですることですが、この場合は結論があまりにも当然のように思えてしまったために、この作業を省略していたのです。問題の特徴が明らかになったので、因果関係を説明するデータを集め始めました。そしてログファイルを見ると、みなさんの予想通り、新しいコードに原因があることが明らかな例外が見つかりました。

かいつまんで言うと、メッセージングコードは問題ありませんでした。明らかだった「メッセージングコードでの障害」は、原因ではなく兆候でした。実際に正常な待ち状態に入ったときのスレッドダンプを見たところ、正しく動作していました。実際に起きていたのは、メッセージングとは無関係な新しいコードのスレッディングのバグのためにメッセージングコードが壊されたということでした。間違っているものの「自明な」結論に飛びついたりせず、最初に立ち止まり、事実を集め、その事実から仮説を立ててバグをフィックスしていれば、5分もかからなかったところでした。実際、考えることを止め、「自明」ながら間違った結論に飛びつかずに、持っている事実に基づいて仮説を立てたところ、本当に5分で解決できました。

私たちが飛びついた結論が事実に合わないことがわかったのは、立ち止まって起きていることについての事実を挙げていってからでした。私たちにさらなる事実の収集を促したのは、私たちが最初に想像した問題ではありませんでした。問題を解決できるだけの事実が十分集まっているかどうかであり、それ以外にはありませんでした。

私たちは高度な自動テストシステムを持っていましたが。自明な事実を無視していました。それは、間違いなくビルドが失敗するようなものをコミットしたという事実です。代わりに、私たちはさまざまな事実をつなげて間違った結論に飛びつきました。それは、私たちを間違った道に導く一連の事象があったからです。私たちは砂上に理論を構築し、それを検証することなく、古い当て推量の上に新しい当て推量を積み重ねていきました。その結果、一見したところもっともらしく、「自明な」原因にたどり着きました。ただ、それは完全に間違っていたのです。

科学は使えます。仮説を立て、それを証明または反証する方法を考えましょう。実験を実施し、結果を観察して、仮説に適合するかどうかを判断しましょう。その繰り返しです。

ここから得られる教訓は、経験主義的になるのは見かけほど簡単ではなく、規律が必要とされるということです。ダレンが見た問題と失敗したテストを関連付けたときに経験主義的になって、現実が私たちに送ってきたメッセージに対処すればよかったのではないかと思われるかもしれませんが、私たちはそうしませんでした。私たちは結論に飛びつき、自分たちにとって都合のよい当て推量の原因に合うように事実を歪めました。その時点でもっと組織立った形で「私たちが知っていること」をたどっていけば、これが「メッセージングコードの問題」ではなかったことが明々白々になっていたことでしょう。何しろメッセージングコードはまる一週間正しく動作してきており、そのときから書き換えられてはいないのですから。

## 7.4 自己欺瞞を避ける

**経験主義的**になるためには、現実から集めてきたシグナルをもとに、実験で検証できる理論を組み立てるまでのプロセスをもっと組織立ったものにしなければなりません。

人類の能力は優れたものですが、それだけの能力を持つためには膨大な量の情報処理が必要とされます。私たちが認知した現実は「現実」ではなく、認知した現実をシームレスにするためには一連の生物学的なトリックが使われています。私たちの目のサンプリングレートは驚くほど低いものです。目を通じて認知した現実が滑らかにつながっているのは、脳が作った幻です。実際には、目は約0.5Hz（2秒に1回）ほどのサンプリングレートで視野の一部をサンプリングし、脳が実際に起きていることの「仮想現実」的な印象を作り出しているのです。

見えている大半のものは、脳が推量で作ったものです。つまり、私たちは自分を騙す方向に進化してきているということなので、これは重要なことです。私たちはとかくすぐに結論に飛びつきますが、それは生き残りのために日々戦っていた時代に、視野の正確、詳細な分析のために時間をかけていたら、分析が終わる前に天敵に食べられていたからなのです。

私たちには、この世界で生き残るために数百万年に渡って発達させてきたありとあらゆる認知ショートカットとバイアスが組み込まれています。しかし、私たちは天敵がうようよいる危険なサバンナを現代的なハイテク文明に作り替えました。そして、そのような世界で問題をもっと効果的に解決するための方法を発達させてきました。その方法は間違った結論に飛びつくよりも時間がかかりますが、問題解決のためには大幅に効果的です。ときにはたじろぐほど難しい問題さえ解決できます。リチャード・ファインマンが科学を次のように特徴づけていることは有名です。

> 第1原則は自分を騙してはならないということである。そして、一番騙しやすい相手は自分なのだ[3]。

科学はほとんどの人が考えているようなものではありません。大型ハドロン衝突型加速器や現代医学、物理学さえ扱う必要はないのです。科学は問題解決のテクニックです。眼の前にある問題のモデルを作り、モデルが現在わかっているすべてのことに適合していることをチェックした上で、モデルが間違っていると証明する方法を考えます。デイビッド・ドイッチュは、モデルは「よい説明」から組み立てられると言っています[4]。

## 7.5 自分の理論に合う事実の偽造

私たちがいかに簡単に自分を騙してしまうかを示す別の例を見てみましょう。

私が超高速の金融取引システムの構築に参加したときのことです[5]。私たちは高速なソフトウェアの開発に関するさまざまな実験を行いました。実験からは面白い発見がたくさん得られました。そのなかでも特に注目すべきは、私たちが**機械への共感**と名付けたソフトウェア設計アプローチです。

このアプローチでは、土台のハードウェアをうまく利用するために、ハードウェアの仕組みに対する深い理解に基づいてコードを設計しました。私たちが実験を通じて学んだ事実のなかでも特に重要なもののひとつは、現代のコンピューターでは、つまらないミス[6]を取り除いたあとのコード

3 ノーベル物理学賞受賞者リチャード・ファインマン（1918～1988）、https://bit.ly/2PLfEU3
4 David Deutsch, *The Beginning of Infinity*, https://amzn.to/2IyY553
5 私たちの金融取引システムのイノベーティブなアーキテクチャーの詳細については、https://bit.ly/3a48mS3を参照のこと

の生のパフォーマンスにもっとも大きな悪影響を与えるのはキャッシュミスだということでした。

私たちのコードで最大限のパフォーマンスが要求される部分を設計するときに、もっとも重視されたのはキャッシュミスを避けることでした。

そして、ほとんどのシステムでキャッシュミスを発生させる特に重要な理由のひとつは並行処理だということが、計測によって明らかになりました。

金融取引システムを作っていた当時、ソフトウェア産業で時代の知恵として受け入れられていた一般的な考え方は、「ハードウェアは物理的限界に近づいており、CPUのスピードはもう上がらない。だから、CPUのパフォーマンスを維持するために、システム設計では「並列化」が求められる」というものでした。

このテーマについては学術論文がいくつも書かれていましたし、並列プログラミングを簡単に実現し、日常のプログラミング問題の解決に並列プログラミングを浸透させることを目的とするプログラミング言語も作られていました。しかし、実際には、私たちが実証したように、このモデルには間違いがたくさんあります。ここで言いたいことの実例として、そのうちのひとつだけを取り上げてみましょう。その当時に、自動的な並列化を目指して作られたアカデミックなプログラミング言語についての講演がありました[7]。

この言語の処理能力のデモとして、1冊分の本に含まれる文字情報のストリームから単語を読み取る処理が使われていました。しかし、私たちは、自分たちの経験から、少なくとも並行実行される複数のスレッドの結果をひとつにまとめなければならない場合には、並行処理には大きなコストがかかると考えていたため、この主張には懐疑的でした。

---

6　パフォーマンスに関するもっともありがちな誤りは、情報を格納するデータ構造のタイプを間違えるというものです。ほとんどの開発者は、コレクションのタイプによって情報の取得にかかる時間が変わることを考慮に入れていません。コレクションのサイズが小さければ、単純配列（情報取得の計算量はO(n)）の方がハッシュテーブル（セマンティクス上の計算量O(1)）のようなものよりも高速になることがあります。それに対し、大きなサイズのコレクションへのランダムアクセスでは、計算量がO(1)のコレクションタイプの方が高速になるでしょう。それ以上のサイズでは、コレクションの実装がコストを抱え始めます。

7　自動的な並列処理の実現についてのプレゼンテーション：https://bit.ly/35JPqVs

このアカデミックな言語は私たちの手の届かないところにありましたが、同僚のマイク・バーカーが簡単な実験を思いつきました。そのアカデミック言語が使っていたのと同じアルゴリズムをScalaで実装するとともに、単純な力づくのアルゴリズムをJavaで実装して、ふたつのプログラムでルイス・キャロル『不思議の国のアリス』の本文を何度もスキャンして実行時間を計測しました。

Scalaの並行処理アルゴリズムは61行、Javaプログラムは33行でした。Scalaバージョンは1秒に400冊分というすばらしい感じの結果を叩き出しました。しかし、それよりも単純で読みやすく、シングルスレッドのJavaバージョンは、1秒に1,600冊分という結果を叩き出したのです。

言語の研究者たちは、答えは並列化だという理論からスタートしましたが、ひとつの実装に夢中になるあまり、並列化の方がシングルスレッドよりも高速になるという最初の前提条件をテストすることを考えませんでした。そのため、遅くて複雑なコードに行き着いてしまったのです。

**神話と事実の分離：例**

CPUの開発が限界に達し、クロックサイクルを上げてスピードを出すという方法が使われなくなったことはよく知られています。クロックサイクルは2005年頃から上っていません。これには、シリコンから作ったトランジスターの物理特性というしっかりとした理由があります。トランジスターの密度とそれらが処理中に発する熱には相関関係があります。3GHzよりも大幅に高速なチップを作ると、過剰な熱が深刻な問題を引き起こすのです。

CPUで一定時間内に線形に処理する命令の数を増やしてスピードを上げることができないなら、処理を並列化すればよいということになり、プロセッサーメーカーはそちらの方向に走りました。これはすばらしいことで、現代のプロセッサーは驚嘆すべきデバイスになりました。しかし、その能力をどのようにして使ったらよいのでしょうか。並列に仕事を進めればよいのです。

つながりのない独立した処理ではこれでよいのですが、高速アルゴリズムを作りたいときにはどうすればよいでしょうか。アルゴリズムを並列化することだという当然の結論（当て推量）に落ち着くのは避けがたいことでした。要するに、取り組んでいる問題のためにより多くの実行スレッドを投入すればスピードが上がるだろうという考え方です。

このような前提から、並列化されたソリューションをより効率よく書けるような汎用プログラミング言語がいくつか作られました。

しかし、これは見かけよりもはるかに複雑な問題だったのです。一部の特殊な課題では並列実行が正解になりますが、これら別々の実行スレッドが生み出した情報をひとつにまとめなければならなくなると、様相はがらりと変わります。

フィードバックを集めてみましょう。並列化が正解だという結論に飛びつかず、データを集めてみようということです。

単純なことを試してみます。たとえば、単純な整数を5億回インクリメントするような単純なアルゴリズムを書いてみましょう。

実験をしなければ、この問題の正解は当然スレッドを大量に投入することのように見えます。しかし、実験をしてデータ（フィードバック）を集めると、結果は意外なことになります。

| 方法 | 所要時間（m秒） |
|---|---|
| シングルスレッド | 300 |
| ロック使用のシングルスレッド | 10,000 |
| ロック使用の2スレッド | 224,000 |
| CAS命令使用のシングルスレッド | 5,700 |
| CAS命令使用2スレッド | 30,000 |

この表には、さまざまなアプローチでこの実験を行った結果がまとめてあります。まず、シングルスレッドでlong値をインクリメントするという比較基準を設定するテストです。この方法では、5億回のインクリメントのために300m秒かかりました。

コードに同期のための手段を導入すると、低水準の並行処理の専門家でもない限り予想していなかったコストがかかることがわかります。シングルスレッドのまま、異なるスレッドからの結果を使えるようにロックを追加すると、そのコストのために9.700m秒も遅くなります。ロックはとてつもなくコストがかかります。

さらに、仕事をわずか2スレッドに分割し、結果を同期すると、単純にシングルスレッドで処理をしたときの746倍も遅くなります。

ロックはコストが高すぎることがわかりました。スレッド間で作業を調整する方法としては、ロックよりも使いにくいもののロックより効率的な方法があります。そのなかでももっとも効率がよいのは、CAS(コンペア・アンド・スワップ)命令という低水準の並行処理アプローチです。しかし、このアプローチを使っても、シングルスレッドの100倍もの時間がかかってしまいました。

このようなフィードバックがあれば、私たちは情報とエビデンスに基づいて判断を下せます。アルゴリズムのスピードを最大限に上げたければ、処理結果をひとつにまとめ直す必要がない場合を除き、できる限りシングルスレッドで多くの仕事をするようにすべきだということです。

(この実験は、数年前に同僚として仕事をしていたマイク・バーカーが最初に実施したものです)

上で示した例は、本書を支える重要コンセプトを実践した実例になっています。ここで示されているのは、フィードバック、実験主義、経験主義の重要性です。

## 7.6　事実に指針を求める

この例における研究者たちは、決して悪意を持って行動していたわけではありませんが、科学、工学の領域から外れるという陥りがちな罠に引っかかってしまいました。問題解決のために当て推量を持ち込み、正しいかどうかをまず確かめることなく、それを実装したのです。

マイクが研究者自身の問題例を使って彼らの推量が間違っていることを示すためには、数時間のコーディングが必要でした。考えたことに懐疑的になり、チェックをするのは楽ではない仕事ですが、当て推量、空想、過信のまま突進するのではなく、本物の前進を勝ち取るためにはそうするしかありません。

最良の出発点は、**自分が知っていることや考えていることはおそらく間違っていると仮定**した上で、どのように間違っているかを明らかにする方法を突き止めることです。

この例におけるプログラミング言語の研究者は、事実に基づかない神話に肩入れしてしまいました。彼らは言語の研究者にとって魅力的な問題だからという理由で、並列実行に対応したプログラミング言語のモデルを作ってしまいました。

しかし、彼らは並列化にかかるコストを計算に入れていませんでした。現代のコンピューターハードウェアとコンピューター科学が抱える現実を無視してしまったのです。並列化は、「結果をひとつにまとめる」必要があるときにはコストがかかるということは古くから知られていたことでした。アムダールの法則は、並行実行される処理が互いに完全に独立していない限り、並行実行が意味を持つオペレーションの数には限界があることを示しています。

言語の研究者たちは、「並列化は進めれば進めるほどよい」と仮定していましたが、それは並行処理コストが低いという架空の理論上のマシンに基づいた考えでした。そのようなマシンは存在しないのです。

彼らは実験主義的ではありましたが、経験主義的ではありませんでした。この経験主義の欠如のために、彼らの実験は誤った実験となり、彼らが作ったモデルは現実に起きることとは一致しなかったのです。

経験主義は、実験の有効性を感覚的にチェックするメカニズムです。実験にコンテキストを与え、実質的に実験の核心である現実のシミュレーションの有効性をテストするために役立ちます。

## 7.7 まとめ

工学は純粋科学ではないので、ソリューションの現実的な意味を考えなければなりません。ここで重要な意味を持つのが**経験主義**です。私たちが世界から得る情報は盛られて歪められているので、世界を見て、見たことから当て推量し、その推量が正しいと仮定するだけでは不十分です。それでは科学としても工学としても不満の残るものになります。しかし、工学は実践的な学問分野です。そこで、私たちは自分の推量とそれを試すために作った実験に常に懐疑的に接し、現実からの経験に基づいてチェックすることを忘れてはなりません。

第 8 章

# 実験主義的であること

**実験**は、「仮説を支持、棄却、検証するために行われる手続きである。実験は、特定の要素を操作したときにどのような結果が起きるかを示して因果関係についての知見を提供する」[1]と定義されています。

問題解決のために実験主義的なアプローチを取ることはきわめて重要です。科学とその中心にある実験主義的なプラクティスは、ほかの何よりも現代のハイテク社会とそれ以前の農耕社会を大きく分かつものだと私は思っています。人類は、数十万年前から独立した種として存在してきましたが、ほとんどの人々が現代科学の先駆けと見なすニュートン、ガリレオ以降の300 ～ 400年に人類が見せた発展のスピードは、それ以前のあらゆる発展のスピードを数桁分も上回っています。現代文明では、人類全体の知識は13か月ごとに倍に増えているという推計もあります[2]。

このような発展は、主として人類の最高の問題解決テクニックによるものです。

しかし、ほとんどのソフトウェア開発はそのようになっていません。ほとんどのソフトウェア開発は、ユーザーが気に入りそうなものを誰かが当て推量で考えるという工芸の手法を意識的に使って行われています。彼らは、プロダクトの目標を達成できる設計やテクノロジー、またはその両方を当て推量で決めます。すると、開発者は自分が書いたコードが意図した通りに動いているかどうか、バグがあるかどうかを当て推量で判断します。そして、多くの企業は自分たちのソフトウェアが役に立っているかどうか、構築にかかったコストよりも多くの利益を上げているかどうかを当て推量で判断します。

私たちにはもっとよい方法があるはずです。適切なところで推測、推量を使いつつ、その推測、推量を検証する実験を組み立てられるはずです。

それでは時間とコストがかかり、複雑になってしまうだろうと思うかもしれませんが、そんなことはありません。アプローチとマインドセットを変えるだけのことです。「もっと一所懸命働く」のではなく、「もっと賢く働く」のです。私が知る限り、このような考え方を取り入れ、それに従っ

1　出典：Wikipedia, https://en.wikipedia.org/wiki/Experiment
2　バックミンスター・フラーは、知識倍増曲線を作りました。https://bit.ly/2WiyUbE

て仕事を進めているチームは、仕事が遅いということはなく、過度にアカデミックにもなっていません。しかし、問題解決のためのアプローチがほかのチームよりも統制の取れたものになっており、その結果、より低コストで優れたソリューションをより早く見つけ、ユーザーが喜ぶ高品質なソフトウェアを作れています。

## 8.1 「実験主義的であること」とはどういう意味か

科学的思考の根っこにある重要な考え方のひとつは、権威主義的な判断を止めるということです。いつものように、リチャード・ファインマンがこのテーマについても名言を残しています。

> 科学とは、専門家は無知だと固く信じることである。

彼は次のようにも言っています。

> 権威に対していかなる敬意も払ってはならない。誰が言ったかを忘れ、彼がどこから出発してどこに到達したかを注視し、「それは理にかなっているか」と自問自答しよう。

彼の時代を反映した性差別的な表現ながら、言っていること自体は間違っていません。

私たちは、たとえ相手がリチャード・ファインマンであれ、重要な人、カリスマ的な人、有名人が言うことに動かされるのではなく、エビデンスに基づいて判断、選択しなければなりません。

私たちの産業の通常の姿はまだこのようなものではなく、これは大きな変化になります。悲しいことに、それはソフトウェア開発のみならず、社会全般にも当てはまることなので、エンジニアとして成功したいなら、社会全体よりもこの点で上にならなければなりません。

いつも使っているプログラミング言語、フレームワーク、エディターを選んだ理由は何でしょうか。JavaとPythonのもう一方に対する相対的な利点について言いたいことがあるでしょうか。エディターとしてviを使っている人のことをすごいと思っているでしょうか、それともバカだと思っているでしょうか。関数型プログラミングが唯一の正しい道だと思っているでしょうか、それともオブジェクト指向プログラミングが今まで考え出された手法のなかでもっとも優れていると思っているでしょうか。ええ、こんなことを言っている私も同じです。

私は、こういった判断についていちいち包括的で管理された実験を組み立てろと提案しているわけではありません。しかし、こういったことで宗教戦争に突っ込んでいくのは止めるべきです。

Clojureの方がC#よりもいいと言いたいなら、なぜちょっと実験主義的になって、結果の安定性やスループットを計測するということができないのでしょうか。そうすれば、誰がもっとも納得のいく説明をしているかではなく、完璧ではなくても証拠に基づいて判断を下せます。結果に納得がいかないなら、もっとよい実験をして自分の論拠を示せばよいのです。

実験主義的になるということは、すべての判断を物理学に基づいて下せということではありません。すべての科学は実験に基づいていますが、実験がどの程度管理されているかにはばらつきがあります。工学でも実験は中心に位置付けられますが、それは実際的、実利的な形の実験です。

アプローチとしての「実験主義的であること」を特徴づけるのは、次の4つの要素です。

- **フィードバック**：フィードバックを真剣に考えることが必要です。また、明確なシグナルを与えてくれるように結果を集め、思考の場に効率よく送り戻さなければなりません。ループを閉じる必要があります。
- **仮説**：評価しようと思っていることを頭のなかではっきりさせる必要があります。手当たり次第にデータを集めて回ろうということではないのです。それでは十分だとは言えません。
- **計測**：検証しようとしている仮説のなかの予測の部分をどう評価するかをはっきりさせる必要があります。「成功」や「失敗」は何を意味するのでしょうか。
- **変数の管理**：実験が送ってくるシグナルを理解できるようにするため

に、変数はできる限り減らす必要があります。

## 8.2 フィードバック

工学的な観点からは、フィードバックのスピードアップと品質の効果を認識することが大切です。

**スピードの必要性**

私は複雑な金融取引システムを作っていた会社の仕事をしたことがあります。開発者たちは優秀で会社は成功を収めていましたが、彼らはまだ改善の余地があることを認識していました。私の仕事は、彼らのソフトウェア開発プラクティスを向上させるための支援でした。

私が合流したとき、彼らはすでに十分効果的な自動テストのアプローチを採用していました。テストは豊富に作られていました。ビルドは一晩かけて行われていました。製品の大半が大規模なC++コードだったので、ビルドには、すべてのテストの実行を含めて9時間半もかかっていました。そのため、彼らは毎晩ビルドをしていたのです。

開発者のひとりの話によると、このような仕事の形は3年間続いていて、すべてのテストに合格したのは3回しかないということでした。

そこで、彼らは毎朝すべてのテストに合格したモジュールを抜き出してそれをリリースし、テストでエラーを出したモジュールは留め置くという作業をしていました。

これは、合格したモジュールが不合格になったモジュールの変更部分に依存していなければ問題ないのですが、ときどき依存している場合がありました。

私が変えたいと思ったことはたくさんありましたが、まず最初に手をつけたのはフィードバックのスピードを上げることで、ほかのことは変えませんでした。

さまざまな実験とハードワークの結果、私たちはなんとかコミットビルドを12分、その他のテストを40分で実行できるようにしました。これは

9時間半のビルドとまったく同じ仕事で、ただスピードを上げただけです。ビルドをスピードアップして結果を開発者に効率よくフィードバックできるようにしたことを除けば、組織、プロセス、ツールなどに手を加えたところはありませんでした。

この変更をリリースしてから最初の2週間のうちに、すべてのテストが合格するビルドが2回ありました。それから2週間後以降、私がその会社を去るまでの間は、すべてのテストが合格し、すべてのコードがリリース可能になるビルドが毎日少なくとも1回はあるようになりました。

フィードバックのスピードを上げる以外何も変えなくても、チームは不安定性を解消するために必要なツールを手に入れたのです。

「スピードの必要性」で述べたことは、フィードバックの最適化だけでなく、仕事に実験のテクニックを応用することの効果をよく示しています。この場合、開発者に与えられるフィードバックのスピードと質を上げるために、さまざまな実験をしました。作業中、私たちは改善されたバージョン管理システムとインフラストラクチャーアズコードで変数を管理し、複数の異なるソリューションとビルドシステムをA/Bテストして、ビルドパフォーマンスの数値を上げてきました。

私たちが改善を実現できたのは、この問題（改善のために以前にもさまざまな試みがなされた問題）に実験的思考を適用するために、十分統制の効いたアプローチを取ったからでした。いくつかのアイデアは成功しませんでした。実験の結果、ある種のツールやテクニックに時間と労力を割いても大きな効果が得られないことがわかりました。それらでは私たちが必要としていたスピードアップが得られなかったからです。

## 8.3 仮説

科学や工学を話題にするとき、人々はよく「当て推量を取り除く」ということを口にします。私も過去にこの言葉を使っていたことでは同罪ですが、それは間違っています。ある重要な意味では、科学は当て推量の上に構築されています。ただ、科学的な問題解決アプローチによって当て推量を一定の枠にはめて仮説と呼んでいるだけです。リチャード・ファインマンが科学的手法についてのすばらしい講義[3]で雄弁に述べているように、

> 私たちは次のプロセスに従って新しい法則を探します。**プロセスの第1は当て推量です！**

出発点は、当て推量、すなわち仮説です。しかし、科学や工学とそれよりも劣るアプローチとの違いは、後者がそこで止まってしまうところです。科学的であるためには、仮説という形で当て推量をしたあとで、何らかの予測をし、その予測が正しいかどうかをチェックするための方法を探さなければなりません。

ファインマンは、先ほどの講義の続きで次のように言っています。

> 当て推量が実験と一致しなければ、それ（当て推量）は間違っているということです。

ここが科学の真髄です。私たちがしているのは当て推量ではなく工学だと言えるようにするためには、このプロセスが必要です。

私たちは自分の仮説を検証できなければなりません。検証はさまざまな形を取り得ます。現実（本番システム）を観察するとか、何らかの自動テストという形でもっと管理された実験を行うといったことです。

本番環境からよいフィードバックをもらって学びを充実させても、より管理された環境でアイデアを試してもよいということです。

思考と仕事を整理して仮説の検証のために一連の実験を行うのは、仕事の質の改善として重要な意味を持っています。

---

3　ノーベル物理学賞受賞者リチャード・ファインマンの科学的手法についての講義：https://bit.ly/2RiEivq

## 8.4 計測

現実（本番システム）からデータを集めるにしろ、管理された実験をするにしろ、計測方法を真剣に考える必要があります。集めたデータの意味を考え、データに批判的にならなければなりません。

「事実をデータに適合」させようとして自分を騙すのは簡単であり、とかくそうなりがちです。実験の設計の一部として、どのような計測方法が意味を持つかを慎重に考えれば、そのような誤りからある程度身を守ることができます。仮説に基づいて予測を立て、予測の結果を計測できる方法を突き止める必要があります。

間違った計測方法の例はたくさん思い浮かびます。私のあるクライアントは、テストカバレッジを上げればコードの品質が上げられると考えました。そこで、テストカバレッジの計測方法を定め、データを集めて、テストカバレッジの改善を奨励することにしました。彼らは「80%のテストカバレッジ」という目標を設定し、そのテストカバレッジの数値を使って開発チームにインセンティブを与えました。目標を達成すればボーナスが与えられるようにしたのです。

で、どうなったでしょうか。彼らは目標を達成しました。

それからしばらくして、システム内のテストを分析したところ、全体の25%にアサーションが含まれていないことが明らかになりました。何もテストしていないテストを書いた開発チームのメンバーにボーナスを与えていたのです。

この場合、安定性を計測した方がはるかによかったでしょう。この会社が本当に求めていたのは、テストを増やすことではなく、品質の高いコードであり、それをより直接的に計測した方がよかったはずです。

「指標」と制度の裏をかく人間のずる賢さだけが計測対象の間違いの原因になるわけではありません。そこが計測の難しさです。

私は低レイテンシーが求められる金融システムの仕事にキャリアの10年以上を費やしました。最初の頃の私たちはレイテンシーとスループットの計測に非常に力を入れており、「システムは1秒あたり10万メッセージを処理し、レイテンシーは2m秒を超えてはならない」といった目標を立てて計測に励んでいました。しかし、最初は平均ベースで計測しており、あとになってそれでは無意味だということに気づきました。もっと個々の数値を気にしなければならなかったのです。その後のトレーディングサイクルでは、負荷のピークが1秒あたり10万メッセージを大きく超え、1秒あたり数百万メッセージになることがありました。外れ値が一定の限界を超える場合、平均レイテンシーでは無意味です。高頻度トレーディングの現場では、2m秒は平均ではなく限界値にしなければならなかったのです。

この第2の例では、私たちは実験主義を重視するところからスタートしましたが、計測方法の正確度に問題があったこともあり、間違ったものを計測していました。しかし、私たちはすぐに学び、計測値の品質と正確度を向上させ、実験の目標を改善できました。**大切なのは学びです**。

誰もがここまで計測の精度にこだわるわけではありませんが、どのようなソフトウェアを構築する場合でも原則は同じです。実験主義的であるためには、システムの計測方法（与えられた条件によって計測方法が持つ意味）により注意を払わなければなりません。

## 8.5 変数の管理

意味のある計測をしてフィードバックを集めるためには、現実的に可能な範囲で変数を管理する必要があります。ジェズ・ハンブルと私が『継続的デリバリー』を書いたとき、私たちは「信頼できるソフトウェアリリースのためのビルド・テスト・デプロイの自動化」というサブタイトルをつけました。当時は今と同じように考えていたわけではありませんが、このサブタイトルの本当の意味は「信頼できるソフトウェアリリースのための変数の管理」だったのだと思っています。

バージョン管理をすれば、本番システムにリリースしたコード変更の内容をより正確に把握できます。自動テストをすれば、作ったソフトウェアのふるまい、スピード、ロバストネス、その他一般的な性質をより正確に把握できます。デプロイの自動化や**インフラストラクチャーアズコード**のような考え方を取り入れれば、ソフトウェアが動作する環境をより正確に把握できます。

これらのテクニックはどれも、ソフトウェアを本番稼働したときにそのシステムが私たちの考え通りのことをしてくれるという自信を深めるために役立ちます。

私は、ソフトウェア開発の汎用アプローチとしての**継続的デリバリー**のことを、はるかに大きな自信のもとで前進できるようにしてくれる存在だと考えています。継続的デリバリーは、仕事の品質に関する変数を大部分取り除いてくれるので、私たちはプロダクトのアイデアがよいかどうかに集中できます。「システムを正しく作っているか」の部分を管理できるため、「正しいシステムを作っているか」がはるかにはっきりとわかるのです。

継続的デリバリーは、ソフトウェア開発における技術的変数の多くを管理することによって、未だかつてないほどの自信を持って前進できるようにしてくれました。そのため、ソフトウェア開発チームは、本書の中心的なテーマである学びのためにもっとも適したテクニックを活用できるようになりました。

たとえば、継続的デリバリーのデプロイパイプラインは、本番システムに加えようとしている変更について学ぶための実験的プラットフォームとして理想的です。

継続的デリバリーはソフトウェアが常にリリースできる状態であり続けるようにするための手法であり、その中心にある考え方は、自分たちの仕事の品質について最大限のフィードバックが得られるようにしようということと、小さなステップで仕事をする方向に強く誘導しようということです。これは、反復的、漸進的に仕事をすることを強制されるということでもあります。

ソフトウェアが常にリリースできる状態になっているのですから、それを利用しない手はありません。つまり、リリースの頻度を上げ、自分たちのアイデアについてもっと多くのフィードバックをもっと早く集められるようにするということです。

## 8.6 実験としての自動テスト

実験はさまざまな形を取ることができますが、ソフトウェアには、工学のほかの分野と比べて非常に大きな利点があります。それは、コンピューターというすばらしい実験プラットフォームがあることです。

私たちは、その気になれば1秒に数百万回もの実験をすることができます。そして、実験にはさまざまな形があります。コンパイルも実験の一形態だと考えることができます。「私のコードは警告なしでコンパイルできる」とか「私のUIコードのなかにデータベースライブラリーにアクセスするものはない」といった予測を検証できるわけです。しかし、ソフトウェア開発の分野で群を抜いて柔軟な実験形態は、自動テストでしょう。

ソフトウェアを検証するための自動テストは、十分厳しければ、実験と考えることができます。しかし、コードを書いたあとで自動テストを書いているようでは、実験の価値は下がります。実験は何らかの仮説に基づいて行われるべきであり、コードが正しく動作するかどうかは仮説としては貧弱でぱっとしません。

私が考えているのは、コードの期待されるふるまいについて小さな予測を立てて実験するということを繰り返しながら開発を進めていくことであり、そうすればソフトウェアの機能を漸進的に増やしていけます。

そのような実験のもっとも明確な形態は、テストに導かれる形でのソフトウェア開発、すなわち**テスト駆動開発**（TDD）です。

TDDは、システムのふるまいについての実行可能な仕様としてテストを使うという効果的な戦略です。実現しようとしているふるまいの変更の正確な定義が私たちにとっての仮説です。「この特定の条件のもとでこのことが発生したとき、結果はこうなると予測する」。私たちは小さくて単純なテストという形でこの予測を作り、コードが完成したら、実験（テスト）を実行してテストケースの予測が合っていることを検証します。

このようなTDDのアプローチは、さまざまな粒度で実践できます。**受け入れテスト駆動開発**（ATDD）のテクニック（**ふるまい駆動開発**、BDDと呼ばれることもあります）のように、まずユーザーを軸として仕様を作り、この高水準な実行可能仕様を使って、それよりも粒度が細かくテクニカルなユニットテストを導いていく方法もあります。

これらのテクニックを使って開発されたソフトウェアは、従来の方式で開発されたソフトウェアと比べて、計測可能なほど顕著にバグが少なくなります[4]。

これは品質面の向上として歓迎できることですが、このような欠陥の減少が生産性に与える影響も計算に入れなければ、本当の価値はわかりません。このような形で欠陥が減れば、バグの検出、トリアージ、分析などの開発以外の作業のために開発チームが使う時間は大幅に減ることが予想されます。

実際、TDD、継続的インテグレーション、継続的デリバリーといったテクニックを採用しているパフォーマンスの高いチームは、有用な業務のために44%も多くの時間を使えています[5]。そういうチームは、並のチームより大幅に生産性が高いだけでなく、作ったシステムの品質も並のチームより高いのです。ケーキを食べてもまだケーキがあるというわけです(普通はケーキを食べたらケーキはなくなりますが)。

継続的デリバリーの文脈に位置付けられるXPのプラクティス、特に継続的インテグレーションとTDDは、設計と実装のアイデアを評価、改良するための実験主義的でスケーラブルなすばらしいプラットフォームを提供します。これらのテクニックは、仕事の品質やよいソフトウェアを生み出すスピードに大きくて重要な影響を与えます。これらの効果は、ほかのものづくりの分野では工学によるものだと評価されるものです。

## 8.7 実験としてのテストの結果が持つ意味

ここでしばらく少し哲学的な話をすることを許していただきたいと思います。もっとも、読者のみなさんはすでにこういうことには慣れてきてくださったのではないでしょうか。

考えてみたいのは、私が今まで説明してきたテストという形を取るもの

---

4 TDDが欠陥の減少に与える影響については、学術的なものもそうでないものも含めてさまざまな研究が行われています。ほとんどの研究は、欠陥の減少が40%から250%超の範囲で見られるということで一致しています。出典：https://bit.ly/2LFixzS、https://bit.ly/2LDh3q3、https://bit.ly/3MurTgF

5 出典："State of DevOps Report"（各年）、及びフォースグレン、ハンブル、キム『LeanとDevOpsの科学［Accelerate］』。https://amzn.to/369r73m、https://www.amazon.co.jp/dp/B07L2R3LTN参照。

の本当の意味は何かということです。私が本書で説明しようとしているアプローチの指導原則としての科学的合理主義について、これからある主張を展開したいと思っています。

「科学」という言葉が出てくるとかならず「物理学」を思い浮かべてしまうことは、ソフトウェア開発者、そしておそらくソフトウェア開発者に限らない普通の人々全般が犯しがちな間違いのひとつです。私はアマチュアですが物理学オタクです。私は物理学とそのメンタルモデルが好きです。物理学は身のまわりにあるものを理解するためのモデルを与えてくれます。私は冗談で物理学だけが本物の科学だと言うことがあります。しかし、本気でそう思っているわけではありません。

科学は物理学よりもはるかに広いものですが、ほかの科学は、物理学がその核心の部分で使っている単純化された抽象の世界から外れているため、物理学よりも精度が低く、乱雑に散らかった感じになっています。だからといって、科学的なスタイルの論理的な思考の価値が下がるわけではありません。生物学、化学、心理学、社会学といったものも科学です。これらの科学は、物理学ほど厳格に実験内の変数を管理できないため、物理学と同じ正確度で予測を立てることはできませんが、科学以外のものよりも深い知見とよい結果を提供できます。さしあたり、物理学ほどの徹底度や正確性は求めないことにしましょう。

しかし、倫理的、現実的な理由から実験が困難になることが多いほかのほぼすべての工学分野や一部の科学分野と比べて、ソフトウェアという分野には大きな利点があります。私たちは、ソフトウェアが属する「宇宙」を完全な形で作り、制御できるのです。そのつもりになれば、その宇宙の繊細、正確な制御もできます。そして、無数の実験を生み出せるため、統計学を味方につけられます。単純化して言えば、現代の機械学習がしているのはまさにこれです。私たちは、コンピューターによってソフトウェアの支配権を握り、ほかの分野ではとても想像できないほどの規模で実験をすることができるのです。

そして最後に、ソフトウェアは非常に深い意味を持つもうひとつの力を私たちに与えてくれます。

先ほども言ったように、私たちは物理学者になろうとしているわけではありませんが、しばらくの間、物理学者になったつもりで考えてみましょう。あなたや私が物理学の分野で新しい概念を見つけた場合、それが正しいかどうかはどのようにして判断されるでしょうか。現在の物理学が理解している事実と整合性が取れるかどうかを判断するためには、まずその概念の内容を十分に知ってもらわなければなりません。アインシュタインが言ったことをよく知りもしないのに、「アインシュタインは間違っていた」などと言っても意味はないのです。物理学は広大な分野なので、新概念のことをいかに広く知ってもらったとしても、ほかの人がその概念を再現、検証できるぐらい明確に発見を記述しなければなりません。新概念の検証が失敗し、検証自体に誤りがないことが確認されれば、その概念は棄却できます。

それに対し、ソフトウェアではそれらすべてをテストですることができます。概念（あるいはアイデア）が実を結ぶまで数か月、あるいは数年も待つことなく、数分で結果が得られます。これが私たちの超能力です。

ソフトウェアを私たちが作ったちっぽけな世界のなかの存在として考えれば、ソフトウェアがいかに大規模で複雑でも、ソフトウェアの外側の世界は正確に管理できますし、その世界のなかでのソフトウェアの役割を評価することもできます。信頼できる形で繰り返しその宇宙を再現できるぐらい「変数を管理」できれば（たとえば、継続的デリバリーのデプロイパイプラインの一部としてのインフラストラクチャーアズコードのように）、実験のよい出発点が得られます。

私たちが書いたすべてのテスト（その管理された宇宙のなかでシステムがどのようにふるまうかについての私たちの理解を確認するための実験のコレクションを含む）が、私たちのシステムについての知識の本体になります。

私たちは「宇宙」の定義（システム）と「知識の本体」（テスト）を誰にでも与えられ、与えられた人々は、テストがすべて合格することを通じて、それら全体が宇宙のなかで整合性を保っていることを確認できます。

システムについての「新しい知識、新しいアイデアを生み出したい」（新機能を追加したい）と思えば、観察できるようにしたい新しいアイデアを定義する新しい実験（テスト）を作り、実験が求める条件に合ったコードを書くという形で宇宙にアイデアを追加できます。新しいアイデアが以前のアイデア、つまり管理された小さな宇宙についての「知識の本体」に対して整合性を持たなければ（テストが失敗すれば）、この新しいアイデアは間違っているか、少なくともシステムの知識についての記録された命題と一致しないということになります。

以上の説明は、ソフトウェアシステムとそのテストについての記述としてはいささか観念的だということは認めなければなりませんが、私はこのような理想に非常に近い複数のシステムに関わってきています。たとえ道のりの80％までしか到達できていなくても、このことが持つ意味を考えてみてください。システム全体のなかでアイデアが有効で一貫性があるかどうかの手がかりが数分以内で得られるのです。

これが先ほど触れた私たちの超能力です。ソフトウェアを工芸の所産ではなく、工学的なプロセスとして扱ったときにできることがこれです。

## 8.8 実験のスコープ

実験にはさまざまな規模のものがあります。小さい、ほとんど些細な実験もあれば、大規模で複雑な実験もあります。両方のものが必要になる場合もあります。しかし、「実験の連続という形で仕事を進めていく」などと言うと、おじけづいてしまう方がいらっしゃるかもしれません。

そのような方に安心していただくために、私が自分自身のソフトウェア開発で普通に実践している一般的なタイプの実験について説明したいと思います。

TDDを実践するとき、私はコードに加えたい変更をテストするところから始めます。ここでは失敗するテストを書きます。テストが実際に何かをテストしていることを確認するために、テストを実行して失敗するところをチェックしましょう。そういった感じでまずテストを書きます。望んだ通りのテストを書いたら、テストが失敗したときに表示すべき実際のエラーメッセージを考えます。「zになるはずなのに0になった」のようなものです。これが実験です。これは科学的手法のちょっとした応用です。

- 問題について考え、その特徴を明らかにする：「自分のシステムに望むふるまいを考え、それをテストケースという形にまとめる」
- 仮説を立てる：「私のテストは失敗するはずだ」
- 予測を立てる：「テストが失敗したら、このようなエラーメッセージが表示される」
- 実験を遂行する：「テストを実行する」

これは私の以前の仕事のしかたにちょっと変更を加えただけですが、コードの品質に大きなプラスの効果を与えています。

私たちの仕事により統制が取れた実験主義的なアプローチを取り入れるといっても、複雑で面倒なことが必要になるわけではありません。ソフトウェアエンジニアになるつもりなら、このような統制を取り入れ、絶えず仕事に反映させる必要があります。

## 8.9 まとめ

より実験主義的に仕事を進めるためには、関わってくる変数をどの程度管理できているかが重要になります。この章の冒頭で紹介した「実験主義」の定義には、「特定の要素を操作したときにどのような結果が起きるかを示す」ことが含まれています。より実験主義的に仕事を進めるためには、仕事に対するアプローチに統制の要素を加えなければなりません。「実験」の結果が信頼できるものになるようにしたいのです。私たちが構築するシステムの技術的な条件のもとでは、効果的な自動テストとインフラストラクチャーアズコードなどの継続的デリバリーのテクニックを駆使して実験主義的に仕事を進め、どの変数を操作するかを管理すれば、実験は信頼性が高くなり再現できるものになります。しかし、それだけでなくもっと深いところで、実験主義はソフトウェアを決定論的で高品質で予測可能なものに変え、信頼して使えるものにします。

ソフトウェア工学の名に値するアプローチは、同じ作業量でよりよいソフトウェアを生み出します。小さくて一般に単純な多数の実験を続けていくという形で仕事を組織すればそれが実現されます。

# 第3部

# 複雑さ管理の最適化

# 第9章

# モジュラー性

**モジュラー性**は「システムのコンポーネントが分割、再結合されている度合いであり、柔軟性の高さ、用途の多さといった利点がある」[1]と定義されています。

私はコードを書くようになってから長くなりますが、アセンブリ言語で簡単なビデオゲームを書いていた頃でさえ、モジュラー性はコードの設計において重要だと言われていました。

しかし、私が見たコードの多く、いやその大半、そして自分が書いたコードの一部でさえ、モジュラーとはとても言えないものでした。もっとも、私の場合はある時点から変わりました。今の私のコードはいつでもモジュラーです。モジュラー性は、私のスタイルに深く浸透したものになりました。

モジュラー性は、私たちが作るシステムの複雑さを管理する上できわめて重要です。今のソフトウェアシステムは、大規模で込み入っていて、複雑以外の何ものでもないものになっていることが多くなっています。今のほとんどのシステムは、大きすぎてどのような人の頭のなかにもとても収まりきらないような代物なのです。

この複雑さに対処するには、構築するシステムを小さく理解しやすい部品に分割しなければなりません。システムのほかの部分で何が行われているかをあまり気にせずに、開発に集中できるような部品ということです。

これはいつも正しいことであり、さまざまな粒度で該当するフラクタルな概念です。

ソフトウェア産業は発展してきました。私がキャリアをスタートさせた頃のコンピューターとソフトウェアは今よりもはるかに単純なものでしたが、仕事は今よりも大変でした。OSは、ファイルアクセスを提供し、テキストを画面に表示する以外ほとんど何もしてくれず、それ以外のことは、すべてのプログラムで0から書かなければなりませんでした。何かを印刷したいときには、特定のプリンターを低水準で操作する方法を学び、操作コードを書かなければなりませんでした。

OSやその他のソフトウェアの抽象性、モジュラー性を向上させること

1　出典：Wikipedia, `https://en.wikipedia.org/wiki/Modularity`

により、私たちは確かに前進してきました。

それでも、とてもモジュラーには見えないシステムがたくさんあります。それは、モジュラーなシステムは設計が難しいからです。ソフトウェア開発が学びの活動だとすれば、学びを重ねるうちに私たちの理解は発展し、変化していきます。どのモジュールが適切でどのモジュールがそうではないかについての考え方も、時間とともに変化していく可能性がありますし、おそらく変化するでしょう。

私に言わせれば、モジュールの切り分け方はソフトウェア開発のスキルそのものです。初心者のコードとエキスパート、達人と言われる人のコードでもっとも大きく差が出るのはモジュラー性です。設計で優れたモジュラー性を達成するためにスキルがいるのは事実です。しかし、私が見る多くのコードで感じるのは、人々が「うまくモジュラー性を実現できていない」だけでなく「モジュラー性を実現しようとしていない」ことです。まるでレシピのように書かれたコードがたくさんあります。ステップを線形に並べた数百行、あるいは数千行ものメソッド、関数で作られているということです。

あなたのコードベースで、30行、いや50行、100行以上のメソッドが含まれているコードを弾き出すシステムを動かしたらどうなるかを想像してみましょう。あなたのコードはそのテストに合格するでしょうか。私がさまざまな現場で見たコードの大半は不合格です。

最近の私は、ソフトウェアプロジェクトを立ち上げるときに、継続的デリバリーパイプラインの「コミットステージ」でこの種のチェックを組み込むようにしています。20行または30行を超えるメソッドが含まれているコミットを弾き出すのです。引数が5個または6個以上のメソッドシグネチャーも弾き出します。ここで示した数字は、仕事をしたチームでの経験や選択に基づく大雑把なもので、この数字を使うように勧めるつもりはありません。設計で手を抜かないようにするためには、この種の目安を設けることが重要だと言いたいのです。納期のプレッシャーがいかにきつくても、まずいコードを書いて時間を節約することはできません。

## 9.1 モジュラー性の目安

システムがモジュラーになっているかどうかはどうすれば見分けられるでしょうか。単純化して言えば、モジュールとは、プログラムに入れてよい命令とデータを集めたものです。これは、モジュールを構成するバイナリー情報の「物理的な」表現を捉えたものです。

しかし、より現実的なところでは、コードを小さなコンパートメントに分割する何かを探すことになります。適切に分割された個々のコンパートメントは、さまざまな状況で何度も再利用できるはずです。

モジュールが意味のある仕事をするためには、システム内のほかの部分が必要になるかもしれませんが、モジュール内のコードは、システムのほかの部分の影響を受けない自立した存在としてすぐに理解できる程度の短さになります。

変数や関数へのアクセスを制限するために、これらを参照できるスコープが何らかの形で決められており、変数と関数にはモジュールの「外部」のものか「内部」のものかという概念があります。そして、アクセスを制御し、ほかのコードとの通信を管理し、ほかのモジュールを処理するための何らかのインターフェイスが設けられています。

## 9.2 設計の重要性の過小評価

こういったことに注意を払わないソフトウェア開発者が多数いることには、いくつかの理由があります。ソフトウェア産業は、全体としてソフトウェアの設計の重要性を過小評価してきました。私たちは言語とフレームワークにこだわり、IDEかテキストエディターか、オブジェクト指向プログラミングか関数型プログラミングかといった論争に熱中してきました。しかし、こういったものは、作ったソフトウェアの品質にとってモジュラー性や関心の分離ほど重要になることも根本的な意味を持つこともありません。

モジュラー性に優れ、関心の分離が適切に行われているコードがあれば、プログラミングパラダイム、言語、ツールが何であれ、そうでないコードよりも優れており、理解しやすく、テストしやすく、解決しようとしている問題についての学びが深まったときに書き換えやすいでしょう。そういったコードは、そうでないコードよりも柔軟に使えます。

私の印象では、こういったスキルはまったく教えられていないか、これらの重要性を無視させる何らかの本質的な要因がプログラミング（またはプログラマー）のなかにあるようです。

モジュラーな設計を生み出すスキルは、プログラミング言語の構文を理解するスキルとは明らかに異なります。ある程度でもマスターしたいと思うなら本気で取り組まなければならないスキルであり、そのために生涯を費やしても決して完全の域には達しないスキルなのかもしれません。

しかし、私からすれば、これこそがソフトウェア開発の本質です。時間とともに発展、成長しつつ、間違いを犯したときのダメージを最小限に抑えるために適切にコンパートメント化されたコード、システムはどうすれば作れるのでしょうか。モジュール間の境界が、システム変更を妨げる負債ではなく、システムを拡張するチャンスになるように適切に抽象化されたシステムはどうすれば作れるのでしょうか。

ここは本書のテーマにとって重要なポイントです。

私はテスト駆動開発（TDD）の授業を担当したことがあります。私は設計の複雑さを緩和するためにTDDがいかに役立つかを示そうとして一所懸命になっていましたが、受講者（彼らのことをプログラマーと呼ぶ気にはなれません）のひとりにコードを複雑でなくすることがなぜ大切なのかと質問されたときには、正直なところショックを受けました。この人が複雑で切れ味の鈍いコードと単純明快なコードの間でインパクトや価値の違いを感じないなら、ソフトウェア開発という仕事に対する見方が私とは異なるのでしょう。彼の質問に答えるために、私はメンテナンス性が重要なことや処理効率上の利点のことなどを話して最大限の努力をしましたが、私が言ったことがどれだけ彼の胸に響いたか確信が持てません。

基本的に、複雑になるとソフトウェアの維持コストが上がります。これは直接の経済的コストですが、主観的なコストもあります。複雑なコードが相手では、気持ちよく仕事ができないのです。

しかし、ここでもっとも現実的な問題は、コードが複雑だと当然のことながら書き換えが難しくなることです。すると、コードを正しく書くチャンスは、初めてコードを書いたときだけに限られてしまいます。また、コードが複雑なら、おそらく自分が思っているよりも本当は問題を理解できていないということでもあります。複雑なコードには、そうでないコードよりもミスが隠れられる場所がたくさんあります。

自分が書くコードの複雑さを抑える努力をすれば、ミスを犯しても修正するチャンスは増えます。つまり、自分の才能を信じて最初からすべて完全に正しいコードを作れることに賭けるか、もっと慎重に前進できるようにするかです。考えてもみなかったようなことや誤解や状況の変化があることを前提としてスタートし、いつかコードを見直さなければならなくなることを予想して仕事をするということです。複雑さはコストになります。

新しいアイデアに門戸を開いておくことは大切です。前提に疑問を投げ続けることも大切です。しかし、だからといってすべてのアイデアに同じ価値があるわけではありません。アイデアにはつまらないものもあります。そういったものは捨てなければなりません。それに対し、優れたアイデアは大切にすべきです。

プログラミング言語の構文の知識をつけるだけでは、優秀なプログラマーになることはもちろん、「プログラマー」になることさえできません。「言語Xのイディオムに通じる」ことは、高品質の設計を生み出すことと比べれば価値のあることでも重要なことでもありません。「API Yの難解な細部を知っている」からといって、より優れたソフトウェア開発者になれるわけではないのです。この種の問いは、検索で答えを見つけられます。

優れたプログラマーとそうでないプログラマーを分ける本物のスキルは、言語やフレームワークに特化したところにはありません。それ以外の場所にあるのです。

プログラミング言語は道具に過ぎません。私はワールドクラスのプログラマーたちと仕事をする特権に恵まれたことがあります。こういった人々は、使ったことのないプログラミング言語でも優れたコードを書きます。HTMLとCSS、Unixシェルスクリプト、YAMLでも優れたコードを書きます。私の友だちのなかには、読めるPerlを書ける人さえいます。

概念の表現のために使うプログラミング言語よりも深くて重い概念があ

ります。モジュラー性はそのような概念のひとつです。コードがモジュラーでなければ、ほとんど確実にそのコードはよくないコードです。

## 9.3 テスト可能性の重要性

私はケント・ベックの『エクストリームプログラミング』が1999年に出たときにTDDの方向性を試してみたぐらい、TDDをかなり早い段階で取り入れています。私のチームはケントの魅力的なアイデアを試し、そのときにはTDDについて誤解をしてしまいましたが、それでもTDDのアプローチから大きなメリットを受けました。

TDDは、私のキャリアのなかで、ソフトウェア開発プラクティスによって特に重要な一歩を踏み出せた経験のひとつになっています。紛らわしいのは、私がTDDを高く評価する理由が普通考えられているような「テスト」とほとんど無関係なことです。実際、今の私は、ケント・ベックがこのプラクティスの名前に「テスト」を含めたのは、少なくともマーケティングという観点からは失敗だったと思っています。しかし、では代わりにどういう名前を与えればよかったかと尋ねられると、私も答えに窮してしまうのです。

第5章では、テストが設計の品質について早く正確なフィードバックを与えてくれることとコードをテスト可能にするとその品質が上がることを説明しました。これは非常に重要なことです。

経験を積んだスキルの高いプログラマーの優れた感覚以外にも、私たちの設計の品質についてすばやくフィードバックを返してくれるものがいくつかあります。数週間、または数か月、数年後にコードを書き換えようとしたときに設計の良し悪しはわかりますが、そういう機会がなければ設計品質が客観的に明らかになることはまずありません。ただし、テストでコードを実際に動かしたときは別です。

テストが書きにくければ、そのコードの設計はよくないということです。白黒がすぐにわかります。ふるまいを少し改良するためにコードを書き換えようとすると設計の品質についてフィードバックが得られますが、TDDの**赤、緑、リファクタリング**のルールに従うと、このフィードバックが自動的に得られるようになります。テストが書きにくければ、設計には改善の余地があります。テストが書きやすければ、テスト対象のコードに含まれている高品質なコードの目安となる性質は否応なく表に出てきます。

しかし、テスト駆動のアプローチで設計したからと言って、自動的に優れた設計が得られるというわけではありません。TDDは魔法の杖ではないのです。設計者にスキルと経験がなければ、優れた設計は得られません。TDDを実践しても、優れたソフトウェア開発者はそうでないソフトウェア開発者よりもよい設計を生み出します。しかし、テスト駆動で設計すれば、設計者の経験と才能という限界のなかでテスト可能なコードとシステムを書く後押しとなり、結果がよくなるのです。

私が思い浮かべられるテクニックのなかで、TDDと同程度にこのような効果を生み出せるものはほかにありません。私たちが工芸から工学に進まなければならないのだとすれば、TDDという**能力の増幅器**は重要です。

エンジニアになるつもりなら、人々に「もっとうまくやれ」と言うだけでは不十分であり、よりよい結果を達成するために役に立ち、導きになるツールが必要です。システムのテスト可能性を追求することはそのようなツールのひとつになります。

## 9.4 テスト可能性を意識した設計によるモジュラー性の向上

それでは話を戻して、モジュラー性の文脈のなかでテスト可能性について考えてみましょう。テスト可能性を意識して設計を進めると、どうしてモジュラー性の高さにつながるのでしょうか。

飛行機の翼の性能をテストしたければ、その翼を使って飛行機を作って飛ばしてみるという方法があります。これは、動力付きで操縦可能な飛行機を初めて作ったライト兄弟でもダメだとわかっていた恐ろしい考え方です。

この未熟なアプローチを実践すると、何も学んでいないうちからすべての仕事をしなければなりません。このような学びの方法を試した場合、この翼とほかの翼の有効性を対比するためにどうするというのでしょうか。

もう1機飛行機を作るのでしょうか。

仮に作ったとしても、結果をどのように比較するのでしょうか。最初のプロトタイプを飛ばしたときと第2のプロトタイプを飛ばしたときとで風の強さが違うかもしれません。飛行士の朝食の量も違うかもしれません。気圧や気温の違いのために空気から得られる上昇力が違うかもしれません。2機の間で燃料バッチが異なり、エンジン出力パワーレベルが異なる場合もあるでしょう。これらの変数をどのようにして管理すればよいのでしょうか。

この問題を解決するためにシステム全体を作るウォーターフォールのアプローチを取るなら、システムの複雑さは翼の環境全体まで広がります。

翼の性能の科学的な計測方法は、これらの変数を管理し、すべての実験で標準化します。複雑さを減少させて実験から得られるシグナルを明確にするにはどうすればよいでしょうか。おそらく、巨大な風洞のような制御された環境で2機を試すことになるでしょう。そうすれば、翼に対する気流や風をより正確にコントロールできます。気温や気圧も管理できる環境ならなおよいでしょう。この種の変数の管理がなければ、再現性の高い結果は期待できません。

この方向に進んでいくつもりなら、実際にはエンジンや操縦装置といった飛行機の翼以外の部分は実験には不要です。試してみたい2種類の翼のモデルを作り、気温と気圧が制御された風洞でテストすればよいのです。

この方がただ飛ばしてみるよりも間違いなく正確な実験になりますが、まだ完全な翼を二度作らなければなりません。個々の翼の小さなモデルを作るだけでよいのではないでしょうか。本物とまったく同じ素材と技術でできる限り正確なモデルを作り、ふたつを比較するのです。ここまで進めば、実験は小規模になり、風洞も単純なもので済みます。

こういった飛行機の部品がモジュールです。これらは飛行機全体のふるまいに間違いなく関わっていますが、問題の特定の部分の解決に特化しています。このような実験から得られるものが部分的な正しさに過ぎないのは事実です。飛行機全体の空気力学は翼だけの空気力学よりも複雑です。しかし、モジュラー性がなければ測れないようなものがモジュラー性によって測れるようになります。モジュラー性の意味はそこにあります。部品、

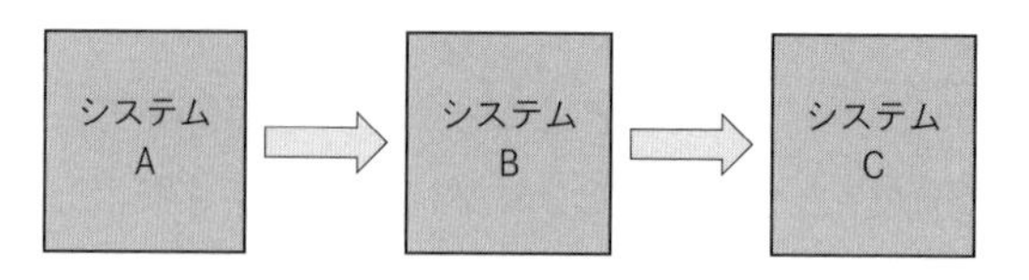


**図9-1 カップリングされたシステム**

すなわちモジュールは、間違いなく全体よりもテスト可能性が高いのです。

現実の世界では、翼の形とその他のものが揚力に与える影響を明らかにするためにこのようにして実験を行います。

モジュラー性は、計測できるものをコントロールしやすくし、計測の精度を上げます。この例をソフトウェアの世界に移してみましょう。システムAの下流、システムCの上流にあるシステムBの仕事をしているものとします（図9-1参照）。

これは複雑な組織で大規模システムを開発するときの一般的な形です。このようなシステムには、仕事の結果をどのようにテストすればよいかという問題があります。多くの、いやほとんどの企業は、この問題に直面すると、システムが安全に使えることを確認するためには全体のテストが欠かせないという考え、当て推量に飛びつきます。

しかし、このアプローチには問題がたくさんあります。まず、この規模での計測しかしないのなら、「飛行機全体のテスト」の問題に直面します。システム全体では複雑すぎて変数が管理できず、集めた計測データが何を意味しているのかがわからず、精度、再現性に欠けます。

上流にあるシステムAと下流にあるシステムCが邪魔になるので、私たちの担当部分の評価は精度を欠いたものになります。全体テストという決定のために単純に実施できないテストにはさまざまなものがあります。システムAが間違った形式のメッセージを送ってきたとき、システムBはどうなるのでしょうか。実際のシステムAが正しい形式のメッセージを送り続ける限り、この条件はテストできません。

では、システムCとの通信チャネルが壊れているときにシステムBはどのように対処すべきでしょうか。この場合も、本物のシステムCとの通信チャネルが正常である限り、通信エラーを装うことができないため、この

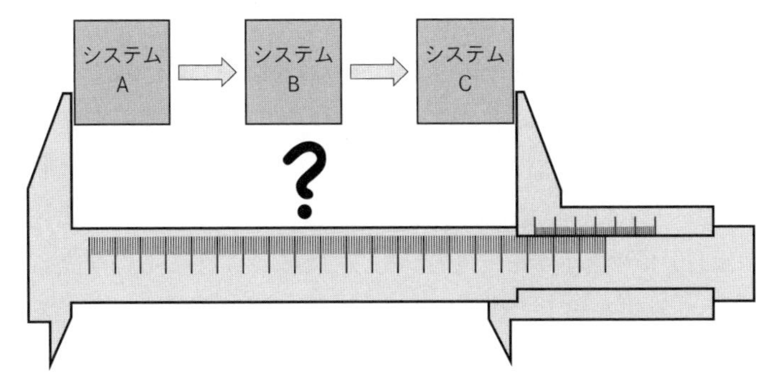


**図9-2 カップリングされたシステムのテスト**

条件はテストできません。

私たちが集めたテスト結果は多くのことを語ってくれません。テストが失敗した場合、それは私たちのシステムに問題があったからなのでしょうか、それともほかのシステムに問題があったからなのでしょうか。このエラーは、上流、または下流のシステムのバージョンが間違っていることを示しているのかもしれません。では、テストがすべてうまくいったら、それはリリースできる状態になっているからなのでしょうか。それとも、評価しようとしている条件が単純すぎるか、システムが巨大すぎてテスト不能になっているため、実際にはあるバグを見つけられないからなのでしょうか。

複合システム全体を計測しようとすると（**図9-2**参照）、結果は曖昧で誤解を招くものになります。マンガめいた図9-2は、重大な問題を示しています。計測しているものは何かと計測の意味は何かを明確にする必要があるということです。この図のようなエンドツーエンドのテストをする場合、テストの目的は何なのでしょうか。何を明らかにしたいのでしょうか。すべての部品がうまく連動していることを示したいのなら、そういうテストが役に立つ場合もありますが、この話のなかで私たちが担当しているシステムBが本当に正しく動作しているかどうかを判断するためには、このスタイルのテストでは不十分です。この種のテストは、よりモジュラーで効果的で徹底的なテストをほんのわずかだけ補うために役立つだけです。私たちのシステムであるシステムBの動作が正しいことを示すために必要なより詳細なテストが不要になるわけではありません。

では、より詳細なテストを実行するためには何が必要なのでしょうか。それは、**計測点**です。計測点とは、何らかのプローブを挿入すれば信頼できる計測値を集められるような全体のなかの一部です。この一連の図では、架空のノギスで「計測点」を示しています。実際には、**テスト対象システム**(SUT) にテストデータを注入し、そのなかでふるまいを立ち上げ、出力を集めて結果を解釈できればよいということです。このノギスが安っぽく見えるのはわかりますが、システムのテストについて考えるときの私のメンタルモデルはこういうものです。システムを評価できるように、何らかの**テストリグ**にシステムを入れるのです。SUTにプローブを挿入し、システムの動作を見るためには、計測手段（テストケースとテストインフラ）が必要になります。

図9-2のノギスは今までに説明してきた理由からあまり役に立ちませんが、システムが大規模で複雑になると、結果がまちまちになるということからも役に立ちません。変数の管理ができていないため、明確で再現性のある結果が得られないのです。

ソフトウェアがリリースできる状態になっているかどうかを判断するための自動テストスイートがあったとしても、テストが毎回同じ結果にならなければ、それらの結果に何の意味があるでしょうか。

工学的な思考を目指すなら、計測方法を真剣に考える必要があります。頼れる計測結果が必要なら、計測方法は決定論的でなければなりません。テスト対象システムが同じバージョンなら、テストやその他の評価方法は、何度実行しても、実行したときにほかに何が行われていても、かならず同じ答えを示さなければなりません。

再現性のある結果を得るために必要なら余分に仕事をしてもよいぐらい、今言ったことには大きな意味があります。どのようなテストをどのように書くかだけではなく、もっと重要なことですが、ソフトウェアの設計にも影響を与えます。そして、この工学的アプローチの真価が姿を現し始めるのはここからです。

私たちが金融取引システムを作ったとき、そのシステムは完全に決定論的になりました。本番入力を記録し、しばらくしてからテスト環境でその入力をリプレイすると、システムが**まったく同じ状態**になるぐらいだったのです。私たちはそれを目標として仕事をしたわけではありませんでした。私たちが達成したテスト可能性と決定論的な動作の副作用だったのです。

### 複雑さと決定論的動作

テスト対象システムの複雑度が上がると、計測の精度は落ちていきます。パフォーマンスが非常に重視されるソフトウェアのテストでは、たとえば、ほかの部分からそれを切り離し、一連の管理されたテストランを生み出せるテストリグを使うことができます。そういったテストリグは、実行時最適化の効果を取り除くために最初のランを捨てるようなことができ、統計学のテクニックで操作できるほど多くのデータを集めるまで実行を繰り返せます。こういったことに真剣に取り組めば、計測値はμ秒、またはナノ秒単位まで正確で再現可能なものになります。

しかし、一定以上の規模のシステムでシステム全体のパフォーマンステストをした場合、同じような正確性や再現性は期待できません。システム全体のパフォーマンス計測では、変数の数が多くなり過ぎて手に負えなくなるのです。コードを実行しているコンピューターで同時にどのようなタスクが実行されるか、計測時に何かほかのコードのためにネットワークが使われているかといったことです。

たとえネットワークを遮断し、パフォーマンステスト環境へのアクセスをブロックしてこういった問題に対処したとしても、現代のOSは複雑な存在です。テストの実行中にOSが何らかのハウスキーピング処理を始めようとしたらどうなるでしょうか。それは間違いなく計測結果を歪めるはずです。

システムの複雑度とスコープが大きくなると、決定論的な動作は達成しにくくなります。

コンピューターシステムが決定論的になれない根本原因は並行処理です。並行処理にはさまざまな形態があります。システム時間をインクリメントするクロックチックは並行処理の一形態です。時間に余裕があると判断してOSがディスクを再構成するのもそうです。しかし、こういった並行処理がなければ、デジタルシステムは決定論的になります。データと命令のシーケンスが同じなら、結果は毎回同じになります。

並行処理の影響を避け、各モジュールが決定論的で信頼できるテストを実行できるようにすることは、モジュラー性を求める理由のひとつになります。モジュールが順序正しく実行され、その実行結果が予測可能になるようなアーキテクチャーでシステムを作りましょう。このようにして書かれたシステムは**非常に**仕事がしやすいシステムになります。

これはかなり難しいことに感じられるかもしれませんが、私が説明してきたような形でユーザーから見えるふるまいが決定論的なシステムは、少なくともテストの限界までは副作用がなく予測可能でテスト可能になるはずです。

ほとんどのシステムはこのようには作られていませんが、設計に対して工学主導のアプローチを取れば、このようなシステムにできます。

図9-2のようにシステム全体ではなく、**図9-3**のように自分たちのコンポーネントだけを計測するようにすれば、正確度と精度を大幅に引き上げ、はるかに信頼性の高い計測ができます。ノギスのたとえをさらにこじつければ、問題の別の次元まで計測できるようになります。

それでは、このように対象を限定して精度の高い計測をするためには何が必要なのでしょうか。ほかの条件がすべて等しければ計測結果が毎回同じになるように、計測点を安定させることです。テストが決定論的になるようにするのです。

システムに変更を加えるたびに計測点を0から作り直さなくても済むようにもしたいところです。

話をはっきりさせるために言っておくと、ここでの計測点とは、システムのテストしたい部分に対するモジュラーで安定したインターフェイスのことです。より小さなモジュールからより大きなシステムを組み立て、モジュールには入出力を明確に定義するインターフェイスを設けます。アーキテクチャーのアプローチがこのようなものであれば、こういったインターフェイスでシステムを計測できます。

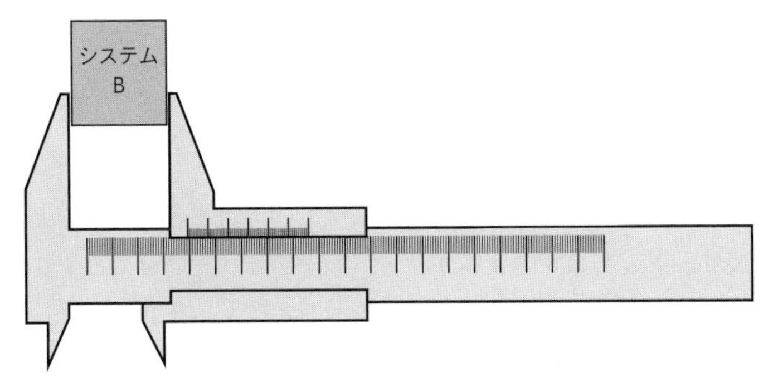


**図9-3 モジュールのテスト**

以上のような説明を読めば、それは当然だという感じがするのではないかと思います。しかし、問題は、現実のコンピューターシステムでこのような形になっているものはまずないことです。

作ったシステムを自動テストでテストすることを仕事の基礎に置くと、モジュラーなシステムを作り損ねればかならず余分な仕事が必要になるわけで、否応なく計測点を安定させようという気持ちになるはずです。これはフラクタルであり、エンタープライズシステム全体から個々のメソッド、関数、クラスに至るまでのあらゆる粒度で言えることです。

本書で述べてきたように、何らかの形でモジュラーではないシステムをテストするのは単純に不可能です。テストするためには「計測点」が必要です。テスト可能性はモジュラー性によって支えられ、強化されます。そして、テストによって設計を導いていくと、モジュラー性が促進されます。

これは、かならずしも小さくて独立したコンポーネントのコレクションでなければ実現できないものではありません。大規模で複雑なシステムでも同じように機能します。ここで大切なのは、意味のある計測のスコープを理解し、計測が簡単になり計測結果が安定するように努力することです。

私が金融取引システムの開発に参加していた頃、私たちはエンタープライズシステム全体をひとつのシステムとして扱っていましたが、外部システムとのすべてのやり取りに対して明確に定義されたインテグレーションポイントを確立し、フェイクの外部システムを接続していました。これで私たちはシステムを管理下に置くことができました。私たちは新しい口座登録情報を注入すれば、実際の運用では銀行や手形交換所といったところに送られるデータを集められる状態になったのです。

このようにしたおかげで、テストの一部ではシステム全体をブラックボックスとして扱えるようになりました。データを注入してシステムをテストに適した状態にし、出力を集めてシステムの応答を評価できるようになったのです。私たちはシステムがサードパーティーシステムとやり取りするすべての点とすべてのインテグレーションポイントを計測点とし、そこにテストインフラストラクチャーをプラグインできるようにしました。このようなことが可能だったのは、ひとえに、エンタープライズシステム全体が最初からテスト可能性を念頭に置いて設計されていたからです。

私たちのシステムは、極端なまでにモジュラーで疎結合にもなっていました。そのため、全体としてのシステムを評価できるだけでなく、単一のサービスレベルのコンポーネントも細かくテストできました。必然的に、サービス内のすべてのふるまいは、1行残らず粒度の細かいTDDテクニックを使って開発されていました。しかも、サービスの小さなふるまいの一つひとつをほかの部分から切り離してテストできるようになっていました。今まで言ってきたように、モジュラー性とテスト可能性はフラクタルなのです。

私たちのアーキテクチャー上の選択では深いところまでテスト可能性が貫かれており、時間の経過とともに、見つかったバグの多さ、いや少なさのような自明な品質指標だけでなく、目立たないながらより重要かもしれないシステムアーキテクチャーのコンパートメント化に深い影響を与えました。

歴史的に、私たちは産業全体として**テスト可能性**の重要性を過小評価してきました。見落としてきたと言ってもよいかもしれません。ここで言うテスト可能性とは、具体的には、設計をよい方向に導き、設計の品質に対して早く明確なフィードバックを与えてくれるツールとしてのTDDのことです。

## 9.5 サービスとモジュラー性

ソフトウェアにおけるサービスの概念にはつかみどころがないところがあります。たとえば、主流のプログラミング言語でサービスの概念を直接サポートしているものはありません。それでも、サービスの概念は広く浸透しています。ソフトウェア開発者は、どうすればサービスがよくなったり悪くなったりするかを議論し、自分のシステムがサービスの概念をサポートするようにアーキテクチャーを考えます。

純粋に実用的な観点からは、ほかのコードに何らかの「サービス」を提供し、その「サービス」をどのようにして提供するかの詳細を隠蔽するコードのことをサービスと考えています。これは単なる「情報隠蔽」という考え方ですが、成長していくシステムの複雑さ管理（第12章参照）ではきわめて重要です。システム設計のなかで「シーム」（継ぎ目）を見つけ、シームの向こう側については、システムのほかの部分が知る必要がなく、知ろうとすべきでもないとすることは、非常によい考え方です。設計でもっとも重要な部分がここです。

すると、サービスは、詳細を隠蔽する小さなコンパートメントという概念を提供することになります。これは役に立つ概念です。これで、サービスはシステムのモジュールと考えて間違いないし、合理的だということになります。だとすると、「シーム」、すなわちサービスなりモジュールなりが境界の外の何かと接触する部分はどうでしょうか。ソフトウェア用語としての「サービス」の概念に意味を与えているのは、サービスが境界を表していることです。境界の内と外には、わかっているものと見せているものの違いがあります。

比較的大規模なコードベースで私が一般的に感じる問題のひとつは、この違いが無視されていることです。境界を表現するコードの内外で違いがないのです。境界の内外で同じようなメソッドを呼び出し、同じデータ構造をやり取りしている場合さえあります。これらの境界で入力がチェックされず、出力が組み立てられたり抽象化されたりしていないのです。このようなコードベースはあっという間に書き換えにくいもつれた塊になります。

もっともこの点で進歩がないわけではありませんが、ごくわずかなものです。そして、この進歩はある程度偶発的なものだと言えます。つまり、REST APIへの移行にともなって発生したのです。

私はキャリアの一部として高パフォーマンスコンピューティングを経験しているので、サービス間を行き来する情報の符号化のためにXMLやHTMLといったテキストを使う考え方には納得がいかないところがあります。それでは遅すぎるのです。しかし、REST APIは、サービスやAPIの周縁部に変換点を設けるという考え方を強く後押ししていることは間違いありません。REST APIを使うときには、入力として送られてきたメッセージをサービスが扱いやすい形式に変換し、サービスの出力を大きくて遅いテキストベースのメッセージというぞっとするものに変換します（申し訳ありませんが、この説明には私のバイアスが入っています）。

しかし、ソフトウェア開発者たちは、それでも間違ったことをし続けています。この基本線に沿ったシステムでも、HTMLをそのまま素通りさせてサービス全体がこのHTMLという吐き気のするものを操作しているコードを見かけます。

シームとか境界といったものはもっとていねいに扱わなければなりません。これらは情報の変換、検証の場にならなければならないのです。サービスのエントリーポイントは、サービスにとって最悪なコンシューマーからサービスを守るための防壁でなければなりません。ここで言っているのは、個別のサービスのレベルにおけるポートアンドアダプター的なモデルのことです。標準のメソッド/関数呼び出しを使ってやり取りするサービスでも、HTML、XMLなどのメッセージング用の形式を使うサービスと同じように、このアプローチに従うべきです。

このアプローチの基礎になっているのは、モジュラー性の考え方の一種です。隣接しているモジュールの内部動作が見えてしまっているシステムはモジュラーではありません。モジュール（およびサービス）間の通信は、モジュール内の通信よりもガードが少し固くなっていなければなりません。

## 9.6　デプロイ可能性とモジュラー性

ジェズ・ハンブルと私は、著書『継続的デリバリー』でソフトウェアが常にリリース可能になるような仕事の組み立て方を説明しました。私たちはソフトウェアが常にリリース可能な状態になるように仕事をするようアドバイスしました（今もアドバイスし続けています）。繰り返し信頼できる形でソフトウェアをリリース可能にするための方法の一部は、簡単、単純にデプロイできるようにすることです。

『継続的デリバリー』を書いたあとも、ソフトウェアがテストできてデプロイできる状態になるように仕事を進めると作業品質に大きな効果があるという考え方に変わりはありませんし、今の方がさらに深くそう思っています。

**デプロイパイプライン**は、この本の重要なアイデアのひとつで、コミットが入口になって出口として「信頼できる結果」が生み出されるメカニズムです。デプロイパイプラインは、ビルド、テストステップのちょっとしたワークフローではなく、コミットから本番稼働までを機械的に進める道筋だという点で重要です。

この解釈には付随する意味があります。デプロイパイプラインには「リリース可能性」を構成するすべてのものが含まれていなければならないということです。パイプラインがオーケーと言えば、ほかに何もしなくても安心してリリースできなければなりません。インテグレーションテストも承認もステージングテストも不要でなければならないのです。パイプラインが「合格」と言えば、「それで行け」ということなのです。

ここからさらにデプロイパイプラインに含まれるものについての付随的な意味が生まれます。パイプラインの出力が「リリース可能」なら、その出力は「独立してデプロイ可能」でなければならないのです。デプロイパイプラインに含まれるものは、かならず「独立してデプロイできるソフトウェアユニット」になります。

これがソフトウェアのモジュラー性に影響を与えます。デプロイパイプラインの出力がデプロイ可能でなければならないのなら、デプロイパイプラインはソフトウェアに対して決定的な評価を下さなければなりません。

少なくとも、リリースできる状態だと言っても安全で間違いないという程度には決定的でなければなりません。

ここから論理的に考えると、妥当な戦略はふたつしかありません。システムを構成するすべてのものをまとめてビルド、テスト、デプロイするか、システムの一部を独立にビルド、テスト、デプロイするかです。両者の間はありません。デプロイパイプラインの出力に十分な信頼を置けず、ほかのデプロイパイプラインの出力を使って自分のパイプラインの出力をテストしなければならない感じがするなら、それは問題があるということです。デプロイパイプラインが送ってくるメッセージが不明確で、評価のスコープがぼやけてしまっています。私たちは工学を実践するエンジニアになろうと努力しているのですから、それでは不十分です。

考えなければならないのは、仕事がいつ終わるかです。このパイプラインが完了したときでしょうか。それともこのパイプラインの出力を評価するために必要なほかのすべてのパイプラインが完了したときでしょうか。答えが後者なら、このシステム変更の「サイクルタイム」[2]には、ほかの変更のサイクルタイムが含まれます。評価システムがモノリシックになっているということです。

ソフトウェア開発をもっともスケーラブルにするアプローチは、開発の分散化です。各チームがほかのチームの結果を参照せずに自分の仕事を独立に作成、テスト、デプロイできるところまで、チーム間、各チームの出力間のカップリングと依存関係を取り除かなければなりません。Amazonが有名な「2ピザチーム」[3]によって未曾有のスピードで成長を遂げられたのは、このアプローチのためです。

このような独立性を実現する方法のひとつは、システムのモジュラー性を真摯に追求し、各モジュールがビルド、テスト、デプロイでほかのすべ

---

2　サイクルタイムとは、開発プロセスの効率性の尺度で、「アイデアが浮かんでからユーザーの手に役に立つソフトウェアが届けられるまで」の時間のことです。継続的デリバリーでは、ソフトウェア開発者たちをより効率的な開発アプローチに誘導するための手段として、サイクルタイムの短縮を使っています。

3　AmazonがCEOのジェフ・ベゾスから送られてきたメモに従って組織を組み替えたのは有名です。ベゾスは、そのメモのなかで「チームはピザ2枚でメンバー全員が満腹になる規模よりも大きくしてはならない」と言っています。

てのモジュールに依存しないようにするというものです。これはマイクロサービスが実現していることです。マイクロサービスは、リリースする前にほかのサービスを使ったテストが不要なぐらい高いモジュラー性を備えています。複数のマイクロサービスの相性をテストしているなら、それはマイクロサービスではありません。マイクロサービスの定義には、「独立してデプロイ可能」という性質が含まれています。

デプロイ可能性は、モジュラー性のために必要な投資の額を引き上げます。すでに説明したように、デプロイ可能性はデプロイパイプラインの有効性のスコープを決めます。スピーディで効率のよいフィードバックに基づいて仕事の品質を評価するなら、きちんと機能する選択肢はごく少数に絞られます。

選択肢のひとつは、システムを構成するすべてのものをいっしょにビルド、テスト、デプロイするというものです。そうすれば、依存関係管理の問題はすべて解消しますが（すべてがひとつのリポジトリーに含まれるので）、開発者がよい仕事をできるだけのスピードを備えたフィードバックを提供しなければならなくなります。十分なスピードで質の高い開発プロセスを維持できるようなフィードバックを得るためには、大きな投資が必要になります。

それとは別に、個々のモジュールがほかのすべてのモジュールから独立して開発、テスト、リリースできるようにするという選択肢もあります。複数のモジュールをいっしょにテストしなくても済むようにするのです。

こうすると、ビルド、テスト、デプロイのスコープは狭くなります。それぞれが単純になり、スピーディで高品質な結果が得やすくなります。

しかし、システムをより複雑でより分散化したアーキテクチャーにするために非常に大きなコストがかかる場合があります。非常に真剣にモジュラー性に取り組まざるを得なくなるのです。

それでも、私たちはこの形を目指して設計しなければなりません。プロトコルデザインのテクニックに習熟し、モジュール間のやり取り、モジュール間の情報交換のプロトコルを安定させ、ほかのモジュールを変更せざるを得ないような変更ができないようにする必要があります。おそらく、APIの実行時バージョン管理などの導入を検討、実現することが必要になるでしょう。

おそらく、ほとんどすべての人がこの両極端の間で理想的な妥協点を見つけたいと思うでしょうが、そういうものはありません。中間的な形は、誰もが必死に避けようとするモノリシックなアプローチよりも遅く、複雑になりがちで、単なるごまかしになってしまいます。私たちが知る限りソフトウェア開発をスケールアップするための最高の方法は、組織的により分散化されたアプローチ、すなわちマイクロサービスですが、これは単純なアプローチではなくコストがかかります。

## 9.7 さまざまな規模におけるモジュラー性

モジュラー性はあらゆる規模で重要です。デプロイ可能性は、システムレベルのモジュールについて考えるときに役に立つツールですが、品質の高いコードを書くためにはそれだけでは不十分です。最近はサービスに関心が集中しています。

デプロイ可能性はアーキテクチャーのツールとして役に立ち、少なくともこの30年間、私のシステム設計に対するアプローチの中心となっていました。しかし、設計のモジュラー性がここで留まるなら、貧弱で仕事のしにくいシステムに留まる場合があります。

私が主張するように、モジュラー性が複雑さ管理に役立つツールとして重要なのだとすれば、可読性の高いコードを目指すところまでモジュラー性を徹底させる必要があります。個々のクラス、メソッド、関数は単純で可読性の高いものでなければなりません。そして、そうすることが適切なら、より小規模で独立して理解できるサブモジュールから構成されるようにすべきです。

TDDは、このような粒度の細かいコードを目指すときにも役に立ちます。この粒度でコードをテスト可能にするためには、依存性注入のようなシステムのサーフェスエリアを広げるテクニックが役に立ちます。システムのサーフェスエリアは、設計のモジュラー性に大きな影響を与えます。

多数の小さな部品によってシステムを組み立てる方向にコーディング作業を誘導したければ、依存性注入はもっとも効果的なツールです。依存性

（システムが依存するコード）は、システムに注入して、より徹底的なテスト可能性を実現できるノギス、計測点です。コードをテスト可能にすると、設計がモジュラーにしやすくなり、その結果コードが読みやすくなります。

このような設計スタイルに批判的な人もいます。一般に、彼らはこのような形でサーフェスエリアが大きいコードはわかりにくいという批判のしかたをします。システムの制御フローがたどりにくくなるというのです。しかし、この批判には重大な見落としがあります。問題は、コードをテストするために見えるようにしなければならない部分があるなら、それがそのコードのサーフェスエリアだということです。貧弱なインターフェイス設計とテストの欠如のためにその部分を見えなくすれば、コードがどれだけ理解しにくくなることでしょうか。この批判の誤りの根源は、「よい設計」とは何かについての考え方です。私は、複雑さ管理を重視した設計になっているかどうかをコードの品質の重要な評価基準のひとつとすべきだと考えています。

テストをうまく行うと、コード、設計、解決すべき問題の性質についての重要で正しい事実が明らかになります。それらの事実は、ほかの方法では簡単に手に入りません。そのため、テストはよりモジュラーで優れたシステムとコードを作るためのツールとして特に重要なもののひとつなのです。

## 9.8　人間システム[4]のモジュラー性

人間システム（組織）の工学的考察の重要性については第15章で詳しく見ていきますが、ここで人間システムのモジュラー性の重要性を取り上げておくことには意味があるでしょう。私はプロとしてのキャリアの大半を大規模なコンピューターシステムの構築に費やしてきました。この種の世界では、「どのようにスケーリングすべきか」がしょっちゅう話題にな

4　（訳注）著者は複数の人間が生み出すシステムのことをコンピューターシステムと対比させてhuman systemsと表現しています。ここではそれを「人間システム」と文字通りに訳しています。

ります。大企業の人々がこの問いを口にするとき、スケーリングの対象がソフトウェアになるのはごくまれで、たいていの場合は「ソフトウェアの開発スピードを上げるためにどのように人員を増強すればよいか」が本当の意味です。

この問いに対する答えは、どのようなコンピューターシステムを作る場合でも、非常に厳しい限界があるというものです。これについては、フレデリック・ブルックスの有名なひとことがあります。

> 女性が9人いれば赤ん坊が1か月で生まれるわけではない[5]。

しかし、ほかの選択肢もあります。女性が9人いれば、9か月で9人の赤ん坊が生まれます。平均すれば1か月にひとりの赤ん坊が生まれたということになるわけです。ここで私の（またはフレデリックの）たとえ話は限界にぶつかります。

赤ん坊にはなくても、ソフトウェアにはカップリングの問題があります。システムの各部がほかの部分から完全に独立していて、それらの各部が完全にデカップリングされていれば、完全に並列的に作業を進められます。しかし、カップリングがあれば、作業の並列化の度合いに制約がかかります。インテグレーションのコストはとてつもなく大きいのです。

ソフトウェア開発の複数の流れが生み出したコードを統合するときにどういうことをするでしょうか。私のようなコンピューター漬けの人間は、ここでちょっと思い当たる節があるぞということになります。これは並行処理と情報という深く基本的なテーマなのです。独立した情報の流れを整合性のある全体にまとめようとするとき、それらの流れのなかに重なり合う部分があると、コストはきわめて高くなります。作業の並列化がもっとも効果を上げるのは、結果の再統合が不要なときです（9人の赤ん坊を生むときのように）。マイクロサービスというアプローチの本質はここにあります。マイクロサービスの開発では、組織がスケーラブルになります。

---

5　1970年代に出版されながら、未だに影響力があり正しいフレデリック・ブルックスの著書『人月の神話』からの引用。

本当は、ほかにメリットはありません。しかし、スケーラビリティが問題になっているときには、これがいかに大きなメリットになるかを明らかにしておきましょう。

私たちは、チームにメンバーを追加したからといって、チームの作業スピードが上がるわけではないことをよく知っています。4,000以上のソフトウェアプロジェクトで、5人以下のチームと20人以上のチームで相対的なパフォーマンス（10万行のコードを書くためにかかる時間）を比較するというすばらしいメタデータ研究によると、20人のチームが9か月かかったのに対し、5人のチームはそれよりも1週間長かっただけでした。ひとりあたりの生産性から考えると、小さなチームは大規模なチームの4倍近くになったということです[6]。

品質の高い優れたコードを効率よく生み出すためには小さなチームが必要だとすると、それらのチームの間のカップリングを本気で減らす方法を考えなければなりません。これは技術的な問題であるのと同程度以上に組織戦略上の問題でもあります。**モジュラーなソフトウェア**だけではなく、**モジュラーな組織**が必要なのです。

そういうわけで、組織をスケールアップできるようにしたければ、チームとシステムの調整を最小限に抑え、チームとシステムをデカップリングすることが必要になります。このような組織上のモジュラー性を維持するために力を注ぐことは重要であり、純粋にパフォーマンスの高いスケーラブルな組織と呼べるかどうかの目安のひとつになります。

## 9.9 まとめ

ソフトウェアが将来どのように機能すべきかについて神のようにすべてを知ることができない私たちにとって、モジュラー性はシステムを進化させられるかどうかを分けるという大きな意味を持っています。モジュラー性がなければ、今目の前にある問題だけしか解決できない未熟なソフトウ

6 QSM（Quantitative Software Management）のある研究によれば、大規模チームのコードには5倍の欠陥が含まれていることもわかっています。https://bit.ly/3lI93oe参照。

ェアしか作れなくなります。ソフトウェアの各部の間に分離のための境界線を設けるような形で仕事を進めなければ、新しいアイデアを追加してソフトウェアを発展させ続ける力は急速に失われていきます。実際、もうどうにも前進できなくなってしまったソフトウェアの事例は現実にあります。モジュラー性は、複雑化を防ぐために必要なツールの第1です。

設計概念としてのモジュラー性はフラクタルです。プログラミング言語が何らかの形でサポートしている「モジュール」以上のものなのです。モジュラー性はモジュールよりも複雑で役に立ちます。モジュラー性の本質は、コードやシステムのある箇所を変更してもそれがほかの部分に与える影響を心配しなくて済む状態を維持しなければならないということです。

モジュラー性はシステムの複雑さ管理のその他の側面について考えるための出発点です。抽象化、関心の分離、カップリング、凝集度といったシステムの複雑さ管理のために考えなければならないほかの概念は、モジュラー性と密接なつながりを持っています。

# 第10章

# 凝集度

（コンピューター科学における）**凝集度**は「モジュール内の要素が一体的である度合い」と定義されます[1]。

## 10.1 モジュラー性と凝集度：設計の基礎

優れたソフトウェア設計の説明として私が気に入っているのは、ケント・ベックの次の言葉です。

> 関係のないものを引き離し、関係のあるものを近くに集めよ。

この単純で、ちょっと冗談めいた言葉には真実が宿っています。ソフトウェアの設計の良し悪しとは、実際には、作っているシステムのコードをどのように整理してまとめているかです。複雑さ管理のために私が推奨している原則は、実際にはすべてシステムのコンパートメント化に関することです。私たちソフトウェア開発者は、より小さく、より理解しやすく、より簡単にテストできる別々に分けられた部品からシステムを構築できるようにならなければなりません。これを実現するためには、「関係のないものを引き離す」ためのテクニックが必要ですが、それと同時に「関係のあるものを近くに集める」ことの必要性も真剣に考える必要があります。そこで凝集度の登場となるわけです。

ここで言う凝集度は、どちらかというとつかみにくい概念です。説明するためにモジュラー性の概念から入るという遠回りが必要になります。

そのモジュラー性の概念にも誤解の危険があります。使っているプログラミング言語がモジュールをサポートしているからという素朴な理由で、自分のコードはモジュラーだと言えばそれは間違いです。単純に無関係なものを集めてひとつのファイルにぶち込んでも、もっともつまらない意味ではともかく、本当の意味でコードがモジュラーになるわけではありません。

---

1 出典：Wikipedia, https://en.wikipedia.org/wiki/Cohesion_(computer_science)

私がモジュラー性を話題にするときには、システムの各コンポーネントがほかのコンポーネント（モジュール）からは自分の内部情報が見えないようにしていることを意味しています。そして、このようなモジュラー性は、モジュール内のコードの凝集度が高くなければ得られません。

しかし、凝集度をこのように説明すると、過度に単純化された解釈を排除できないという問題があります。ここはおそらく、プラクティショナーとしての技、スキル、経験がものを言う領域です。純粋にモジュラーなシステムと凝集度のバランスの取り方は、とかく人々を混乱させがちです。

## 10.2 凝集度の理解が未熟な例

あなたは、何らかのデータを取り出し、そこから何らかの情報を読み取って、どこかほかの場所に格納するコードを何回見たことがあるでしょうか。「格納」のステップが「変更」のステップと関連していることは確かです。ならば、それらがまとまっていれば、凝集度が高いということになるのではないでしょうか。これらのステップはみないっしょにしておかなければ困るものではないでしょうか。

実はかならずしもそうではありません。具体例を見てみましょう。最初に注意点をひとつ。これからの説明では、いくつかの概念が区別しにくくなります。このコードが本節で取り上げる個々の概念に少しずつ触れることになるのはどうしても避けられないのです。そこで、凝集度が関わってくる箇所はどこかに注意しながら見ていってください。関心の分離、モジュラー性などにも触れたときには笑って見過ごしていただければ幸いです。

**リスト10-1**は、具体例として示す気にはなかなかなれないコードのひとつです。それでも、具体的な考察対象を設けるというさしあたりの目的には役立ちます。このコードは、単語のリストが格納されている小さなファイルを読み、アルファベット順にソートして、新しいファイルにソート後のリストを書き込みます。

これは、何らかのデータを読み、処理して、結果をどこか別の場所に格納するというさまざまな問題に共通するパターンです（load、process、store）。

**リスト10-1 非常にひどいコード。浅薄な意味で高凝集度**

```
public class ReallyBadCohesion
{
    public boolean loadProcessAndStore() throws IOException
    {
        String[] words;
        List<String> sorted;

        try (FileReader reader =
                    new FileReader("./resources/words.txt"))
        {
            char[] chars = new char[1024];
            reader.read(chars);
            words = new String(chars).split(" |\0");
        }
        sorted = Arrays.asList(words);
        sorted.sort(null);

        try (FileWriter writer =
                    new FileWriter("./resources/test/sorted.txt"))
        {
            for (String word : sorted)
            {
                writer.write(word);
                writer.write("\n");
            }
            return true;
        }
    }
}
```

このコードは不愉快すぎるもので、私は無理に自分を抑えてこのような書き方をしています。「関心の分離の不足」、「モジュラー性の不足」、「密結合」、ほぼ「ゼロの抽象化」という性質が顕著に見られます。しかし、凝集度はどうでしょうか。

このコードは実行するすべてのことをひとつの関数に放り込んでいます。私はこのような感じの本番コードを数多く見ています。普通はもっと長く、もっと複雑だというだけで、要するにもっとひどいということです。

凝集度についての理解が浅いとこのようにすべてをまぜこぜにしてしまい、理解の浅さがすぐに露呈してしまいます。では、さしあたり複雑さ管理のほかのテクニックを無視するとして、このコードは理解しやすいでしょうか。このコードが何をしているかを理解するためにどれだけの時間がかかるでしょうか。このようにメソッド名をわかりやすくしていなければどうでしょうか。

では次に、少しだけ改善されたリスト10-2を見てください。

**リスト10-2 あまりよくないけれども、凝集度が少し改善されたコード**

```
public class BadCohesion
{
    public boolean loadProcessAndStore() throws IOException
    {
        String[] words = readWords();
        List<String> sorted = sortWords(words);
        return storeWords(sorted);
    }

    private String[] readWords() throws IOException
    {
        try (FileReader reader =
                    new FileReader("./resources/words.txt"))
        {
            char[] chars = new char[1024];
            reader.read(chars);
            return new String(chars).split(" |\0");
        }
    }

    private List<String> sortWords(String[] words)
    {
        List<String> sorted = Arrays.asList(words);
        sorted.sort(null);
        return sorted;
    }

    private boolean storeWords(List<String> sorted) throws IOException
    {
        try (FileWriter writer =
                    new FileWriter("./resources/test/sorted.txt"))
        {
            for (String word : sorted)
            {
                writer.write(word);
                writer.write("\n");
            }
            return true;
        }
    }
}
```

リスト10-2はまだよくないコードですが、前のコードより凝集度が上がっています。コードのなかの密接に関連し合っている部分が前のコードよりも明確に区切られ、文字通り近くにまとめられています。たとえば、単語の読み出しのために必要なすべてのコードがひとつのメソッドにまとめられ、readWordsという名前が付けられています。loadProcessAndStoreメソッドの全体の流れは、メソッド名がもっとわかりにくいものであったとしても、簡単に理解できるようになりました。このバージョンの情報は、リスト10-1の情報よりも凝集度が高くなっています。コードがすることはまったく同じですが、コードのどの部分がより密接な関係を持っているかが以前よりも大幅に明確になりました。おかげでこのバージョンはかなり読みやすくなり、その結果、はるかに書き換えやすくなりました。

リスト10-2の方がコードの行数が多いことに注目してください。このコードは比較的饒舌なJavaで書かれており、ボイラープレートコードのコストが高くなっていますが、その部分を無視しても、可読性を上げるためにはわずかなオーバーヘッドがかかることがわかります。これはかならずしもまずいことではありません。

プログラマーたちには、タイプ量を減らしたいという共通の思いがあります。明快で簡潔なのは価値のあることです。考えていることを単純に表現できれば大きな意味があります。しかし、単純性はタイピングされた文字の少なさでは測れません。ICanWriteASentenceOmittingSpacesの方が短いコードですが、大幅に読みにくいコードでもあります。

コードを書くときにタイプ量の削減を目指すのは間違っています。目指す目的が間違っているのです。コードはコミュニケーションツールであり、コミュニケーションのために使わなければなりません。コードは機械が読み取れて実行できるものでもなければなりませんが、それは第1の目標ではありません。もしそれが第1の目標だったとすれば、私たちはいまだにコンピューターのフロントパネルのスイッチを操作したり、機械語を書いたりしてプログラミングしていたはずです。

**コードの第1の目標は、人間に考えを伝えることです**（コンピューターではなく）。私たちは、できる限り単純明快に考えを表現するためにコードを書きます。少なくとも、コードはそういうものとして機能すべきものです。わかりにくくしてでも簡潔なコードを書こうとしてはならないのです。コードを読みやすくすることは、私にとってプロとして注意を怠ってはならない義務であり、複雑さ管理のための指導原則として特に重要なもののひとつでもあります。

コードに戻りましょう。この第2のコード例は明らかに読みやすくなり、意図が理解しやすくなっています。しかし、これではまだモジュラーではなく、関心の分離が不十分で、ファイル名がハードコートされていて柔軟性に欠け、全体を実行してファイルシステムを操作する以外のテスト方法がないという点でひどいコードでもあります。それでも、凝集度は改善されました。コードの各部がしていることは、課題の一部だけに絞られています。コードの各部は、その課題を達成するために必要とされるものだけにアクセスしています。このコード例は、さらに改善するための方法を説明するために、あとの章でも使います。

## 10.3 コンテキストが大切

すばらしいコードを書くある友人に、凝集度の重要性を教えてくれるもので何か推薦できるものはないかと尋ねてみたところ、セサミ・ストリートのYouTube動画「仲間外れはどれ？」[2]と答えてくれました。

冗談のようですが、この歌には重要なポイントが含まれています。凝集度は、複雑さ管理のほかのツール以上にコンテキストに左右されるということです。コンテキスト次第では、「これらはみなほかとは違う」ということになります。

凝集度を高めようとすれば選択が必要になりますが、それらの選択は複雑さ管理のほかのツールと密接に絡み合っています。凝集度は、モジュラー性や関心の分離からきれいに切り離すことができないのです。それはこれらのツールが設計のコンテキストにおける凝集度の意味に大きな影響を与えるからです。

2　セサミ・ストリートの「仲間はずれはどれ」の歌：https://youtu.be/rsRjQDrDnY8

ドメイン駆動設計[3]は、この種の選択、判断を進めるために効果的なツールのひとつです。問題ドメインのコンテキストに従って思考や設計を進めていくと、長期的に利益になる可能性が高い道筋が見えてきやすくなります。

**ドメイン駆動設計**

ドメイン駆動設計（DDD）の本質は、コードの核の部分のふるまいが問題ドメインのシミュレーションになることを目指す設計アプローチです。システム設計の目標は、問題の正確なモデリングになります。

このアプローチには、いくつかの重要で価値のある概念が含まれています。

DDDは、問題ドメインの概念を表現する「ユビキタス言語」を作って誤解を生まれにくくします。ユビキタス言語を作るとは、共通に理解された意味を持つ言葉を一貫性のある形で使って、問題ドメインの概念を誰もがわかるように（ユビキタスに）正確に表現することです。システムの設計について議論するときには、このようにして作られたユビキタス言語を使います。

たとえば、ソフトウェアについて話しているときに「指値注文成立」という言葉を使った場合、「指値注文」と「取引成立」の概念はコード内で意味を持ちます。つまり、それらの概念は、それぞれ`LimitOrder`と`Match`という名前を持つコードとして明確に表現されているということです。これらは、技術系以外の人々にビジネス用語でシナリオを説明するときに使うのと同じ用語です。

こういったユビキタス言語は、要件を把握し、開発プロセスを主導する「システムのふるまいの実行可能な仕様」として使える高水準のテストケースを作っていく過程で開発され、洗練されていきます。

DDDは、「境界づけられたコンテキスト」という概念も導入しました。

3 **ドメイン駆動設計**は、エリック・エヴァンスの著書のタイトルであり、ソフトウェアシステムの設計アプローチのひとつです。`https://amzn.to/3cQpNaL`参照。

これは、ほかのシステムと同じ名前の概念が含まれているシステム内の部分のことです。たとえば、注文管理システムは請求システムとは異なる「注文」概念を持つでしょう。これらの「注文」概念は、ふたつの明確に境界づけられた（有効なスコープが限定された）コンテキストを持ちます。

境界づけられたコンテキストは、システム設計で的確なモジュール、サブシステムを見つけ出すために役立つきわめて効果的な概念です。このような形で境界づけられたコンテキストを使うと、実際の問題ドメインで疎結合なものが自然に見つかり、より疎結合なシステムを生み出すように設計が誘導されるという大きな利点があります。

ユビキタス言語や境界づけられたコンテキストといった概念は、システム設計の指導概念として使えます。これらを使うと、システムの中心的、本質的な複雑さがより明確に見え、それらと付随的な複雑さが区別しやすくなります。両者の区別がつかないと、コードが実際に何をしようとしているのかが、付随的な複雑さのためにわかりにくくなりがちになります。

私たちの理解の範囲内でシステムが問題ドメインのシミュレーションになるようにシステムを設計すると、問題ドメインの立場からは小さな違いに見えるような概念は、コードでも小さな差になります。これは好都合な性質です。

DDDは、よりよい設計を生み出すための強力なツールであり、コードのモジュラー性、凝集度、関心の分離を強化する方向に設計を導くコードの組み立て方の原則を提供します。同時に、DDDは粒度の粗い部品でコードを組み立てる方向（コードが自然により疎結合になる方向）にチームを導きます。

よりよいシステムを作るために役立つもうひとつの重要なツールは、次章で詳しく検討する関心の分離です。しかし、今の段階で私自身のプログラミングの指導原則にもっとも近いのは、「ひとつのクラスはひとつのこと、ひとつのメソッド/関数はひとつのことをする」という言葉でしょう。

私はこの章で今までに示してきたふたつのコード例はどちらも大嫌いであり、このようなものを読者のみなさんにお見せしてはいけなかったのではないかという思いが少しあります。私の設計者としての本能からすると、どちらのコードも関心の分離という点でひどすぎるのです。それでもリスト10-2の方がまだましで、少なくともこちらでは各メソッドがひとつのことしかしていませんが、クラスはまだひどい状態です。まだわからないかもしれませんが、この点が重要な理由は次章で説明します。

最後になりますが、私のツールボックスにはテスト可能性が残っています。この悪いコード例も、いつもと同じ方法で書き始めました。つまり、最初にテストを書いたのです。しかし、その方法はすぐに止めなければなりませんでした。TDDでこんなひどいコードを書くことはどうしてもできなかったのです。私はテストを捨ててやり直しましたが、まるで時間が逆戻りしたような感じでした。コードが思った通りに動くことをチェックするためにテストは書きましたが、このコードは適切にテストできる代物ではありません。

テスト可能性は、モジュラー性、関心の分離、その他私たちが品質の高いコードの特徴と考えるものを強力に後押しします。そのため、設計のなかでいい感じに見えるコンテキストと抽象の最初の形を考え、コードの凝集度を高めるために注目すべき場所を考えるためにも役に立ちます。

しかし、これで保証が得られるわけではないことに注意しましょう。これは、本書が言おうとしている究極のポイントです。単純で型にはまった答えはないのです。本書が提供するのは、答えがない状態で思考をまとめていくために役立つメンタルツールです。

本書のテクニックは答えを与えてくれるものではありません。答えを見つけるのはあくまでもあなたです。本書で示しているのは、答えがまだわからないうちから安全に前に進めるようにするためのアイデアとテクニックのコレクションです。本物の複雑さを抱えるシステムを作るときにはいつもそうで、答えはシステムが完成するまで決してわかりません。

これはかなり防御的アプローチだと思われるかもしれませんし、実際そうですが、その目的はいつまでも選択の自由を確保しておくことにあります。これは複雑さ管理に力を注ぐことの大きなメリットのひとつです。学びを深めていくうちに、現在進行形でその学びを反映してコードを書き換えられるようにするのです。私は「防御的」というよりも「漸進的」という形容詞の方が適していると思います。

私たちは一連の実験を通じて漸進的に前に進み、ダメージが大きすぎるタイプの過ちから身を守るために**複雑さ管理**のテクニックを使うのです。

科学と工学はこのようにして機能します。私たちは変数を管理し、歩幅を小さくして、現在の位置を評価します。評価により、間違った方向に一歩踏み出したことがわかったら、一歩前に戻って次に何を試すかを決めます。そしてそれがよさそうなら、変数を管理して小さな歩幅で一歩前に進み、評価します。そういうことを繰り返していくわけです。

見方を変えれば、ソフトウェア開発は発展のプロセスのひとつだと考えることもできるでしょう。プログラマーの仕事は、望ましい結果を得るための漸進的なプロセスを通じて学びと設計を導いていくことです。

## 10.4 パフォーマンスの高いソフトウェア

リスト10-1のようなひどいコードを書く言い訳のひとつとして、パフォーマンスを高くするためには複雑なコードを書かなければならないというものがあります。私はキャリアの最近の部分で最先端のハイパフォーマンスが求められるシステムに携わってきたので自信を持って言えますが、それは間違いです。ハイパフォーマンスシステムは、単純で設計のよいコードを必要とします。

少し時間を割いて、ソフトウェアの世界でハイパフォーマンスとはどういう意味なのかを考えてみましょう。「ハイパフォーマンス」を実現するためには、命令数を最小にするために最大限の作業量を注入する必要があります。

コードが複雑になればなるほど、コード自体の複雑さのために「もっとも単純なルート」がわかりにくくなるため、コードパスが最適でなくなる可能性が高くなります。多くのプログラマーにとって意外かもしれませんが、単純でわかりやすいコードを書くことがコードの高速化につながるのです。

システムに対する視野を広げれば、このことの正しさはますます明らかになります。

先ほどの簡単なコード例に話を戻しましょう。リスト10-2にはメソッド呼び出しの「オーバーヘッド」があるため、リスト10-1のコードの方がリスト10-2のコードよりも高速に実行されるという議論がプログラマーの間であるそうです。残念ながら、最近のプログラミング言語の大半では、そのような議論はナンセンスです。最近のコンパイラーの大半は、リスト10-2のようなコードを与えられると、メソッドをインライン化します。ほとんどの最適化コンパイラーはそれ以上のことをします。最近のハードウェアで効率よく実行できるようにコードを最適化してくれるのです。このような作業は、コードが単純で予測可能な場合の方がうまくいきます。ですから、コードが複雑であればあるほど、コンパイラーのオプティマイザーができる仕事が減ってしまいます。ほとんどのオプティマイザーは、コードブロックの循環的複雑度[4]があるしきい値を超えると、単純にそういった最適化を諦めてしまいます。

私はこのコードの両バージョンでいくつかのベンチマークテストを実行してみましたが、コードの出来が悪いため、成績も振るいませんでした。何が起きているのかをはっきりさせられるほど変数の管理が十分ではありませんでしたが、このレベルのテストで計測できるほどの違いはなかったことははっきりしています。

差は小さすぎてここで行われているほかのことから区別できませんでした。あるランではBadCohesionバージョン、別のランではReallyBadCohesionバージョンの方が高速でした。それぞれloadProcessStoreメソッドを5万回ずつ実行する一連のベンチマークテストでは、差は全体で300m秒未満であり、1回の呼び出しあたりの差は6n秒ほどでした。メソッド呼び出しが多い方のバージョンの方が高成績だったことの方がその逆よりもわずかに多いという結果でした。

私たちが注目していたメソッド呼び出しのコストは、I/Oのコストから比べると微々たるものなので、これはあまりよいテストではありません。ここでも、テスト可能性（この場合はパフォーマンステスト可能性）がよりよい結果を得るために役立つかもしれません。これについては次章で詳しく説明します。

---

4　プログラムの複雑度を示すためのソフトウェアの指標。

プログラムの実行では、ソースコードの「舞台裏」で行われていることがたくさんあるため、エキスパートでも結果の予測は難しくなります。正解は何なのでしょうか。コードのパフォーマンスを本気で知りたければ、何が速く何が遅いかを当て推量で判断してはなりません。計測しましょう。

## 10.5 カップリングとの関係

ときどきミスを犯しながら探りを入れていく自由を確保したいなら、**カップリング**のコストを考える必要があります。

> **カップリング**：2行のコードA、Bがあるとき、Aを書き換えたからというだけの理由でBも書き換えなければならないなら、両者の結合度は高い（両者はカップリングしている）。
>
> **凝集度**：Aを書き換えたときにBも書き換えると両者が新しい価値を生み出せる場合、AとBの凝集度は高い[5]。

カップリングという用語は、実際には意味が広すぎます。カップリングには検討が必要な異なる種類のものがあります（詳しくは第13章で説明します）。

カップリングのないシステムを考えるのは馬鹿げています。システムのふたつの部分でやり取りをさせようと思えば、何らかの形で両者をカップリングさせなければなりません。そのため、カップリングは凝集度と同様に程度の問題であり、白か黒かという絶対的なものではありません。しかし、不適切なレベルのカップリングには極端に高いコストがかかるため、設計ではカップリングが与える影響を考えることが大切です。

カップリングは、ある程度までは凝集度のコストです。システムのなかの凝集度が高いふたつの部分は、ほかの部分よりも密結合にもなっているでしょう。

---

5　カップリングと凝集度については、有名なC2ウィキ、`https://wiki.c2.com/?CouplingAndCohesion`で説明されています。

## 10.6 TDDによる凝集度の向上

またかと言われるかもしれませんが、自動テストによって設計を進めていく方法（具体的に言えばTDDですが）には、さまざまなメリットがあります。テスト可能な設計を目指し、適切に抽象化され、ふるまいの確認に特化したテストを書くと、コードの凝集度が高くなる方向に設計に圧力がかかります。

TDDでは、システムのなかで実現したいふるまいを記述するコードを書く前にテストを書きます。すると、コードの外部API/インターフェイス（どのような形のものであれ）の設計に集中できます。このようにして作られた小さい実行可能な仕様の要件を満たす実装を書くのはそのあとです。仕様を満たすために必要な量を超えてコードを書きすぎると、開発プロセスでインチキをすることになり、実装の凝集度が下がります。逆に、コードが書き足りないと、意図したふるまいを実現できません。TDDに従うと、凝集度のバランスを取りやすくなるのです。

いつもと同じように、TDDで凝集度が保証されるわけではありません。TDDは機械的なプロセスではなく、プログラマーのスキルと経験に依存する部分があります。しかし、TDDは、以前の方法よりも優れた結果が生まれる方向に設計に圧力をかけ、プログラマーのスキルと経験の効果を増幅させます。

## 10.7 凝集度の高いソフトウェアの実現方法

凝集度の指標として重要なのは、変更の範囲またはコストです。ひとつの変更を加えるために、コードベースのあちこちに飛んでさまざまな箇所を書き換えなければならないようであれば、そのシステムはあまり凝集度が高くありません。凝集度は、機能上の関連性の尺度であり、目的の関連性の尺度です。なかなかつかみどころのない存在です。

単純な例を見てみましょう。

ふたつのメソッドがあり、それぞれが別のメンバー変数を操作するようなクラスを作った場合（リスト10-3参照）、ふたつのメンバー変数に関連性がないので、このクラスの凝集度はかなり低いということになります。これらの変数は別々の専用メソッドを持っていて互いに無関係なのに、クラスのレベルでは同居しているのです。

**リスト10-3 凝集度がかなり低いコード**

```
class PoorCohesion:
    def __init__(self):
        self.a = 0
        self.b = 0

    def process_a(x):
        a = a + x

    def process_b(x):
        b = b * x
```

リスト10-4はこれよりも凝集度が高く、はるかによいコードになっています。このバージョンでは、凝集度が高くなっただけでなく、モジュラー性や関心の分離も向上していることに注意してください。これらの概念が関連性を持つことは避けられません。

**リスト10-4 凝集度が改善されたコード**

```
class BetterCohesionA:
    def __init__(self):
        self.a = 0

    def process_a(x):
        a = a + x

class BetterCohesionB:
    def __init__(self):
        self.b = 0

    def process_b(x):
        b = b * x
```

複雑さ管理のその他の原則とともにテスト可能な設計を目指すと、ソリューションの凝集度が高くなります。そのよい例が関心の分離を真剣に考え、特に本質的な複雑さ[6]から付随的な複雑さ[7]を切り離そうとしたときです。

リスト10-5は、「本質的な」複雑さと「付随的な」複雑さの分離を意識的に行ってコードの凝集度を改善している3つの単純な例を示しています。各コード例は、ショッピングカートに商品を追加し、商品をデータベースに格納し、カートの合計額を計算します。

**リスト10-5 凝集度とは何かを示す3つのコード例**

```
def add_to_cart1(self, item):
    self.cart.add(item)

    conn = sqlite3.connect('my_db.sqlite')
    cur = conn.cursor()
    cur.execute('INSERT INTO cart (name, price)
    values (item.name, item.price)')
    conn.commit()
    conn.close()

    return self.calculate_cart_total();

def add_to_cart2(self, item):
    self.cart.add(item)
    self.store.store_item(item)
    return self.calculate_cart_total();

def add_to_cart3(self, item, listener):
    self.cart.add(item)
    listener.on_item_added(self, item)
```

第1のコード例は、明らかに凝集度が低いコードです。ここには多数の概念や変数がごちゃ混ぜになっており、本質的な複雑さと付随的な複雑さが完全に混在しています。たったこれだけのサイズでも、これは非常にまずいコードだと言えます。私なら、このようにごくわずかなサイズであり

6 システムの本質的な風雑さとは、利率計算とかショッピングカートへの商品の追加といった問題解決のためにどうしても必要な複雑さのことです。

7 システムの付随的な複雑さとは、コンピューター上で実行するせいで生まれる複雑さのことです。情報の永続化、並行処理や複雑なAPIの扱いなど、解決しようとしている実際の問題に付随して生まれる副産物です。（訳注）なお、「付随的な複雑さ」という訳語については、第11章の注2を参照してください。

ながら何が行われているかをよく考えなければ理解できないコードは書かないようにします。

第2のコード例は第1のコードよりも少し改善され、凝集度が高くなっています。この関数の概念は主として問題の本質的な複雑さに関連しているという点で、関連性があり、抽象度のレベルが揃っています。おそらく格納（store）命令には議論の余地がありますが、少なくともここでは付随的な複雑さの細部を隠せています。

第3のコード例は面白い意味を持っています。このコード例は、凝集度が高いと言って間違いないでしょう。意味のある仕事をするためには、商品をカートに追加することと、カートへの追加に関心を持つかもしれないシステム内のほかの部分に追加発生を通知することのふたつが必要になります。格納と合計額計算というふたつの関心を完全に分離しているのです。格納と合計額計算は、カートへの追加の通知に対する応答として行われるかもしれませんし、それらの処理を行う部分が「カートへの商品追加」イベントに関心があることを登録していなければ行われません。

このコードは、問題の本質的な複雑さがここですべて表現され、その他のふるまいは副作用として扱われていると考えれば凝集度が高いということになり、「格納」と「合計額計算」はこの問題の本質的な一部だと考えれば凝集度が低いということになります。究極的には、これはコンテキストによって決まる問題です。つまり、解決しようとしている問題のコンテキストに基づいて設計判断を下すことになります。

## 10.8 低凝集度のコスト

凝集度は、私の「複雑さ管理の5つのツール」のなかでも、直接的な定量化がもっとも難しいものでしょう。しかし、凝集度が低いとコードとシステムの柔軟性が下がり、テストがしにくくなり、仕事の進め方が難しくなるので、凝集度は重要です。

リスト10-5のような単純な例でも、凝集度の高さが与える影響は明らかです。1か所に異なる仕事を混在させると、`add_to_cart1`のように明確性と可読性が失われます。仕事を細かく切り分けて広い範囲にばらまくと、add_to_cart3のように何が行われているのかがわかりにくくなります。関連する仕事をまとめると、add_to_cart2のように最大限の可読性が得られます。

実際には、add_to_cart3でほのめかされている設計スタイルにはメリットがあり、add_to_cart1よりも間違いなく優れた出発点になっています。

しかし、ここで言いたいのは、凝集度にはスイートスポットがあるということです。持ち出す概念が多くなりすぎると、コードの細部であっても凝集度が失われます。add_to_cart1は、ひとつのメソッドですべての仕事をこなしているではないかと言うこともできますが、それは浅薄な意味での凝集度に過ぎません。

実際には、カートに商品を追加するという本来の仕事に関係のある概念とほかの仕事の概念とが混在しているため、関数のイメージがぼやけてしまっています。これだけ単純でも、このコードがしていることは、ある程度内容を掘り下げてみなければはっきりしません。このコードを本当の意味で理解するためには、もっと多くのことを知らなければならないのです。

それに対し、add_to_cart3は、設計としては柔軟ですが明確性に欠けます。このように反対の極端に走ると、仕事が広範囲に拡散しすぎて、多数のコードを読み、理解しなければ、全体の構図が把握できなくなります。これはよいことかもしれませんが、私は、これである程度のメリットが得られるのと同時に、極端な疎結合による明確性の欠如はコストになると考えています。

これら両方の問題は、本番システムでごく普通に見られます。あまりにもよくあることなので、大規模で複雑なシステムの標準のようにさえなっています。

しかし、これは設計の誤りであり、大きなコストを生みます。それは「レガシーコード」[8]を相手にしたことがあれば心当たりのあるコストです。

---

8 **レガシーコード**、**レガシーシステム**は、開発されてからしばらくたっているシステムのことです。おそらくシステムを運用している会社のためにまだ重要な価値を生み出しているはずですが、多くの場合、設計のまずいもつれ合ったコードの塊に陥っています。マイケル・フェザーズは、**レガシーシステム**を「テストのないシステム」と定義しています。

凝集度の低いコードには、単純で主観的な見分け方があります。コードを読んで「このコードは一体何をしているのだろう」と思ったら、それはおそらく凝集度が足りないためです。

## 10.9 人間システムの凝集度

本書で取り上げるほかの概念の大半と同様に、凝集度の欠如の問題は、私たちが書くコードや構築するシステムだけに限られたものではありません。凝集度は情報のレベルで作用する概念なので、私たちが仕事をする組織を合理的に組み立てるためにも重要な意味を持ちます。もっともわかりやすい例は、チーム編成でしょう。"State of DevOps Report" は、チームの成績をスループットと安定性によって計測した場合、パフォーマンスの高さを予測する上で、チームがチーム外の誰かの許可を求めずに自分で判断を下せるかどうかが大きな要素になるとしています。これは、チームが決定を下し前進するために必要なすべてのものがチーム内に備わっていて、チームの情報とスキルの凝集度が高い状態と考えることもできるはずです。

## 10.10 まとめ

凝集度は、本書の複雑さ管理の5要素のなかではおそらくもっともつかみにくい概念でしょう。ソフトウェア開発者は、単純にすべてのものがひとつの場所、ひとつのファイル、場合によってはひとつのファイルに収まっているだけで凝集度が得られていると主張し、そうしている場合がありますが、それでは単純すぎます。

このような形でさまざまな概念を無造作にまとめただけのコードには凝集度はありません。単に構造化されていないだけです。それではコードが何をしているか、安全な書き換え方は何かがはっきりわかりません。

凝集度は、片方を変更するともう片方も変えなければならなくなるというような関連性の高い概念をコードのなかの同じ場所にまとめているかどうかです。必然的な理由なしにすべての概念がただ「いっしょ」になっているだけでは、それらの概念がしっかりと噛み合わず、グリップの効いたタイヤを履いている車のようなトラクションがかかりません。

凝集度はモジュラー性の逆であり、大きな意味を持つのは、主としてモジュラー性と同時に考えたときです。そして、次章で取り上げる関心の分離は、凝集度とモジュラー性のバランスをうまく取るために特に効果的なツールです。

第11章

# 関心の分離

**関心の分離**（SoC、separation of concerns）は、「それぞれ別々の関心（小さな問題）を持つように分離されたセクションからプログラムを組み立てるという設計原則」と定義されています[1]。

私自身にとってもっとも強力な設計原則は、関心の分離です。あらゆる設計作業で関心の分離を実践しています。

「ひとつのクラスでひとつのこと、ひとつのメソッドでひとつのこと」は、関心の分離をわかりやすく単純に表現したものです。リズムのよさにもかかわらず、関数型プログラマーに関心の分離を無視するためのフリーパスを手渡すようなことはしていません。

関心の分離はコードやシステムの明確性やフォーカスの絞り方の問題です。関心の分離は、私たちが作るシステムのモジュラー性、凝集度、抽象化を向上させる重要なテクニックのひとつであり、その結果としてカップリングを効果的な最小限に引き下げるためにも役立ちます。

関心の分離もあらゆる粒度に当てはまる原則です。システム全体のレベルでも、システムに含まれる個別の関数のレベルでも役に立ちます。

実際には、関心の分離は、凝集度やモジュラー性とは概念の種類が異なります。凝集度とモジュラー性はコードの性質のことです。関心の分離も、「このコードは関心の分離がよくできている」というような言い方ができますが、その本当の意味は「関連性のないものは離れたところに置かれ、関連性のあるものは近くにまとめられている」ということです。つまり、関心の分離は、モジュラー性と凝集度の特定の状態のことです。

関心の分離は、取り入れればコードとシステムのカップリングを減らし、凝集度とモジュラー性を引き上げるために役立つテクニックです。

しかしそのために、私の設計へのアプローチで関心の分離が果たす役割はかえって低くなっています。私にとって、関心の分離は優れた設計判断を下すための重要な決め手です。関心の分離は、私が作るシステムのコードとアーキテクチャーをクリーン、コンポーザブル、柔軟、効率的、スケーラブルで、フォーカスが絞られ、変更に対して開かれたものにするため

---

1　出典：Wikipedia、https://en.wikipedia.org/wiki/Separation_of_concerns。日本語版Wikipediaの「関心の分離」も参考にした訳文にしています。

に役立っています。

### データベースのスワップアウト

たびたび話題にしている金融取引システムを作ったとき、私たちは本書で示した工学的規律を取り入れました。実際、私が本書を書きたいと思ったのは、そのときの経験からです。私たちの金融取引システムはすばらしい出来で、私が携わったり見たりしたことのある大規模システムのコードベースのなかでも最良のものです。

私たちは、個々の関数からエンタープライズシステムアーキテクチャーまでのあらゆるレベルで、関心の分離を厳格に適用しました。私たちは、周囲についての知識をまったく持たず、完璧にテスト可能で、意識的にリモート呼び出しを行わず、意識的にデータの記録を行わず、コラボレーターのアドレスを知らず、自らのセキュリティ、スケーラビリティ、レジリエンスを考えないビジネスロジックを書くことができました。

ビジネスロジックがこれらのふるまいについて意識せずにいられたのは、それらがすべてほかの場所で処理されていたからです。それらはシステムのその他の「関心」だったのです。コアロジックに対してこれらのサービスを提供していた部分は、自分たちのサービスを必要としているビジネスの知識を一切持たず、自分たちがサービスを提供しているコードが何をしているかをまったく知りませんでした。

その結果、このシステムのドメイン関連のサービスは、デフォルトで永続記憶に対応し、可用性、スケーラビリティ、レジリエンシーに優れ、セキュアでハイパフォーマンスでした。

ある日のことですが、使っているリレーショナルデータベースベンダーの使用条件に問題があり、これ以上使えないと判断したことがありました。私たちはデータウェアハウスのコンテンツの一部を格納するためにそのデータベースを使っていました。データウェアハウスは、受発注詳細をはじめとするビジネスにとってきわめて重要な値の履歴情報を格納するもので、急速に拡大してきていました。

私たちはオープンソースのあるRDBMS（リレーショナルデータベース

管理システム）をダウンロードし、コアロジックが依存しているシステム群のリポジトリーにコピーし、デプロイスクリプトを書き、RDBMSとやり取りをするコードに少数の単純な変更を加えました。アーキテクチャーのSoCがしっかりしていたので、この作業は簡単でした。この変更を継続的デリバリーパイプラインに流したところ、少数のテストが失敗しました。私たちはエラーの発生箇所を突き止め、問題を解決して、新バージョンをパイプラインに流しました。この二度目ですべてのテストが合格になりました。つまり、変更後のシステムはリリースできる状態になったということです。変更後のシステムは、数日後に行われた次のシステムリリースで本番環境にデプロイされました。

以上のことが一日の午前中だけで終わったのです。

関心の分離がしっかりしていなければ、この作業は数か月または数年かかったはずで、おそらく検討さえされなかったでしょう。

簡単な例を見てみましょう。前章で同じ問題を解決する3つのコード例を示しましたが、リスト11-1はそれと同じものです。

**リスト11-1 関心の分離とは何かを示す3つのコード例**

```
def add_to_cart1(self, item):
    self.cart.add(item)

    conn = sqlite3.connect('my_db.sqlite')
    cur = conn.cursor()
    cur.execute('INSERT INTO cart (name, price)
    values (item.name, item.price)')
    conn.commit()
    conn.close()

    return self.calculate_cart_total();

def add_to_cart2(self, item):
    self.cart.add(item)
    self.store.store_item(item)
    return self.calculate_cart_total();

def add_to_cart3(self, item, listener):
    self.cart.add(item)
    listener.on_item_added(self, item)
```

前章では、凝集度という観点からこれらのコードについて考えましたが、凝集度の高いコードを実現するために使った原則は関心の分離でした。

最初のadd_to_cart1は、悪いコードで関心の分離ができていません。このコードには、カートに商品を追加するという関数の中心的な関心に加えて、リレーショナルデータベースへの情報の格納という専門的な処理の細部が混ざり込んでいます。しかも、副作用として合計の計算までしています。最低です。

2番目のadd_to_cart2は、かなり改善されています。記憶処理を開始してはいますが、その仕組みについては何も言っていません。ストレージにはクラスが用意されており、どのような形にもなり得ると考えられます。その結果、このコードはかなり柔軟性が高くなっています。しかし、まだこのコードは、カートへの追加には情報の格納とカートの合計額計算が含まれるという知識を持っています。

3番目のadd_to_cart3は、関心の分離をより徹底させています。この例では、コードはカートに商品を追加するというコアのふるまいを実行した上で、カートへの追加が起きたというシグナルを送っているだけです。このコードは次に何が起きるかを知らず、気にもしていません。情報の格納や合計額の計算からは完全にデカップリングされています。その結果、このコードは凝集度とモジュラー性がさらに大幅に高くなっています。

設計判断の常として、選択の余地は残されています。しかし、add_to_cart1はだめだと言ってよいでしょう。関心の分離という観点から論外です。本質的な複雑さと付随的な複雑さが混在しています。つまり、カートへの追加という作ろうとしている関数のコアのふるまいにとって、情報をどこにどのように格納するかはあまり関係のないことです。本質的なことを扱うコードと付随的な複雑さを扱うコードの間には、明確な境界線、分離が必要です。

第2、第3の例の間の違いは、これと比べると微妙です。どちらかというと、コンテキストと選択の問題です。私の個人的な好みから言えば圧倒的にadd_to_cart3に軍配が上がります。3つのなかでもっとも柔軟性の高いソリューションはこれです。関心の分離を実現するためにこのようにリスナーを使うかどうかは場合によりけりですが、コアドメインからストレージの概念を取り除いているところは高く評価できます。

私が普通書くコードはadd_to_cart3のようなものです。私からすると、add_to_cart2にはまだ関心が混在しているのではないかという懸念が残ります。store_itemは、データベース接続とSQLを直接操作するのと比べればましな抽象ですが、概念自体がまだ付随的な複雑さの領域に含まれています。本物のショッピングカートに何かを入れたときに、続いて「永続化」が必要になることはないでしょう。

add_to_cart3は、ほとんど実害を生むことなく、選択の自由を最大限に広げてくれます。このアプローチに対して情報の永続化が行われるかどうかがわからないと批判することは不当ではありませんが、それはこの時点のこのコードにとって大きなことではありません。永続化はカートへの商品の追加というコアのふるまいの副作用ではなく、コンピューターの仕事のしかたに起因する副作用です。第3の例でも、カートに商品が追加されたときに何かほかのことも起きる可能性があることはわかります。単にここではその内容を考えないだけです。気になるなら、呼び出している関数の内容を見ればよいのです。

これらのメソッドのテスト可能性について考えてみましょう。add_to_cart1は、恐ろしくテストしにくいコードです。データベースが必要になるので、テストを成立させるのが難しく、成立しても極端に脆弱で遅くなります。テスト以外の処理とデータベースを共有すれば、データベースはそれらの処理によって書き換えられます。テストのセットアップ処理の一部としてデータベースを作れば、個々のテストランは実行に非常に時間のかかるものになるでしょう。ほかの2バージョンなら、データベースのふりをするフェイクオブジェクトを使って簡単、効率的にテストできます。

add_to_cart3に対する最大の批判は、何が行われるのが明確にわからないことでしょう。私は明確性をコードの長所のひとつとして認める者です。しかし、明確性が問題になるのは、実際にはコンテキスト次第です。ここで見ているのは、カートに商品を追加するコードです。次に何が起きるのかを知らなければならない理由がどこにあるでしょうか。

このコードは、関心の分離に力を注ぐことにより、モジュラー性と凝集度を向上させています。ほかの部分（たとえば結果を永続化したり、合計を計算したりするリスナー群）とのコラボレーションが大切なら、そのような関係が正しく成立しているかは別にテストできます。

「全体像」があいまいになるように感じるのは、見ている場所が間違っているからです。世の中を素朴な目で見たとして、カートを表すために使っているジェネリックなコレクションはストレージや合計のことも知らなければならないのでしょうか。もちろん、そんなことはありません。

私が指導原則としての**関心の分離**を高く評価する理由のひとつは、コードのフォーカスを絞らなければならないということを思い出させてくれることです。私が自分のコードに自信を持てるのは、ほかの人が必死に考えなくてもコードの各部が何をしているのかを理解できるときです。数秒以上の時間をかけなければわからないときには、私の仕事は失敗です。見ている部分がほかの部分からどのように使われているかを知らなければならない場合もあるでしょうが、その部分にはその部分の関心があります。私に求められるのは、それを明確に表現することです。

## 11.1 依存性注入

**依存性注入**は、関心の分離を実現するために特に役立つツールです。依存性注入とは、コードが依存するものをコード内で作らず、引数として渡すことです。

そろそろ使いすぎてまたかと思われるかもしれない私たちのコード例の場合、add_to_cart1は、必要とされるデータベース接続をメソッド内で作って開設しています。こうすると、ほかのものを使うチャンスは失われます。名前まで具体的に指定されたデータベース接続に密結合してしまうのです。add_to_cart2は、コンストラクタに引数としてstoreを渡していれば、柔軟性を一歩前進させます。store_itemを実装するstoreなら何でも渡せるようになります。

add_to_cart3の場合、リスナーはon_item_addedを実装するオブジェクトなら何でもかまいません。

コードのふるまいの間の関係をこのようにちょっと変えるだけで、大きな違いが生まれます。add_to_cart1は、必要なものをすべて自分で作っていたため、その具体的なひとつの実装に密結合してしまいます。このコードは、設計の段階で柔軟ではなくなっています。それに対し、add_to_cart1以外のバージョンは、システム内のほかのコンポーネントのコラボレーターとして設計されており、それらのコンポーネントのふるまいをほとんど知らず、気にもかけません。

依存性注入は、ツールやフレームワークの機能と誤解されることがよくありますが、それは間違いです。依存性注入は、オブジェクト指向言語であれ関数型言語であれ、ほぼすべての言語でネーティブに実現できます。そしてそれが設計の強力なアプローチになるのです。私は、依存性注入が効果的に使われているUnixシェルスクリプトさえ見たことがあります。

依存性注入は、カップリングを適切で有益なレベルまで縮小するためのすばらしいツールですが、異なる関心の間に境界線を引くための効果的な方法でもあります。これらの概念がどのようにつながっているかについては、またあとで説明します。これは繰り返しを避けるためではなく、ソフトウェアとソフトウェア開発の重要で深い性質を説明しようとしているからです。そのため、この問題には異なる角度からアプローチできます。それらは必然的に絡み合っているのです。

## 11.2 本質的な複雑さと付随的な複雑さの分離

ある特定の形で関心の分離をすると、設計品質の向上で効果的です。つまり、本質的な複雑さから付随的な複雑さ[2]を分離するということです。「本質的な」複雑さと「付随的な」複雑さという概念を初めて耳にするというみなさんのために説明しておくと、これらは本書でも以前に触れたフレデリック・ブルックスの「銀の弾などない」が初めて論じた重要な概念

2 （訳注）ここで「付随的な複雑さ」と訳しているaccidental complexityは、訳書の『人月の神話』やWikipediaでは「偶有的な複雑さ」と訳されているもののことです。たいていの辞書では、accidentalには「偶然の、予期しない」という訳語と「非本質的な、副次的な、付随的な」という訳語が別項目として立てられています。本書では「本質的」の対義語として理解しやすい「付随的」という訳語を使っています。

です。

システムの**本質的な複雑さ**とは、解決しようとしている問題を解決するために内在する複雑さのことで、たとえば銀行口座の残高の計算方法とか、ショッピングカートに入っている商品の合計額の計算方法とか、宇宙船の軌道の計算方法といったものです。この複雑さに対処することこそが、システムが提供する価値です。

**付随的な複雑さ**とは、その他すべての複雑さであり、コンピューターで役に立つことをしようとするときの副作用として解決せざるを得ない問題のことです。データの永続化、画面上への表示、クラスタリング、セキュリティなど、目の前の問題の解決とは直接関係のないあらゆる問題がこれに当たります。

これらの問題は「付随的」だからと言って、重要でないわけではありません。ソフトウェアはコンピューター上で実行されるので、コンピューターの現実やコンピューターが抱える制約に対処することは重要です。しかし、付随的な複雑さの処理には長けていても、本質的な複雑さを持っていないシステムは、定義上役に立ちません。そのため、私たちは付随的な複雑さを無視するのではなく、最小化することを目指すことになります。

関心の分離を通じてシステム設計を向上させたいなら、システムの本質的な複雑さに対する関心から付随的な複雑さに対する関心をきっぱりと明確に分離することに重点を置くようにしましょう。

システムのなかの車の運転のしかたに注意を払うロジックから画面に情報を表示する方法についてのロジックを分離し、取引の評価方法についてのロジックから取引の情報を永続化したり通信したりするロジックを分離するのです。

この分離は、自明な場合もそうでない場合もありますが、とても重要なことです。しかし、私の主観的な評価ではありますが、ほとんどのコードはそのようには書かれていないように見えます。ビジネスロジックと表示コードが混在していたり、システムのコアドメイン（本質的な複雑さ）を扱う（べき）ロジックの途中に永続化の詳細な手順が書かれていたりすることが非常によくあります。

両者の分離は、コードやシステムのテスト可能性にフォーカスすることによって改善できることのまた新たな例でもあります。

リスト10-1はこれをよく示しています。このコードは、もっとも素朴で複雑な方法以外ではテストできません。たしかに、まずディスクの特定の位置に*words.txt*というファイルを作ってからコードを実行し、別の位置にある*sorted.txt*というファイルを探して結果を書けばテストできます。しかし、それでは時間がかかり、問題に感じるほど複雑で、ファイルの名前や位置を変えただけで失敗するぐらい環境に密結合してしまいます。このテストをふたつ同時に実行したり、密接な関係を持つテストを同時に実行したりすると、すぐに嫌な問題にぶつかることになるでしょう。

リスト10-1で行われている仕事の大部分は、コードの重要なふるまいとは何の関係もありません。この関数はもっと大事なこと（この場合は単語のコレクションのソート）にフォーカスすべきなのに、ほぼ全域が付随的な複雑さに占領されてしまっています。

リスト10-2は、凝集度こそ改善されていますが、まだユニットとしてテストできるようにはなっていません。この点では、リスト10-1と同じ問題を抱えています。

**リスト11-2**は、本質的な複雑さからの付随的な複雑さの分離という観点から、このコードを改善しようとした例です。実際に使われるコードで私が`Essential`とか`Accidental`といった名前を選ぶことはありませんが、ここでの説明のためにこのような名前を使っています。

リスト11-2は、`Accidental`インターフェイスに従って付随的な複雑さを処理する関数を実装することを想定していますが、実際にしていることはリスト10-1、リスト10-2と同じであり、それらを大きく改善しています。関心の分離によって（この場合、解こうとしている問題の本質的な複雑さと付随的な複雑さの間に「シーム」、すなわち継ぎ目を入れることによって）、コードは大幅に改善されています。このコードは今までのものよりも読みやすく、大切な問題にフォーカスしており、その結果柔軟性がかなり高くなっています。決まった位置の決まったファイル以外のものから「単語」を供給したい場合やソート後の単語を今までとは別のどこかに格納したい場合にも対応できます。

**リスト11-2 本質的な複雑さからの付随的な複雑さの分離**

```
public interface Accidental
{
    String[] readWords() throws IOException
    boolean storeWords(List<String> sorted) throws IOException
}

public class Essential
{
    public boolean loadProcessAndStore(Accidental accidental)
      throws IOException
    {
        List<String> sorted = sortWords(accidental.readWords());
        return accidental.storeWords(sorted);
    }

    private List<String> sortWords(String[] words)
    {
        List<String> sorted = Arrays.asList(words);
        sorted.sort(null);
        return sorted;
    }
}
```

しかし、これはまだ非常に優れたコードではありません。関心の分離をさらに進めれば、可読性という意味でも、専門的なレベルでも、フォーカスが絞られ、デカップリングが進んだコードになります。

リスト11-3は、非常に優れたコードに少し近づいたものです。名前の選択について、もっとコンテキストを反映したものにすべきだという議論の余地はあるでしょうが、純粋に関心の分離という観点から見れば、リスト10-1のコードとリスト11-2やリスト11-3のコードの間には非常に大きな違いがあることがわかるでしょう。この単純な例でさえ、設計原則に従うことにより、コードの可読性、テスト可能性、柔軟性、有用性が向上しています。

本質的な複雑さと付随的な複雑さの分離は、関心の分離が進んだコードを得るためのよい出発点になります。このアプローチからはさまざまなメリットが得られます。しかし、これは関心の分離としては簡単に実現できる方です。ほかの分離できていない関心にはどう対処すればよいでしょうか。

リスト11-3 抽象化による付随的な複雑さの除去

```
public interface WordSource
{
    String[] words();
}

public interface WordsListener
{
    void onWordsChanged(List<String> sorted);
}

public class WordSorter
{
    public void sortWords(WordSource words, WordsListener
      listener)
    {
        listener.onWordsChanged(sort(words.words()));
    }

    private List<String> sort(String[] words)
    {
        List<String> sorted = Arrays.asList(words);
        sorted.sort(null);
        return sorted;
    }
}
```

## 11.3 DDD（ドメイン駆動開発）の重要性

問題ドメインの観点から設計の改良を目指すこともできます。発展的、漸進的なアプローチで設計を進めていくと、新しい関心に気づく瞬間に敏感になれます。それは、このようなアプローチでなければ、ほかの関心と不適切に混在してしまうような関心のことです。

リスト11-4は、子どもが遊ぶ海戦ゲーム[3]の一種を作ろうとして書いたPythonコードです。敵の軍艦を全部沈めた方が勝ちというゲームです。

私は作業を進めてきて、自分の設計に疑問を持ち始める段階に来ていました。

3 （訳注）海戦ゲームのルールはWikipedia（https://ja.wikipedia.org/wiki/海戦ゲーム）で説明されています。

**リスト11-4 概念の見落とし**

```
class GameSheet:

def __init__(self):
    self.sheet = {}
    self.width = MAX_COLUMNS
    self.height = MAX_ROWS
    self.ships = {}
    self._init_sheet()

def add_ship(self, ship):
    self._assert_can_add_ship(ship)
    ship.orientation.place_ship(self, ship)
    self._ship_added(ship)
```

GameSheetは正方形のマス目が並んだシートで海戦図となるものですが、私の作業はここに軍艦を配置できるようにするところまで進んでいました。

私はTDD（テスト駆動開発）を使ってこのコードを作ってきており、船の追加という複雑さに対処するための数々のテストをGameSheetに追加していました。11種のテストのうち、6種はGameSheetに軍艦を配置できるかどうかをテストするものでした。私は軍艦の配置が正しいかどうかの検証コードを追加しており、9行か10行のコードを含む3個の関数を追加していました。

私はこのコードの設計と設計をサポートするテストに何か落ち着かないものを感じていました。どちらもサイズと複雑さが膨らんできていました。それは大幅なものではありませんでしたが、まずいところを探そうという気になる程度には大きくなっていました。そして、自分が関心の分離で間違いを犯していることに気づきました。私の設計には、ある重要な概念を完全に見落としていたという問題点があったのです。

私のGameSheetは、軍艦の配置とゲームのルールを処理するクラスでした。クラスの説明に「と」が入るのは注意信号です。それは、関心がひとつではなくふたつになっていることを示しているからです。この場合、私は自分の実装に「ルール」の概念がないことにすぐに気づきました。私はRulesという新しいクラスを作り、コードとテストをリファクタリングしました。リスト11-5は、Rulesの追加により単純化されたコードを示しています。

**リスト11-5 コードの声を聴く**

```
class GameSheet:

def __init__(self, rules):
    self.sheet = {}
    self.width = MAX_COLUMNS
    self.height = MAX_ROWS
    self.rules = rules
    self._init_sheet()

def add_ship(self, ship):
    self.rules.assert_can_add_ship(ship)
    ship.orientation.place_ship(self, ship)
    self._ship_added(ship)
```

これでGameSheetは一気に単純化されました。海戦図は軍艦のコレクションを管理する必要がなくなり、9行から10行のチェックロジックがなくなりました。それは、ルールに従っていることのチェックに特化したコードが発展していくきっかけになりました。

この変更により、私の設計は将来の変更に対して柔軟性が高くなり、互いに依存せず、独立した形でGameSheetのロジックとRulesのロジックをテストできるようになりました。副作用として、このコードは将来別バージョンのRulesを使える可能性が生まれました。将来の架空の新ルールをサポートするために何か特別なことをしたわけではありません。しかし、私のコードのなかに「シーム」ができたため、現在のプラグマティックな現実世界でコードのテストと設計が改善されるとともに、将来そのシームが役に立つかもしれないということです。以上はすべて関心の分離にフォーカスした結果生まれた効果です。

コード内に合理的な境界線を定義するために解決すべき問題を利用するのは、関心の分離の本質です。これはさまざまな粒度で言えることです。最初は境界づけられたコンテキストに基づいて荒削りなモジュール（またはサービス）を見つけ出し、時間とともに取り組んでいる問題についての学びを重ねるうちに、設計に磨きをかけ、コードの可読性などの向上に役立つ知見を獲得していくのです。

ここで大切なのは、複雑さの許容限度を低く保つように努めることです。コードは単純で読みやすいものでなければなりません。少しでも大変な感じになったような気がしたら、すぐに立ち止まって、目の前の部分を単純化、明確化する方法を探す作業に取りかかりましょう。

リスト11-4、11-5で示した例では、私が自分の設計に疑問を感じ始めたのは、おそらくわずか10行のコードと少数のテストケースからです。それらが間違った場所にあったことはあとでわかりました。これは、私が関心の分離を高く評価する理由のひとつです。関心の分離は、プロセスの非常に早い段階で、適切に対処しなければモジュラー性と凝集度の低下につながる問題を見つけられるメカニズムを提供してくれます。

## 11.4 テスト可能性

関心の分離のまずさに注意の目を光らせながら、コードの設計を漸進的に進化させるというこのアプローチは、テストによってさらに強化されます。設計の改善に役立つテクニックとしては、すでに説明した依存性注入がありますが、効果の高い関心の分離を実現してくれるツールとしてもっと強力で、おそらくもっと基本的なものは、テスト可能性です。

作っているシステムのテスト可能性を使えば、才能と経験以外のほとんどのものでは得られないレベルでシステムの品質を上げられます。

コードをテストしやすい状態に保つためには、関心の分離が**必須**です。関心の分離ができていなければ、テストはフォーカスを失ってしまいます。テストは複雑にもなり、反復可能で信頼できるテストを作るのは難しくなります。テスト可能性のために変数の管理に力を注ぐと、モジュラー性、凝集度、関心の分離、情報隠蔽、疎結合という高品質ソフトウェアの特徴を備えたシステムを作りやすくなります。

## 11.5 ポートアンドアダプター

私たちが関心の分離に力を注ぐのは、システムのモジュラー性と凝集度を上げるためです。すると、システムのカップリングの度合いも下がっていきます。システムのカップリングの適切な管理は設計で特に重視すべきことのひとつであり、それはあらゆる粒度で言えることです。

それがもっとも明白で効果的なレベルのひとつは、「関心」がほかの「関心」とやり取りをするコードのなかのシームです。これらは、いつもシステムのほかの部分よりも注意して扱わなければならない部分です。

簡単なコード例を見てみましょう（リスト11-6参照）。これは何かを格納しようとしているコードです。この場合、格納先はAmazon AWSのS3バケットです。ここには、格納したい何かを処理するコードと、ストレージ自体の処理を呼び出すコードが混在しています。ここを出発点として、処理と格納というふたつの関心を分離しましょう。

このコードを動かすためには、`s3client`を初期化して、`s3client`がバケットを所有するアカウントの詳細情報などの知識を持てるようにする処理がどこかで必要になります。そのためのコードは、わざとここには示していません。`s3client`をここで使える状態にするための方法は、みなさんも複数イメージできるはずです。それらの方法のなかには、関心の分離がうまくできているものもそうでないものもあるでしょう。ここでは、この関数に含まれているコードに集中したいと思います。

**リスト11.6 S3への文字列の格納**

```
void doSomething(Thing thing) {
    String processedThing = process(thing);
    s3client.putObject("myBucket," "keyForMyThing,"
      processedThing);
}
```

リスト11-6のコードは、2つの異なる視点から書かれています。この種のコードは始終見かけるタイプのものであり、私たちは慣れきっていますが、しばらくこのコードについて考えてみましょう。このコードはたった

2行でありながら、ふたつの大きく異なるものにフォーカスしており、それらの抽象度のレベルもまったく異なります。

第1行は、おそらくビジネスのコンテキストのなかで意味を持つ“process (thing)”（何かを処理する）であり、関数やメソッドの世界で意味のあることを実行することにフォーカスしています。これがおそらくこのコードのフォーカスであり、本質的な部分であるということを除けば、ここでは処理内容自体に大きな意味はありません。これこそがしたい仕事であり、コードはそのような立場から書かれています。それに対し、第2行は逸脱であり、異質なものです。ロジックの心臓部に付随的な複雑さを持ち込む侵入者です。

凝集度には、同じスコープのなかでは抽象度が一定でなければならないという側面があります。では、ここでそのような一貫性を導入するとどうなるでしょうか。**リスト11-7**はクラスとメソッドの名前を変えただけですが、この点で大きな進歩を示しています。

**リスト11-7 ポートを経由したS3への文字列の格納**

```
void doSomething(Thing thing) {
    String processedThing = process(thing);
    store.storeThings("myBucket," "keyForMyThing,"
      processedThing);
}
```

リスト11-6をリスト11-7に書き換えたことにはいくつかの意味があります。「store呼び出し」の抽象度をこの関数のもうひとつの部分と揃えたため、凝集度が上がりました。また、私たちは設計を別の方向に進め始めています。

ここで示していないコードのことを思い出してください。このひとつの単純な変更のために、多くの初期化実装が使えなくなります。このような形でストレージを抽象化すると、このクラスやモジュールと同じスコープで初期化を行っている実装は意味を成さなくなります。完全にこのスコープの外に初期化コードを追い出す方がはるかに適切です。

つまり、そういった初期化処理はどこか別の場所に隠すことになります。すると、初期化コードは抽象化され、このコードから切り離してテストできるようになります。たとえば、依存性注入でストレージを提供すれば、このコードは実際のストレージなしでテストできるということです。また、どのようなストレージを選ぶか（どこに格納するか）は、このコードの外で選べるようになります。コンテキストによって異なるタイプのストレージを使えるようになり、このコードはより柔軟になります。

この新しい抽象は**ポート**（港）、つまり情報の流れが通過する経由地になります。このポートをポリモーフィックにするかどうかはあなた次第であり、あなたのコードが置かれたコンテキスト次第ですが、ポリモーフィックにしない場合でも、このコードは前のコードよりもよくなっています。それは、関心の分離が向上し、抽象化のレベルが近くなったために凝集度が向上し、可読性とメンテナンス性の両方が向上したからです。

このポートの具体的な実装は、変換サービスとして機能する**アダプター**です。この例の場合、アダプターは“`storeThings`”のコンテキストを“AWS S3ストレージ”のコンテキストに変換します。

この変更を加えたあとの私たちのコードは、S3についての知識を一切持たなくなります。S3が使われていることさえ知らなくなるのです。

ここで大切なのは、参照の枠組みを揃えてコードを書くということです。そうすれば、抽象度のレベルを近くに保てます。

ここで説明したことは、**ポートアンドアダプター**パターンと呼ばれることがあります。サービスやサブシステムのレベルでは、**ヘキサゴナルアーキテクチャー**とも呼ばれます。

設計ではこれが非常に大きな意味を持ちます。コードがAPIの細部をくまなく使い切ることはまずありません。使うのはほぼかならずAPIのサブセットです。ポートを作るときには、使うことにした最小限のサブセットだけが見えるようにすれば十分です。そのため、ポートはほとんどかならずAPIの単純バージョンになります。

コードを話題にする本を書くときに困るのは、コード例を小さく単純にしなければ言いたいことが伝わらないことです。コード例が複雑になると、その複雑さに紛れて何が言いたいのかが伝わらなくなってしまいます。しかし、単純性の向上を示したい場合にはどうすればよいでしょうか。

そういうわけで、しばらく辛抱しながら話を訊いてください。リスト11-6のようなコードでシステム全体を書き上げたらどうなるかを想像してみましょう。`s3client`経由で数十、数百、数千ものやり取りをするコードです。その後、AmazonがS3サービスに対するインターフェイス、あるいはもっと小さくJavaクライアントライブラリーをアップグレードしたとします。このバージョン2がまったく異なるプログラミングモデルになっていれば、数十、数百、数千ものコードを新クライアントライブラリーに合わせて書き換えなければならなくなります。

それに対し、独自の抽象として自分たちのコードで必要なことだけをする独自のS3ポートアンドアダプターを作っていたら、おそらく1か所以上のコードでそれを使えるでしょう。コード全体でそのポートアンドアダプターを使えることもあるでしょうし、ポートアンドアダプターで処理できない複雑な部分が含まれている場合もあるでしょう。そういった複雑な部分のために別のポートアンドアダプターを作っている場合もあるかもしれません。いずれにしても、新インターフェイス登場によるメンテナンス作業は大幅に楽になるはずです。新しいクライアントライブラリーを使うようにアダプターを完全に書き換えることもできるはずです。そうすれば、アダプターを使っているコードには影響がまったく及びません。

このアプローチは、よい設計が目標とするものを多数実現します。複雑さ管理に力を注げば、予想外、あるいは予測不能の変更が加えられても、自分たちのコードはその影響を受けなくなります。

## 11.6 ポートアンドアダプターを使うべきなのはいつか

ポートアンドアダプターが話題になるのは、一般にサービス（またはモジュール）の境界の変換レイヤーが話題になっているときです。

いいアドバイスがあります。エリック・エヴァンスが著書『ドメイン駆動設計』[4]で次のように言っています。

4 『ドメイン駆動設計』はエリック・エヴァンスの著書で、設計の指導原則として問題ドメインのモデリングの方法を説明しています。https://amzn.to/2WXJ94m参照。

コンテキスト境界を越えてやり取りされる情報はかならず変換せよ。

サービスによってシステムを設計するときには、私自身を含む多くの人々が、境界づけられたコンテキストに合うようにサービスを変換せよとアドバイスしています。そうすると、カップリングが最小限に抑えられ、サービスのモジュラー性と凝集度が上がります。

このふたつのアドバイスを合体させると、「サービス間で行き来する情報はかならず変換せよ」という単純なガイドラインになります。これは、「サービス間の通信ではかならずポートアンドアダプターを使え」と言い換えることもできます。

私は、前の文を最初に書いたときに「ガイドライン」ではなく「ルール」と書いてから自分でそれを「ガイドライン」に訂正しました。ときどきそういうわけにはいかなくなる境界条件が現れるので、これを「ルール」とまで言うのは良心が許さなかったのです。しかし、APIの技術的な性格がどのようなものであれ、デフォルトの立場として、サービス間のあらゆる情報交換はアダプターで変換されるものだと考えることを強くお勧めします。

だからといって、アダプターのコードは大量であったり複雑であったりする必要はありませんが、設計の観点からは、個々のサービスやモジュールは独自の世界観を持ち、守るべきです。その世界観を破るような情報が送られてくれば、それはコードにとって重大な問題です。

コードの守り方には2種類の方法があります。ひとつは、情報がシステムの境界に届いたときにアダプターでそれをシステムの世界観に合うように翻訳し、システムに関係のある範囲で入力を検証するというものです。もうひとつは、信用していない情報をラップに包んで無視し、外界での怪しげな変化からシステムを守るというものです。

たとえば、何らかのメッセージングシステムを書いている場合には、知らなければならない情報と知るべきではない情報があります。

メッセージを送ってきたのは誰か、メッセージの宛先はどこかは、おそらく知らなければならないことです。メッセージの大きさがどれだけかや、問題があるときに再試行すべきかどうかも、おそらく知る必要があるでしょう。それに対し、メッセージが何を言っているかは、間違いなく知るべきではない情報です。それでは、メッセージングの技術的な側面とメッセージングを使って行われている対話の意味内容を密結合してしまい、ひどい設計になります。

これは自明な場合もそうでない場合もありますが、私はこの種の間違いを犯しているコードも多数見ています。私がメッセージングシステムを作るときには、メッセージの内容は何らかのパケットで「包み」、パケットの内容、すなわちメッセージそのものからメッセージングシステムを切り離すようにします。

## 11.7 APIとは何か

このように考えてくると、APIとは何かという設計哲学の領域に入り込んでいくことになります。私は、次のようなきわめて実践的な定義に賛成しています。

> アプリケーションプログラミングインターフェイス（API）とは、APIを公開しているサービスやライブラリーが、利用者に見せているあらゆる情報のことである。

これは、APIという用語が使われているときに一部の開発者が思い浮かべるものとは異なります。

「API」という用語の意味は、時代とともに変わってきています。変化の理由の一部は、サービス作成におけるRESTのアプローチの成功によるものです。少なくとも、開発者同士のくだけた会話では、「API」という用語が「HTTP上のテキスト」の同義語として使われることがよくあります。これは確かにAPIの一形態でもあります。しかし、それはひとつであってすべてではありません。ほかのAPIもたくさんあります。

厳密には、何らかの形でプログラミングをサポートするために異なるコードの間で使われるすべての通信手段がAPIです。ここでは、私たちのコードがやり取りする情報について考えることが大切になります。

引数としてバイナリーストリームを受け付ける関数について考えてみましょう。APIは何でしょうか。

関数のシグネチャーだけがAPIでしょうか。確かにそういう場合はあります。関数がバイナリーストリームをブラックボックスとして扱い、ストリームのなかを覗かないなら、関数のシグネチャーだけが関数と呼び出し元のカップリングを定義していることになります。

しかし、関数が何らかの形でバイナリーストリームの内容を処理するなら、それも契約の一部になります。どこまで処理するかが、ストリーム内の情報とのカップリングの度合いを定義します。

ストリームの先頭8バイトがストリームの長さを示すために使われており、関数がストリームのなかで理解でき、注意を払うのがその部分だけなら、関数シグネチャーと先頭8バイトの意味、その8バイトに長さがどのように符号化されているかについての情報が「API」になります。

関数が持っているバイナリーストリームのコンテンツについての知識が多ければ多いほど、関数は呼び出し元と密結合しており、APIのサーフェスエリアは広がります。私が知る限り、多くのチームは、コードが認識し、処理している入力データのデータ構造が公開APIの一部だということを無視しています。

アダプターはAPI全体を処理しなければなりません。その内容が入力バイナリーストリームの変換であったり、少なくとも検証であったりするなら、それも必須のAPI処理です。それをしなければ、誰かが間違ったバイナリーストリームを送ってきたときにコードが壊れる恐れがあります。これは開発者が管理できる変数のひとつです。

複数のモジュール、サービスの間にあるこういったコミュニケーションの接点にはいつでもポートアンドアダプターを追加するという前提で設計をすると、そうでない場合よりもデフォルトのスタンスがはるかに強力なものになります。「アダプター」が将来のためのプレースホルダーであっても、そのようなプレースホルダーがあれば、たとえAPIの性格が変わったとしても、コード全体を書き換えずにそのような変化に対応するチャンスが得られます。

これがポートアンドアダプターの古典的なモデルです。しかし、もっと細かい粒度でも同じような考え方をすることをお勧めします。かならず明示的な変換コードを書けと言っているわけではありません。ごく小さなコード（たとえばリスト11-6）を含め、どのようなコードであっても、抽象化レベルを一定に保つ努力をしようということです。

デフォルトのスタンス、またはガイドラインとして私がお勧めしたいのは、やり取りするコードが別のリポジトリーや別のデプロイパイプラインなどの異なる評価スコープにあるときには、かならずポートアンドアダプターを追加することです。こういった場面で守り重視のスタンスを取れば、コードのテスト可能性が上がり、やり取りする相手が書き換えられても簡単にコードが壊れなくなります。

## 11.8 関心の分離を進めるためのTDDの利用

コードの**テスト可能性**を向上させる設計テクニックがコードの品質向上に役立つことについては、今までも説明してきました。「仕事をする」という単純な意味だけではなく、継続的なメンテナンス、開発に耐えられるような性質を製品に組み込めるというそれよりもはるかに深い意味で品質が上がるのです。

たとえ小さなコードでもそのなかでの抽象化のレベルを揃えるということを含めた形で関心の分離を指導原則としてコードを設計すると、漸進的な変更を進めるための道が開かれます。何らかのものの通信、格納、その他操作全般の詳細がまだわかっていなくても、コードを書いて前進できるようになります。

その後学びが進むと、最初に書いたときには想像もつかなかったような形で、以前書いたコードを利用できます。このアプローチなら、設計に対してより発展的なアプローチを取れます。学びの深まりとともにステップバイステップでシステムを育て、将来は最初よりもはるかに高度ではるかに有能なバージョンを作り上げるのです。

TDDは、そのようなテスト可能性を実現するためのツールとしてもっとも強力です。すべての開発をテストという観点から進めていくと、設計で重視する対象が劇的に変わります。

関心の分離ということに限っても、テストのスコープに複数の関心が混在していればいるほど、テストは書きにくくなります。テストを軸に開発を組み立て、前進させていくと、プロセスの非常に早い段階で、設計判断のコストとメリットの問題に直面します。

当然ながら、このようにフィードバックが早くなるのはよいことです。ほかのテクニックよりも非常に早い段階で設計の欠点が見つかります。単により賢くなるというだけでは、できることは限られます。賢くなることは決して間違っていませんが、「より賢くなる」ための最良の方法は、賢いやり方で仕事を進めることです。本書の目的はまさにそれです。TDDは、そのような「より賢いやり方」のひとつです。

## 11.9 まとめ

関心の分離ができていることは、間違いなく高品質なコードの特徴のひとつです。まったく同じ機能を実現しているふたつのコードがあり、片方は関心の分離ができていて、もう片方はそうでない場合、前者の方が理解、テスト、変更が簡単で柔軟です。

関心の分離は、本書で取り上げている複雑さ管理のテクニックのなかでもっとも日常の作業に取り入れやすいものでもあります。

何らかのコードおよびシステムのモジュラー性や凝集度について議論することはできます。本書の今までの内容からも明らかなように、私はこれらのテクニックをきわめて重要だと考えていますが、その計測方法はどうしても主観的になります。おそらく、悪い例については簡単に合意が得られますが、モジュラー性や凝集度の理想的な形を定義しようとすると苦労することになるでしょう。

関心の分離はそうではありません。モジュール、クラス、関数が複数のことをしていれば、それは関心の分離ができていないということです。そのため、関心の分離は、よりよいソフトウェアの設計に向かって私たちを導いてくれるすばらしいツールになるのです。

第12章

# 情報隠蔽と抽象化

**情報隠蔽と抽象化**は、「オブジェクトやシステムについて考えるに当たって、より重要な部分の細部に注意を集中させるために、物理的、空間的、時間的な細部または属性を取り除くプロセス」[1]と定義されています。

この章のタイトルは、コンピューター科学のわずかに異なる概念をくっつけたものになっています。このふたつは異なるものの関連があり、ソフトウェア工学の基本原則について考えるという目的では、いっしょに考えることが適しています。

## 12.1 抽象化か情報隠蔽か

私がこれらふたつの概念をひとつにまとめたのは、両者には気にしなければならないほどの違いがないと思っているからです。ここで言っているのは、コードのなかに境界線またはシームを描き、その線を「外部」から見たときには線の向こう側について考えないようにすることです。関数、クラス、ライブラリー、モジュールのユーザーは、その仕組みについて**一切**知る必要がなく、考えてはなりません。知らなければならないのは、その使い方だけです。

**情報隠蔽**についてこれよりも狭く考える人がいますが、私はそうしても特に何かの役に立つわけではないと思っています。「情報隠蔽はデータのことだけを言うのではないか」（そんなことはありませんが）という考えがどうしても頭から抜けない人は、私が「情報隠蔽」と言うときには「抽象化」という意味なのだと考えるようにしてください。

逆に、「抽象化」とは、「抽象概念、すなわちオブジェクトの作成」のことだけを意味するという考えがどうしても頭から抜けない人は、私が言う抽象化はそういう意味ではないので、抽象化とは「情報隠蔽」のことだと考えるようにしてください。

私が隠蔽すると言っている情報は、コードのふるまいのことです。これには、実装の詳細だけでなく、使っているかもしれないし使っていないか

---

1 出典：Wikipedia, https://en.wikipedia.org/wiki/Abstraction_(computer_science)

もしれないデータが含まれます。外の世界に示す抽象は、コードのほかの部分からこれらの秘密を隠すというトリックを実現します。

私たちの目的が自分たちの頭に入り切らないような複雑なシステムを構築するために複雑さを管理することなら、情報隠蔽が必要なのは当然でしょう。

私たちは、ほかの場所で何が行われているかを気にせず、今すぐ考える必要のないものがどのように動作するかを考えずに、目の前の仕事/コードに集中できるようにしたいところです。これはごく基本的なことのように考えられますが、世の中にはそうではないコードがたくさんあります。ある箇所を書き換えると、コードのほかの部分に影響が出るような書き換えにくいコードがあります。システムのほとんど全部の仕組みを理解できるほどの頭脳がないと書き換えられないようなコードもあります。これではスケーラブルなアプローチにはなりません。

## 12.2 「大きな泥だんご」ができる理由

このような仕事のしにくいコードベースは、大きな泥だんごと呼ばれることがあります。そういうシステムは、ひどくもつれ合い絡み合っているため、開発者が怖がって書き換えられなくなっています。古くからソフトウェアを作ってきたほとんどの企業、特に大企業は、このようなもつれ合ったコードを抱えています。

## 12.3 組織的、文化的な問題

大きな泥だんごができる理由は複雑で多様です。私がソフトウェア開発者や開発チームからよく耳にする不満のひとつは、「上司が何々をさせてくれない」というものです。「何々」は、「リファクタリング」、「テスト」、「よりよい設計」などで「そのバグのフィックス」という場合さえあります。

世の中に居心地の悪い会社があるのは事実です。そのような職場で働いているなら、もっといい会社を探すことをお勧めします。しかし、たいていの場合、こういった不満は単純に真実ではありません。少なくとも

100%の真実ではないことがほとんどです。最悪の場合、これは言い訳です。しかし、私は他人を非難したくないので、重要な誤解によるものだという寛大な解釈を取ることにしましょう。

最初に言いたいのは、私たちソフトウェア開発者がよい仕事をするために誰かの許可を求めなければならない理由がどこにあるかということです。私たちはソフトウェア開発のプロなので、どうすれば成功し、どうすれば失敗するかをもっとも的確に判断できるはずです。

あなたが私をコード開発のために雇った場合、できる限り最良の仕事をすることが私のあなたに対する義務です。それは、長期に渡って持続可能で信頼できる形で繰り返しユーザーにコードを届けられるように、仕事を最適化しなければならないということです。私のコードは、与えられた問題を解決し、私のユーザーのニーズや会社の野望を満たさなければなりません。

そこで、私は機能するコードを書かなければなりませんが、それと同時に長期に渡って信頼できる形で繰り返しコードを開発できる状態を維持する必要があります。解決している問題や開発しているシステムについて新たなことを学んだときにコードを書き換えられる状態を維持することも求められるのです。

私がレストランのシェフだったとして、ひとつの料理を作り終えたときに料理器具や作業スペースを掃除せずに次の料理に取りかかれば、次の料理は早く完成させられるでしょう。1回だけなら、そういうことをしても問題はないのではと思います。いや、ぞっとすることですが、2回までならごまかせるかもしれません。しかし、いつもそんなことをしていれば、私はクビになるでしょう。

なぜクビになるかと言えば、得意客を食中毒させることになるからです。クビにならなくても、3番目の料理を作る頃には、掃除しないで放っておいたものが仕事の邪魔になって生産性が下がり、完成までにかかる時間が長くなるでしょう。やはり、ひとつの仕事を終えるたびに器具と作業スペースを掃除しなければならなかったのです。そうでなければ、切れ味が落ちた器具のために悪戦苦闘することになります。どこかで聞いたような話ではないでしょうか。

あなたが私をシェフとして雇ったとして、あなたが私に「ナイフを研ぐには私の許可が必要だ」とか「作業スペースの掃除をするのは君の仕事だ」などと言うことはないでしょう。私がプロのシェフだとすれば、雇い主のあなたも私自身も、こういったことはプロの仕事の基本的な部分だと考えるでしょう。それは、シェフの**注意義務**の一部です。

ソフトウェアのプロとして、ソフトウェアの開発のために何が必要かを理解するのは私たちの当然の義務です。手掛けるコードの品質には責任を追わなければなりません。それはよい仕事をするための**注意義務**です。それは利他的な行為ではなく、実際的なことです。会社、ユーザー、そして私たち自身が当然考えることの一部です。

私たちが品質の高いコードを作り、その品質を維持するために力を注げば、会社はほしいと思う新機能をより効率よく手に入れ、顧客はより効果的で使いやすいコードを手に入れ、私たちはコードのどこかが壊れるかもしれないとナーバスにならずにシステムに変更を加えられます。

これは、データがはっきり示しているから[2]というだけでなく、さまざまな理由から重要なことです。ソフトウェアは、短期決戦ではありません。短期的な納期の達成のために、テストを省略し、リファクタリングを避け、モジュラー性と凝集度が高くなる設計の追求を怠れば、**仕事は早くならず遅くなります**。

ソフトウェアを開発している組織や会社が仕事を効率よく進めたいと思うのは当然です。そのような組織、会社で働く私たちには、経済的な圧力が影響を与えます。

働いている会社が繁栄し、会社の繁栄に役立つソフトウェアを構築するために私たちが気持ちよく働けるようにしたければ、私たちは効果的に仕事をする必要があります。

私たちの目標は、よりよいソフトウェアをより早く構築するために必要なことは何でもすることでなければなりません。データはあります。必要なことの一部は『LeanとDevOpsの科学［Accelerate］』に書かれており、

2 『LeanとDevOpsの科学［Accelerate］』は、開発に対してより統制の取れたアプローチを採用しているチームはそうでないチームよりも「新しい仕事のために使える時間が44%多い」と指摘しています。https://amzn.to/2YYf5Z8参照。

それは品質面で妥協することでは決してありません。逆もまた真です。

『LeanとDevOpsの科学［Accelerate］』で示されているソフトウェアチームのパフォーマンス分析の科学的手法の正しさは“State of DevOps Report”で実証されていますが、**スピードと品質はトレードオフではない**ということはこのレポートで明らかになった重要ポイントのひとつです。品質向上のために力を注がなければ、ソフトウェアを早く作ることはできないのです。

管理職がある仕事の見積もりを求めてきたとき、品質面で妥協しても、あなたや管理職、会社の利益にはなりません。管理職が無能で、品質面での妥協によって作業効率が上がると思っていたとしても、全体として仕事は遅くなります。

意識的に、あるいは意識せずに開発者にスピードアップの圧力をかけている会社は確かにあり、私自身も見て知っています。しかし、「スピードアップ」の中身については、開発者や開発チームも共犯になっていることがたびたびです。

一般に、品質面の妥協を考えるのは開発者であり、管理職や会社ではありません。管理職と会社は、「よりよいソフトウェアをより早く」作ることを求めるもので、「より悪いソフトウェアをより早く」作ることなど望みません。実際、スピードと品質はトレードオフでさえないのです。すでに示したように、長期的に見れば、本物のトレードオフは、「よりよいソフトウェアをより早く」と「より悪いソフトウェアをより遅く」です。「よりよい」を目指すと「より早く」も実現されるのです。これは私たち全員が認識し、確信すべきことです。もっとも作業効率の高いソフトウェア開発チームは、品質を軽視するからではなく、重視するから仕事が早いのです。

この真実を認めた上で、いつも品質の高い結果を目指してアドバイスし、見積もりを出し、設計を考えるのが、ソフトウェアエンジニアのプロとしての義務です。

見積もりや予測を見て、品質向上のための時間を切り捨てるようなことをしてはなりません。上司、同僚、会社はあなたによい仕事を求めているのだと考え、それを実践することです。

仕事にはコストがかかります。料理の場合、掃除をして器具のメンテナンスをするためにかかる時間はコストの一部です。ソフトウェア開発の場合、リファクタリングやテストはコストであり、よい設計を作ったりバグが見つかったときにフィックスしたりするためにかかる時間やコラボレーション、コミュニケーション、学びのための時間もコストです。これらは「あるとよいオプション」ではありません。ソフトウェア開発に対するプロのアプローチの基本なのです。

コードは誰でも書けますが、それは私たちの仕事ではありません。ソフトウェア開発はコードを書くことよりも大きな仕事です。私たちの仕事は問題を解くことであり、そのためには設計に注意の目を光らせ、生み出すソリューションの有効性を考えなければなりません。

## 12.4 技術的な問題と設計の問題

自分自身によい仕事をする許可を与えたとして、次の問題はそのために何が必要かということです。実際には、それは本書のテーマそのものです。第2部で説明した学びの最適化のためのテクニック、第3部で説明している複雑さ管理のためのテクニックがよい仕事のためのツールになります。

しかし、今話題にしている大きな泥だんごを防ぎ、修正するということに限って言えば、取り入れるべき大切なマインドセットがあります。それは、既存コードを書き換えるのはよいことであり、合理的なことだというマインドセットです。

多くの企業は、既存のコードを書き換えることを恐れるか、現実とは裏腹に既存コードにある種の畏敬の念を持って崇めています。しかし、私は逆のことを言いたいと思います。コードを書き換えられないか書き換える気がないなら、そのコードは実質的に死んでいるのです。再び、フレデリック・ブルックスを引用しましょう。

> 設計は、凍結と同時に陳腐化する[3]。

---

3 フレデリック・ブルックス『人月の神話』からの引用。https://amzn.to/3oCyPeU参照。

友人のダン・ノースがこれに関連して面白いことを言っています。ダンには思いついたことを面白い表現で言い表す才能があります。彼は品質の指標として、「チームのソフトウェアの半分の寿命」を提唱しました。

ダンも私も実証するデータを持ち合わせてはいませんが、これは面白い着眼点だと思います。彼が言っているのは、チームが作るソフトウェアの品質は、その半分の寿命から計算できるということです。ソフトウェアの半分の寿命とは、チームが担当するソフトウェアの半分が書き換えられるまでにかかった時間のことです。

ダンのモデルでは、優れたチームは担当しているソフトウェアの半分を数か月のうちに書き換えるはずです。だめなチームはソフトウェアの半分を書き換えることは永遠にありません。

今の私は、ダンのモデルがコンテキストに大きく左右されることは間違いないと思っています。これを言い出したとき、ダンは非常に優秀で開発ペースが早い金融取引システム開発チームにいました。このルールが当てはまらないチームが多数あるのは間違いありません。しかし、彼の言葉には一片の真理が含まれているはずです。

私が主張するように、私たちの専門分野が私たちの学びの能力に深く根ざしているのであれば、最適な設計についての考え方が変わるような新しいこと（それぞれのコンテキストでそれがどのような意味を持つかにかかわらず）を学んだときには、新しい深い理解を反映するようにコードを書き換えられなければなりません。

ケント・ベックは、エクストリームプログラミングについての有名な著書のサブタイトルとして「変化を積極的に受け入れよ」（Embrace Change）を選びました。彼がこのサブタイトルを選んだときに何を考えていたのかはわかりませんが、私は、この言葉には彼の本を初めて読んだときに想像していたよりもはるかに大きな意味の広がりがあると考えるようになりました。

新たなことを学んだときには、考え方、チーム、コード、テクノロジーを変える用意がなければならないというこの基本思想を支持するなら、本書で私が取り上げているほとんどすべてのことは、その自然な帰結だと言えるはずです。

間違いを犯したらそれを修正できるような道を残すように仕事をし、与えられた問題の理解を深めて新しい理解を設計に反映させ、成功（それがどこにあり、何であるかにかかわらず）に向かって漸進的にプロダクトやテクノロジーを発展させていくことは、どれもソフトウェアの分野における優れた工学的実践の目標です。

これを実現するためには、簡単にやり直せるように小さなステップで仕事を進めることが必要です。コードは、数か月、数年後に再び訪れても理解できるような空間でなければなりません。コードのある箇所を書き換えても、ほかの部分に影響が及ばないようにすることも求められます。変更が安全なものだったことをすぐに効果的に検証する手段も用意しなければなりません。できれば、私たちの理解が変わったとき、さらにはシステムの利用者が非常に多くなったときにも、アーキテクチャー上の前提条件の一部を変えられるようにしておきたいところです。

本書で取り上げる概念はすべてこのことと関連していますが、**抽象化**や**情報隠蔽**はこのようなシステムにもっとも直結したルートだと私は思っています。

### 抽象化のレベルの引き上げ

ブルックス級の進歩を実現するために必要なものは何でしょうか。プログラミングの抽象化のレベルを引き上げることは、そのための道筋のひとつです。

この種の考え方をしたときにもっともよく話題になってきたのは、システムの説明のためにときどき使われる高水準のダイアグラムとプログラムの関係です。「システムについて描いた図をプログラミングに活用できたらいいんじゃないだろうか」というわけです。

このアイデアを実現する試みは古くから多数あり、周期的に新バージョンのアイデアも現れてきました。本稿執筆時点では、**ローコード開発**と呼ばれるものがそれに当たります。

しかし、このアプローチには、立ちはだかるいくつかの問題があります。

このような「ダイアグラム駆動開発」のアプローチでよく見られるもののひとつに、ダイアグラムからソースコードを生成するというものがあります。ダイアグラムからコードの大まかな構造を作り、細かい部分はプログラマーが手作業で埋めていくというやり方です。しかし、この種の方法は、ある難問のためにほぼ間違いなく失敗する運命にあります。その難問とは、複雑なシステムの開発が進むと、ほとんどかならず開発当初よりも多くの事柄を学ぶということです。

すると、どこかの時点で初期に考えたことを見直さざるを得なくなります。つまり、ダイアグラムの初期バージョンとそこから作られたスケルトン構造はかならず間違っており、理解の深まりとともに書き換えが必要になるということです。「往復」の機能、つまりコードのスケルトン構造を作り、手作業で細部を書き換えたあとで考えが変わったら、ダイアグラムを描き直してスケルトン構造を変更しつつ、細部の変更を維持する機能を実現するのは大変な難問です。今までのこの種の試みがすべて失敗してきたのは、このハードルを乗り越えられなかったからです。

では、手作業のコーディングの工程を完全に取り除いてしまえばどうでしょうか。ダイアグラムをコードとして使うのです。この種の方法も無数に試されてきました。この種のシステムは、デモでは非常にうまく機能します。単純なサンプルシステムを作るときには、簡単ですばらしく見えるのです。

しかし、これにも大きな問題があります。コードを書かずに絵を描くのでは、既存の方法のように抽象度のレベルを上げるのが難しくなるのです。例外処理、バージョン管理、デバッグサポート、ライブラリーコード、自動テスト、デザインパターンなど、旧来のプログラミング言語を強化するために時間をかけて発展させてきたものがすべて失われてしまいます。

この種のダイアグラムをコード化する方法がデモではうまく使えるものの、実際のシステムにはスケーリングできないのはこの問題のためです。単純な問題を簡潔に表現するグラフィカル「言語」を作るのは簡単でも、古くから使われてきたロジックを生み出せる汎用ツールを提供するビジュアル「言語」を作るのはそれよりもはるかに難しいのです。チューリング完全言語は、実際にはきわめて一般的ながらかなり低水準な概念から作られています。実用に耐える複雑なソフトウェアシステムを記述、符号化するために必要な詳細度は、本質的に入り組んでいて粒度が細かいのです。

スプレッドシートにグラフを追加するという問題について考えてみましょう。ほとんどのスプレッドシートプログラムには、(ひどい表現ですが) グラフをグラフィカルに追加するツールがついています。スプレッドシートの一部の行と列を選択し、追加したいグラフのタイプを選択すると、単純な条件なら、スプレッドシートがグラフを生成してくれます。これはよいツールです。

しかし、データが定義済みの単純なパターンからはみ出すようなものになると、話が難しくなります。グラフの要件が特殊なものになればなるほど、スプレッドシート内のグラフ作成システムに与えなければならない命令は細かくなります。そして、ツールを使ってグラフを描く方が普通のプログラミング言語でグラフを描くよりも難しくなる限界にぶつかってしまいます。グラフをどのようにしたいかについての明確な考えだけではなく、グラフ作成システムの開発者の頭のなかにあったプログラミングモデルを深く理解して、それをうまく使ったり裏をかいたりしなければならなくなるのです。

テキストは、思考を符号化するための方法として驚くほど柔軟で簡潔なのです。

## 12.5 オーバーエンジニアリングの懸念

開発者が品質に対する責任を果たせなくなる理由はたくさんあります。仕事を効率よく進めなければならないというプレッシャー（現実の、または思い込みの）もそのひとつです。ビジネスパーソンにとって、ソフトウェア開発者やチームの「オーバーエンジニアリング」が懸念材料になっているという声も聞いたことがあります。これは現実の懸念であり、非難されるべきは私たち技術のプロです。私たちはときどきオーバーエンジニアリングの罪を犯してきました。

### 抽象化か実利性か

私は以前大きな保険会社のためのプロジェクトに関わったことがあります。これは「レスキュープロジェクト」でした。私は立ち往生したプロジェクトや一度失敗したプロジェクトに介入し、優れたソリューションを生み出すことで有名なコンサルタント会社で働いていました。

このプロジェクトは、すでに2回も派手に失敗していました。開発に取りかかってから3年以上もたっていましたが、使えるシステムを提供できずにいました。

私たちが入ってから、代替システムの開発はまずまずの進展を見せていました。ある日、「戦略グループ」といった名前の部署のアーキテクトが私たちに接触してきて、私たちのソリューションは「グローバルアーキテクチャー」というものに準拠しなければならないと主張しました。私はプロジェクトのテクニカルリーダーだったので、それがどういう意味を持つのかを検討しました。

彼らは、会社全体の業務を抽象化するサービスベースの分散コンポーネントアーキテクチャーという全体構想を打ち出していました。サービスにはテクニカルなものもドメインレベルの役に立つふるまいを提供するものもありました。セキュリティや永続化はインフラストラクチャーがサポートし、社内のすべてのシステムは完全に統合されるようになっていました。

ここまでの話できっとみなさんも想像したように、これはすべてベイパーウェアでした。彼らは膨大なドキュメントと私が見る限りまったく動作しない大量のコードを抱えていました。プロジェクトは40人以上のメンバーを抱えるチームで作られており、3、4年の遅れが出ていました。すべてのプロジェクトがこのインフラを使うことを義務付けられていましたが、実際に使っていたプロジェクトはありませんでした。

魔法のような話だと思いましたが、それは本当に魔法だったからでした。架空の話だったのです。

私たちはアーキテクトの申し出を丁重に断り、このアーキテクチャーのアイデアや技術を一切使わず、それまでに作っていたシステムを完成させました。

このアーキテクチャーは紙の上ではすばらしいものに見えましたが、実際には空理空論だったのです。

私たちはみな技術者なので、一定の傾向を共有しています。「技術的に輝かしいアイデア」を追いかけることは、そのような傾向のひとつとして意識し、警戒する必要があります。技術的なアイデアに興味を持つということでは、私もほかの人に引けを取りません。これは私たちの専門分野の魅力のひとつであり、私たちが高く評価する学びのタイプです。しかし、工学を実践するエンジニアになるつもりなら、一定のレベルの実利主義、さらには懐疑主義も身に付けなければなりません。本書の最初の方で示した私の工学の定義には、「経済的な制約の範囲内」という言葉が含まれています。私たちは常に、もっともかっこいい方法や履歴書に書いたときにもっとも技術的に評価される方法ではなく、もっとも単純に成功に到達できる方法を考えるようにしなければなりません。

新しいアイデアの知識をアップツーデートなものにしておくことは絶対的に必要です。私たちの仕事に対する新しいテクノロジーやアイデアの存在は意識していなければなりません。しかし、解決すべき問題のコンテキストでそれがどれだけ役立つかは常に公平な目で評価する必要があります。このテクノロジーやあのアイデアが役に立つかどうかを学ぶために使ってみるなら、そういう目的だということをしっかりと認識し、テスト、プロトタイプ、実験といった形ですばやく効率的に調査しましょう。間違っても、会社の将来がかかっている新しいアーキテクチャーの支柱にしてはなりません。うまく機能しなければ捨てるという心積もりで、よさそうに見えるテクノロジーのために開発作業全体をリスクにさらさないようにしましょう。

私の経験では、この「単純さの追求」を真剣に行うと、結局クールなことをすることが減るどころか増えることが多くなります。履歴書の見栄えがよくなることも増えるのです。

ソリューションのオーバーエンジニアリングに引っ張り込む理由には別のものもあります。それはソリューションを**フューチャープルーフ**、つまり時間とともに劣化しないものしたいという気持ちです。「今は不要かもしれないけど、将来きっと必要になる」と言ったり思ったりしたことがあれば、それはフューチャープルーフを意識したということです。過去にこの誘惑に負けたということでも、私はほかの人に引けを取りませんが、最近では、これは設計や技術の未熟さの兆候だと考えるようになりました。

この種のフューチャープルーフな設計を目指すのは、将来の拡張や要件の変更に対応できるようになるという安心感を得るためです。これは目標としてはよいのですが、実現方法に問題があります。

ケント・ベックの『エクストリームプログラミング』を再び紐解くと、次の言葉にぶつかります。

**YAGNI**: You Ain't Gonna Need It!（ヤグニ：そんなものは必要にならない）

ケントのアドバイスは、今直面している問題を解決するコードだけを書くべきだというものです。このアドバイスは大きな全体の一部ですが、私は何度も反芻しています。

本書で何度も言ってきたことですが、ソフトウェアは奇妙な存在です。ほとんど無限の柔軟性を持つ一方で、極端に壊れやすいのです。ソフトウェアはほとんど何でも作れますが、作ったものを改造しようとすると壊れるリスクが生まれるのです。オーバーエンジニアリングによってフューチャープルーフを目指すことの何が悪いかというと、そうする人たちがコードの書き換えを嫌がっていることです。

そのような恐怖があるため、彼らは今、対象に十分注意を払っているうちに、設計をしっかりと固めておこうとします。将来もう一度コードに戻ってこなくても済むようにしようとするのです。本書をここまで読んできたみなさんなら、これが非常にまずいことだということはおわかりでしょう。では、代わりにどうすればよいのでしょうか。

コードを設計するに当たっては、将来何か新しいことを学んでコードを書き換えなければならなくなったときに、いつでも戻ってこれるようにアプローチするのです。ほとんど無限の柔軟性というソフトウェアの特長を活用できます。すると、解決しなければならない問題は、コードの壊れやすさということになります。

将来安心してコードを書き換えられるという自信を得るためにはどうすればよいのでしょうか。アプローチは3種類ありますが、ひとつは馬鹿げたものです。

第1の方法は、コードとコードに内包された意味、依存先などを完璧に理解できるほど賢くなることです。そうすれば、安全にコードを書き換えられるようになります。これこそが馬鹿げたアプローチで、天才プログラマーモデルと呼ぶべきものですが、私が知る限り、比較的よく見られるパターンのひとつでもあります。

ほとんどの開発組織には、何か問題が起きてトラブルを解決しなければならないときや難しいコード変更が必要になったときにかならず呼び出される少数の「巨匠」とか「名人」などと呼ばれる人々がいるものです[4]。社内にそういう人がいるなら、その卓越した知識を広めたり、ほかの人々と協力してシステムをわかりやすいものに変える仕事をすべきです。その方が「巨匠」たちが呼び出されることの多い「火消し」作業よりも深い意味ではるかに価値があります。

書き換えを恐れるという問題の本当の解決方法は、**抽象化**と**テスト**です。コードを抽象化すれば、システムのある部分の複雑さをほかの部分から隠すことになります。抽象化とは、定義上そういうものです。こうすると、システムのある部分のコードをより安全に変更できるようになります。変更が間違ったものであっても、ほかの部分に悪影響を及ぼすことはないという自信を強く持てるようになるのです。この自信をもっと深めるためにはテストも必要になります。しかし、いつものことですが、テストの効果はそのように単純なものではありません。

---

4　ジーン・キムらの『The DevOps 逆転だ！』（Gene Kim, Kevin Behr and George Spafford, *The Phoenix Project,* IT Revolution Press, 2013。邦訳日経BP、2014年）では、トラブルを解決できる唯一の人としてブレント・ジェラーという魅力的な架空のキャラクターが登場します。

## 12.6 テストによる抽象化の推進

図4-2では、変更コストが平坦化するグラフを示しました。これは、時間と労力という形のコストがほぼ同じでいつでもどのような変更でもできるという理想の状態を表しています。

このような平坦な変更コスト曲線を実現するためには、効果的で効率的なリグレッションテスト（退行テスト）の戦略が必要になります。それは、リグレッションテストの完全な自動化です。変更を加えたら、テストを実行してどこで問題が起きたかがわかるようにするのです。

この考え方は、継続的デリバリーの土台のひとつであり、私が知る限り工学的アプローチの出発点としてもっとも効果的なもののひとつです。ソフトウェアが「常にリリースできる状態」になるように仕事を進めるのです。そして、「リリース可能性」は効率的で効果的な自動テストによって判定します。

しかし、テストには単に誤りをキャッチするだけではない重要な側面があります。これは、このような仕事のしかたをした人でなければ容易にわからないことでもあります。

それは以前説明した設計のテスト可能性の効果です。これについては第14章で詳しく説明しますが、ここでは抽象化に関わる部分に限定して話しておきましょう。テストをコードの望ましいふるまいのミニ仕様と考えれば、コードの外から内に向かってその望ましいふるまいを記述できるということです。

仕様は、コードを書き終えてから書くものではありません。コードを書く前に必要なものです。そこで、コードを書く前に仕様（テスト）を書くことになります。まだコードがないので、仕事を楽にすることに、より明確に重点が置かれます。この時点での目標は、できる限り仕様を単純明確に表現するために、テストをできる限り単純にすることです。

すると必然的に、私たちのコードを使う側の立場から見て望ましいコードのふるまいを、できる限り単純明確に表現するようになります。少なくとも、それを目指さなければならなくなるのです。この時点では、そのミニ仕様を満たすために必要な実装の詳細については考えてはなりません。

このアプローチに従えば、定義上、設計を抽象化することになります。テストケースをうまく書けるようにするために、考えが表現しやすくなるようなインターフェイスを定義することになり、コード自体も使いやすくなります。仕様（テスト）を書くことは設計作業の一部です。コード自体の仕組みから切り離した形で、ほかのプログラマーに自分のコードをどのように使ってもらいたいかを設計するわけです。コードの実装の詳細について考える前に、これをすべて済ませることになります。抽象化を基礎とするこのアプローチは、コードが何をしなければならないかとそれをどのように実現するかを切り離すために役立ちます。この時点では、ふるまいをどのように実装するかについてはほとんど、あるいはまったく言っていません。それはあとで考えることです。

これは契約による設計へのアプローチとして、実際的、実利的でフットワークの軽いものです[5]。

## 12.7 抽象化の力

私たちソフトウェア開発者は、コードを使う立場での抽象化の力をよく知っています。しかし、コードを書く側になると、多くの開発者が自分のコードの抽象化にあまり注意を払わなくなってしまいます。

初期のOSでは今ほどハードウェアの抽象化が進んでいませんでしたが、今なら、PCのグラフィックカードを入れ替えても、そのような変更の影響からアプリケーションを遮断する充実した抽象化スタックがあり、アプリは動作し続け、きちんと表示されるはずだという自信を持てます。

現代のクラウドベンダーは、複雑でスケーラブルな分散アプリケーションを実行する運用上の複雑さを抽象化するために力を注いでいます。AWSのS3のようなAPIは、嘘のように単純です。どのようなバイトシーケンスであっても、取り出すときに使うラベルと配置する「バケット」の

5　契約による設計は、契約に重点を置くソフトウェア設計アプローチです。契約とは、システムやシステムのコンポーネントがサポートする仕様のことです。https://en.wikipedia.org/wiki/Design_by_contract、https://ja.wikipedia.org/wiki/契約プログラミング参照。

名前を指定してサブミットすれば、世界中のデータセンターにばらまかれ、アクセス権を持っていれば誰でも取り出せるようになりますし、最悪の事態でない限り、SLA（サービスレベル契約）がアクセスを保証してくれます。これはかなり複雑なものを抽象化している例です。

抽象化は、もっと広い範囲の情報を整理するための原則にもなります。HTML、XML、JSONのようなセマンティックなタグを使ったデータ構造は、データ通信できわめて広く使われています。これらは「プレーンテキスト」だからよいという人もいますが、それは実際には正しくありません。プレーンテキストのコンピューターにとっての意味は何でしょうか。最終的にはトランジスターを通過する電子の流れであり、電子とトランジスターも抽象なのです。

異なるコードモジュール間のメッセージでHTMLやJSONが魅力的なのは、やり取りされるデータの構造が明らかで、コンテンツとともにスキーマが送られることです。GoogleのProtocol Buffer[6]やSBE[7]のようなもっとパフォーマンスの高いメカニズムでも同じことができますが、大半の人々がそうしていないだけです。

開発者たちがJSONやHTMLといった（実際には）恐ろしく非効率なメカニズムを好んで使うのは、この形式なら何にでも対応できるからです。それは、プレーンテキストというもうひとつの重要な抽象化のためです。プレーンテキストは、プレーン（単純明白）でもテキストでもありません。プレーンテキストとは、文字のストリーム（連続）として表現されているというごく基本的なレベルを除いてデータ構造について考えずに情報を扱ってよいというプロトコルであり、抽象です。そのような基本的なレベルであっても、テキストは情報を隠蔽している抽象なのです。

この「プレーンテキスト」のエコシステムはコンピューティングに深く

---

6 GoogleのProtocol Bufferは、XMLを小型化、高速化、効率化したものとして作られました。詳しくはhttps://bit.ly/39QsPZHを参照。

7 SBE（Simple Binary Encoding）は、金融業界で使われているプロトコルです。バイナリデータによる符号化のアプローチで、データ構造を定義したり、送受信のどちらかの側でデータを翻訳するコードを生成したりすることができます。ほかのセマンティックなデータ符号化アプローチと共通する性質を持っていますが、オーバーヘッドが小さくなっています。詳しくはhttps://bit.ly/3sMr88cを参照。

浸透していますが、決して自然なものでも不可避なものでもありません。これは人間が設計した抽象であり、時間とともに発展してきたものです。バイトオーダーや符号化方式といったところで合意が必要でした。そういったことは、ソフトウェアを実行するハードウェアを理解するための抽象について考える前から始まっていました。

「プレーンテキスト」はきわめて強力な抽象です。コンピューティングの世界できわめて強力な抽象としては「ファイル」もあります。Unixのコンピューティングモデルでは、すべてがファイルだというところまでこの抽象が押し上げられました。あるモジュールが出力したファイルを別のモジュールが入力とするように「パイプ」でつなげば、ロジックをつないでより複雑なシステムを組み立てられます。しかし、これらはすべて「作り話」であり、実際に行われていることを想像し、整理するために役立つ方法に過ぎません。

抽象化は、私たちがコンピューターを扱う力を支える基礎です。コンピューターに付加価値を与えるために作るシステムを理解して取り扱う能力の基礎も、抽象化です。見方によれば、私たちがソフトウェアを書く（何らかの形で行うのはこれだけですが）ときにしているのは、新しい抽象を作ることだと考えることもできます。大切なのはよい抽象を作ることです。

## 12.8 漏れのある抽象化

漏れのある抽象化（leaky abstraction）は、「抽象化したはずの細部が完全に消えていない抽象化」のことです

この概念を広めたジョエル・スポルスキーは、さらに次のように言っています。

> 単純でないすべての抽象化には漏れがある[8]。

ときどき、ひどいコードの言い訳として、「すべての抽象は漏れがある

8　この言葉を含むジョエル・スポルスキーの投稿は、https://bit.ly/2Y1UxNGで読めます。

んだから、いいんじゃないの？」というようなことを言う人がいますが、これはスポルスキーの投稿の論旨と抽象全般の意味の両方を曲解しています。

コンピューターとソフトウェアは、抽象化なしでは存在できません。「漏れのある抽象化」という概念は、その事実に逆らおうとするものではありません。抽象化は複雑なプロセスなので、取り扱いには注意が必要だということを言っているのです。

同じように「漏れ」と言っても、異なるタイプのものがあります。ひとつのタイプは、どうしても避けられない漏れです。この種の漏れに対するもっとも効果的な対処方法は、漏れについてよく考え、漏れの影響を最小限に抑えることです。たとえば、「手に入れられるハードウェアの限界ぎりぎり」でデータを処理できる低レイテンシーシステムを作りたい場合、「ガベージコレクション」や「ランダムアクセスメモリー」といった抽象は、レイテンシーを変数にして時間が抽象化から漏れてしまう（時間を抽象化しきれない）ため、邪魔になります。現代のプロセッサーはRAMよりも数百倍も高速なので、時間を意識するなら情報アクセスの方法をランダムに選ぶわけにはいきません。処理したい情報がどこからやってくるかによって時間的なコストは異なります。そのため、ハードウェアを活用した最適化が必要になります。漏れの影響を最小限に抑えたいなら、キャッシュ、プリフェッチサイクルといったハードウェアの抽象を理解し、それらが設計に入り込むことを許容することが必要になります。

もうひとつのタイプの漏れは、抽象が生み出している幻像の破れ目であり、それは設計の破綻に対処するための時間、エネルギー、想像力が足りなかったために残ってしまったものです。

たとえば、HTMLエラーコードという形でサービスのエラーを報告する認可サービスや`NullPointerExceptions`を返すビジネスロジックモジュールは、どちらも下位の技術レベルのエラーを潜り込ませてビジネスレベルの抽象を台無しにしています。これらはどちらも抽象が生み出そうとした幻像に破れ目を作っています。

一般に、この第2のタイプの漏れには、できる限り抽象のレベルを揃えるようにして対処します。何らかのウェブサービスとしてアクセスできるようになっているリモートコンポーネントなら、HTMLエラーコードでエラーを知らせても許容されるでしょう。それは、サービス自体の世界におけるエラーではなく、ネットワーキングと通信という技術的なレベルの抽象で起きたエラーです。しかし、サービスのビジネスレベルのエラーを知らせるためにHTMLエラーコードを使うのは間違いです。それでは抽象に破れ目を作ることになります。

漏れのある抽象化はどのように捉えたらよいでしょうか。すべての抽象化は基本的にモデリングだと考える手があります。抽象化の目的は、問題について考えをめぐらせ、仕事をしやすくするためのモデルを作ることなのです。私は、ジョージ・ボックスの次の言葉が気に入っています。

> すべてのモデルは間違っているが、一部のモデルは役に立つ[9]。

ソフトウェア開発者は、いつもこのような状況に置かれています。モデルがいかに優れていても、それは真実そのものではなく、真実の代用品に過ぎません。しかし、突き詰めれば真実でなくても、モデルはとても役に立つことがあります。

私たちが目的とすべきは、完璧なものを作ることではなく、問題解決のツールとして役に立つモデルを作ることです。

## 12.9 適切な抽象の選択

選択した抽象の性質は重要な意味を持ちます。この点に関して普遍的な「真実」はありません。あるのはモデルです。

そのよい例は地図です。もちろん、すべての地図は実際の地球の抽象ですが、ニーズによって異なる抽象を使います。

船や飛行機で目的地にたどり着く方法を知りたいなら、ふたつの地点を結ぶコースがわかる地図（厳密にはこの種の地図は海図、または航空図と

---

9 統計学者ジョージ・ボックスの言葉。しかし、このような考え方自体はもっと古くからあります。https://bit.ly/2KWUgbY参照。

呼ばれます）があると便利です。1569年にメルカトルが発明した正角図法は、そのような地図です。

あまり細かいことを言ってみなさんを退屈させないように簡単に説明しましょう。正角図法の海図は、**航程線**と呼ばれるものを基礎としています。この種の地図で航程線を調べ、A地点からその航程線が示す方角に航海（または飛行）すると、目的のB地点に着きます。

しかし、誰もが知っているように、この世界は平面ではなく球面です。そのため、航程線は実際にはA地点とB地点を結ぶ最短距離の経路ではありません。球面上でふたつの点を最短距離で結ぶ線は曲線であり、その線に沿って進むと、目的地の方角は絶えず変わっていくのです。海図の抽象は、より複雑な曲面上の距離計算を隠し、航程の計画に使える実用的なツールを提供します。

この抽象には、絶対必要な最短距離よりも実際の航程の距離が長くなるという漏れがありますが、航程の計画と実際の航海での使いやすさの面での最適化を目指した抽象なので、これでよいのです。

ほとんどの地下鉄路線図では、これとはまったく異なる抽象が使われています。それは1933年にハリー・ベックが発明したものです。

ハリーの路線図はデザインの古典となり、そのアイデアは地下鉄網を使いこなすためのツールとして世界中で使われています。ハリーは、ロンドンのチューブ（ロンドンの地下鉄網）で移動するときに人は乗換駅の正確な位置など考えないということを認識していました。そこで、実際の地理とは無関係に、ただトポロジカルな意味で地下鉄網を正確に表現する路線図を作りました。

このスタイルの路線図、すなわちこの抽象は、どの列車がどの駅に向かうか、どの駅でほかの線に接続するかを非常に明確に教えてくれます。しかし、駅と駅の間を歩くためにこれを使おうとすると、抽象が破綻します。実際には非常に近いふたつの駅が路線図では遠く離れたところに描かれている場合がありますし、近くに描かれていても実際には遠く離れている駅もあります。

私が言いたいのは、同じものに対して異なる抽象があってもかまわないということです。ロンドンの地下鉄駅をつなぐネットワークケーブルのためにハリーの路線図を使うのは馬鹿げているでしょう。しかし、ディナーのために地下鉄でアーセナル駅からレスター・スクエア駅まで行きたい場合に、普通の地図を使うのは馬鹿げています。

抽象化とその中心にあるモデリングは、設計の基礎です。抽象の照準が解くべき問題にぴたりと合っていればいるほど、設計はよくなります。「抽象が正確であればあるほど」とは言っていないことに注意してください。ハリーの地下鉄路線図がはっきりと示しているように、抽象を役立つものにするために正確である必要はありません。

そして、ここでもテスト可能性が確保されていれば、役に立つ抽象を探す試みに早い段階でフィードバックとひらめきが得られます。

ユニットテスト、そしてときどきTDDに対してなされる批判のひとつに、テストとコードが「互いに相手を縛り合い」、どちらも書き換えにくくなるというものがあります。これはコードが完成してからテストを書くユニットテストにはるかに当てはまる批判です。そのようなテストは、仕様ではなくテストとして書かれているため、必然的にテスト対象システムと密結合します。TDDの場合、先にテスト（仕様）を書き、それによって問題の抽象化を進めることになるので、テストとコードの密結合が問題になることは少なくなります。

そして、なかなか見えにくいところですが、TDDはここで非常に大きな効果を生み出します。結果の達成方法ではなく、コードが行うべきこと自体にフォーカスして抽象化された仕様（テスト）を書けば、テストは抽象自体を表現することになります。そのため、コード変更によってテストが簡単に壊れるなら、それは抽象が変更に対する耐性を持っていないということになります。その場合、もっと考えてよりよい抽象を生み出さなければなりません。私が知る限り、このようなフィードバックが得られる方法はほかにありません。

次章では、カップリングを取り上げます。不適切なカップリングの解消は、ソフトウェア開発で特に重要な課題のひとつです。次章は、章全体でカップリングを管理する戦略を示していきます。問題は、フリーランチなどないということです。過度に抽象化された設計は、抽象化が足りない設計と同じぐらい大きな苦痛になります。作業効率が下がり、開発とパフォーマンスに望ましくないコストがかかるようになります。ちょうどよいスイートスポットがあるのです。システムのテスト可能性は、スイートスポットを探し当てるためのツールとして役に立ちます。

一般に、私たちはあまり余分な作業をせずに実装（そしてできる限りの範囲で設計）についての判断を変えられる状態を維持することを目指すべきです。この状態を確実に実現するレシピはありません。これは優れたソフトウェア開発者のスキルであり、研鑽と経験によって得られるものです。あとで判断を変えにくくなるような設計と選択肢を残してくれる設計を見分けられる感覚を磨いていかなければなりません。

そのため、ここで私が言うアドバイスはコンテキストに依存します。しかし、ルールではないもののガイドラインとなるものは示せます。

## 12.10 問題ドメインからの抽象化

問題ドメインをモデリングすると、設計の方向性がある程度まではっきりします。つまり、**問題ドメインの関心の分離が自然になり**、解くべき問題のより深い理解に役立ちます（否応なく理解が深まる場合さえあります）。問題ドメインに属する各部の関係を精密に描き出すためには、**イベントストーミング**[10]などのテクニックが役立ちます。

イベントストーミングは、注目すべき概念を形成するふるまいの束（まとまり）を見つけ出すために役立ち、そのような概念は設計のなかでモジュールやサービスにすべきものの候補になります。イベントストーミングは、境界づけられたコンテキストや、問題ドメイン内の抽象の自然な境界線を浮かび上がらせます。このようにして得られた区分は、より技術的な方法で得られた区分よりも、双方が疎結合になりやすくなります。

10 イベントストーミングは、アルベルト・ブランドリーニが考え出したコラボラティブな分析テクニックで、問題ドメイン内でのやり取りをモデリングできます。http://bit.ly/3rcGkdt参照。

**ドメイン固有言語**

抽象度のレベルが上がることが約束されるアイデアのひとつにドメイン固有言語（DSL）があります。しかし、DSLは、定義上汎用ではありません。意図的に狭い領域に特化し、より抽象的に細部を隠蔽できるようになっています。

これは、ダイアグラム駆動開発システムを取り上げたときに触れた効果です。狭いスコープの問題を解決するときには、DSL（この場合はグラフィカルなもの）はとても効果的です。この分野では、この種の制約の多いアイデアの表現方法は、きわめて強力で役に立ちます。

DSLはきわめて役に立つツールで、強力な（場合によってはユーザープログラマブルな）システムの開発で重要な役割を果たしますが、コンピューティング全般の汎用ツールとは言えないため、本書が取り上げる話題からは外れます。そのため、DSLについての話はここまでとなりますが、あとひとつだけ簡単に触れておきたいことがあります。それは、DSLを作る以上に効果的なテストケースの作り方はないということです。DSLを作れば、システムの望ましいふるまいを「実行可能な仕様」で表現できるのです。

## 12.11 付随的な複雑さの抽象化

ソフトウェアはコンピューター上で実行されます。コンピューターの動作の仕組みから独自の抽象や制約が生まれ、私たちはそれらと戦わなければなりません。そのなかには、並行処理や同期/非同期通信のように情報科学や情報理論のレベルまで下りていく深い抽象があります。その一方で、プロセッサーのキャッシングアーキテクチャーやRAMとオフラインストレージの違いのようにハードウェア実装固有の抽象もあります。

よほど単純なシステムでもない限り、こういったものは無視できません。そしてシステムの性質によっては、これらを非常に深く考えなければならない場合があります。しかし、これらは漏れが出ることが避けられない抽象です。ネットワークが落ちたら、ソフトウェアはいずれ影響を受けます。

一般に、私がシステムを設計するときには、できる限り付随的な複雑さの領域と本質的な複雑さ（問題ドメイン）の領域の間のインターフェイスを抽象化するように努めます。そのためにはちょっとしたデザイン思考とちょっとした工学者的思考が必要になります。

最初に考えるのは、本質的な複雑さの領域で付随的な複雑さの世界をどのように表現するか、私のシステムのロジックは実行されるコンピューターについて何を知らなければならないかです。そのような知識を最小限に抑えるよう努力しなければなりません。

リスト12-1は、第10章で凝集度の比較のために使った3つのコード例です。抽象化とか、付随的な複雑さと本質的な複雑さの分離といった視点でこのコード例を見ると、新たな知見が得られます。

**リスト12-1 凝集度の3つのコード例（再掲）**

```
def add_to_cart1(self, item):
    self.cart.add(item)

    conn = sqlite3.connect('my_db.sqlite')
    cur = conn.cursor()
    cur.execute('INSERT INTO cart (name, price)
    values (item.name, item.price)')
    conn.commit()
    conn.close()

    return self.calculate_cart_total();

def add_to_cart2(self, item):
    self.cart.add(item)
    self.store.store_item(item)

    return self.calculate_cart_total();

def add_to_cart3(self, item, listener):
    self.cart.add(item)
    listener.on_item_added(self, item)
```

第1のコード例、add_to_cart1は何も抽象化しておらず、その結果ぐちゃぐちゃになっています。

第2のコード例、add_to_cart2はそれよりも改善されています。情報の格納のために抽象を導入しています。コードにstoreというシームを入れたため、コードの凝集度が上がり、カートに商品を追加するというドメインの本質的な機能と合計の計算や情報の格納といった付随的な複雑さの間に明確な関心の分離の境界線を引いています。情報の格納が付随的な複雑さになるのは、コンピューターが揮発性ながら高速なRAMと低速ながら不揮発性のディスクを区別しているからです。

最後に、add_to_cart3は、掛け値なしで本質的な複雑さだけが残るような抽象を使っています。起きたことに関心を持つもの、すなわちListenerという概念を導入するというごくわずかな譲歩だけで、抽象は無傷になります。

私が見たところ、抽象化の一貫性という点ではadd_to_cart3がベストです。ストレージの概念さえ取り除かれています。

この抽象のよいところは、モデルから付随的な関心がきれいに取り除かれ、その結果、このコードはテストが簡単になり、on_item_addedを書き換えればコードを簡単に拡張できるところです。

しかし、storeが失敗したら何が起きるかという問題は、この抽象のコスト、すなわちon_item_addedが最高の選択とは言えなくなるかもしれない漏れになり得ます。データベースが接続プールの接続を使い切ったり、ディスクがいっぱいになったり、コードとデータベースを結ぶネットワークケーブルが事故によって切断されたりしたらどうなるでしょうか。

第1のコード例はモジュラーではなく、凝集度に欠け、付随的な複雑さと本質的な複雑さを混在させ、関心の分離ができていません。これは依然としてまずいコードです。

ほかのふたつの方が第1のコード例よりも優れています。それは、美しいとかエレガントだといったことではなく、実際的、実利的な理由からです。

第2、第3のコード例は、関心の分離と選択した抽象のために第1のコード例よりも柔軟性、モジュラー性、凝集度が高く、疎結合になっています。第2、第3のコード例の間での抽象の選択は、実際にはコードが置かれたコンテキストによって左右される設計上の選択です。

このような設計上の選択が、複数の形でコードに影響を与えるところは想像できます。

たとえば、カートへの商品の追加とストレージがトランザクション処理になっている場合、ストレージにエラーがあればカートへの追加を取り消さなければならなくなります。これは、それまで純粋だった抽象にストレージの技術的な問題が侵入してくることになるので苦々しいことです。しかし、漏れの度合いを制限することはできるはずです。add_to_cart2を少し書き換えたリスト12-2を見てください。

**リスト12-2 抽象への漏れを減らす方法**

```
def add_to_cart2(self, item):
    if (self.store.store_item(item))
        self.cart.add(item)

    return self.calculate_cart_total();
```

リスト12-2では、完全に抽象化されていた第3のコード例から少し後退し、抽象のなかに「ストレージ」の概念が入り込むことを許容しています。格納の成否の戻り値によって、格納とカートへの商品の追加がトランザクションになっているという関係を表現しています。このコードは、実装固有のエラーコードを返してドメインレベルの抽象に実装固有の概念を漏らすようなことはしていないことに注意してください。エラーの技術的な性格を論理型の戻り値の範囲に抑えているのです。これは、エラーを捕捉して報告するという問題を別の場所（この例の場合は、おそらく「ストレージ」の実装のなか）で処理しているということです。

これも、抽象に含まれる避けられない漏れの影響を最小限に抑えようとする努力の一例です。私たちは、エラー条件もモデリングして抽象化しています。これであらゆるタイプのstoreの実装をまた想像できるようになりました。その結果、コードはより柔軟になっています。

この問題については、よりデカップリングされた見方を取ることもできます。リスト12-1のadd_to_cart3のon_item_added呼び出しの背後で、何らかの「保証」[11]が与えられていると考えるのです。たとえば、何らかの理由でon_item_addedが失敗したら、成功するまで再試行されるのだと想像しましょう（実際には、もっと賢い方法を取るべきところですが、コード例を単純なものに保つために、この方法で突っ走ることにします）。

すると、将来のどこかの時点でon_item_addedイベントに反応してstoreやその他のものがアップデートされると考えられるようになります。

この場合、on_item_addedの背後で行われる通信の複雑度は確実に上がりますが、私たちの抽象はより強く守られます。状況次第では、複雑度が上がってもこのようにする意味があるかもしれません。

これらのコード例を使って私がしたいことは、あらゆる選択肢を網羅することではなく、システムのコンテキスト次第で選択できる工学的なトレードオフの一部を例示することです。

私が「工学的思考」と言い、ここで実際に示せたはずのものは、ものごとがうまくいかない可能性についての考え方の問題です。マーガレット・ハミルトンがソフトウェア工学という言葉を考え出したときに、自分のアプローチの基礎として言及したのがこれだったことを思い出してください。

この例では、ストレージでエラーが起きたらどうなるかを想像しました。そして、そのような場合には、抽象に漏れが出ることがわかりました。そのため、もう少し考えを進めざるを得なくなり、漏れに対処するための2種類の方法を考え出したということです。

## 12.12 サードパーティーのシステムやコードの分離

add_to_cart1とadd_to_cart2、add_to_cart3の間には、特定のサードパーティーコード（この場合はsqlite3）の侵入を許し、カップリングしているかどうかという違いもあります。sqlite3はPythonの世界では広く使われているライブラリーですが、だからといってこのように

11 コンピューター科学者は、「保証された配信」は不可能だと言うでしょう（正しいことです）。それは「ちょうど一度だけの配信」を保証することはできないという意味ですが、これには対処できます。https://bit.ly/3ckjiwL参照。

使ってしまうと、私たちのコードはこの特定のサードパーティーライブラリーに完全に縛られてしまいます。3つのコード例のなかでadd_to_cart1が最悪だというもうひとつの理由は、このようなサードパーティーコードとのカップリングです。

sqlite3、接続、INSERT文に言及しているコードブロックを切り取ってどこか別の場所に移し、このコードではそういったものを相手にしないようにすれば、コードの汎用性を大きく引き上げられます。ほんのわずかな手間で大きな利益が得られます。

自分のコードにサードパーティーコードが入り込むのを許した途端、コードはサードパーティーコードとカップリングしてしまいます。一般に、私は自分のコードの自分の抽象をサードパーティーコードから分離しようとしますし、そのようにアドバイスします。

しかし、先に進む前にちょっとした注意書きが必要になります。当然ながら、プログラミング言語と言語の一般的なサポートライブラリーも「サードパーティーコード」です。しかし、StringやListに対して独自ラッパーを書くべきだと言うつもりはさすがにありません。いつものように、私のアドバイスはガイドラインであって、絶対厳守すべき規則ではないのです。私のデフォルトの立場は、言語の概念と標準ライブラリーが入り込むことは許容するものの、言語に付属していないサードパーティーライブラリーは直接呼び出さないというものです。

私がサードパーティーライブラリーを使うときには、自分で作ったファサードやアダプターを介してアクセスします。それらのファサード、アダプターは、ライブラリーへのインターフェイスを抽象化、単純化するため、私のコードとライブラリーコードの間に単純な分離のための階層を作ります。このような理由から、私には、それぞれのプログラミングモデルを押し付けようとしてくる包括的なフレームワークに警戒心を持つ傾向があります。

これは少し極端に感じられるかもしれませんし、実際に極端かもしれませんが、このアプローチのおかげで私のシステムはよりコンポーザブルで柔軟なものになっています。

この章で見てきた小さなコード例でも、add_to_cart2は、私のストレージ実装のコンテキストにおいて合理的な抽象化の形を示しています。ストレージの実装としては、add_to_cart1のsqlite3への格納コードと本質的に同じものも、まったく異なるタイプのものも提供できますが、そのためにadd_to_cart2の実装に手を付ける必要は一切ありません。異なるシナリオで同じ格納コードを使うこともできます。そして、必要であれば、商品追加の情報を複数の場所に格納する複合バージョンのstoreを書くこともできます。

最後に、私たちのコードのこの抽象に対する動作のテストでは、かならず本物の格納コードよりも単純なバージョンが使えます。そのため、私のソリューションは飛躍的に柔軟になり、書き換えやすくなります。ミスを犯してもごくわずかな作業で修正できます。

## 12.13 常に情報隠蔽を指向せよ

YAGNIに陥らずに将来の変更への余地を残すコードを書くための強力なガイドラインとしては、個別的な表現よりも汎用性の高い表現を選べというものもありますが、これではいささか単純化しすぎているところがあります。この考え方がもっともはっきりあらわれるのは、おそらく関数やメソッドのシグネチャーでしょう。

リスト12-3は、3種類の関数シグネチャーを示しています。私から見てひとつはほかのふたつよりもはるかによいものです。しかし、いつもと同じように評価はコンテキスト次第で変わります。

**リスト12-3 情報隠蔽を指向する**

```
public ArrayList<String> doSomething1(HashMap<String, String> map);

public List<Sting> doSomething2(Map<String, String> map);

public Object doSomething3(Object map);
```

第1のシグネチャーは過度に特化されたものになっています。戻り値を集めるときにほかの種類のListではなくArrayListでなければならないことがどれだけあるでしょうか。ほとんど皆無に近いもののそうしなければならない状況は想像できますが、一般にリストの種類を指定するようなことはしません。私が気にするのはほとんどかならずList的なものかどうかであり、ArrayList的なものかどうかではないのです。

私にはみなさんの声が聞こえます。「わかったよ。じゃあ、もっとも抽象的でもっとも一般的な表現を選べってことだよね」。それでだいたい間違ってはいませんが、抽象が維持できる合理的な範囲内でという条件が付きます。何も考えずに言われた通りにすると、doSomething3のようなわかりにくい関数シグネチャーを作ってしまうでしょう。これはおそらく無意味になってしまうところまで汎用的になっています。ここでも、Objectが正しい抽象レベルになることがないわけではないでしょうが、まれでしょうし、まれにすべきです。そしてそれは本質的な複雑さの領域ではなく、かならず付随的な複雑さの領域でのことになるはずです。

そういうわけで、私が一般的に目指すのはdoSomething2です。doSomething1のように技術的に特殊なものに縛られすぎない程度には抽象的、一般的であると同時に、入力としてどのような情報を求めるか、その入力からどのような出力を生み出すかについての方向性を示し、維持するために役立つ程度には個別具体的にするということです。

私が同じことを繰り返し言っているのでみなさんはもううんざりしているだろうと思いますが、**テスト可能性**を意識して設計すれば、抽象の度合いのスイートスポットを見つける力が上がります。テストを書いて、作ろうとしているインターフェイスの使い方をシミュレートすると、テスト対象コードのインターフェイスの使い心地を体験し、自分の理解を確かめるチャンスが得られます。

このように、一般に情報隠蔽を目指すとともに、コンテキストが許す範囲で処理しようとしている情報のより一般的な表現を選ぶようにすると、将来の変更を許容する状態を維持しやすくなります。

## 12.14 まとめ

抽象はソフトウェア開発の核心です。ソフトウェアエンジニアを志す人たちにとって、抽象化のスキルは育てていかなければならない必須のスキルです。私が示すコード例の大半はおそらくオブジェクト指向的でしょうが、それは私がオブジェクト指向的にコードを考えることが多いからです。しかし、抽象化のスキルが大切なのは、関数型プログラマーでも、アセンブリ言語プログラマーでも変わりません。どのようなコードであっても、情報隠蔽のためのシームを作ればよりよいものになります。

# 第 13 章

# カップリングの管理

カップリング（結合度）は、複雑さ管理の方法について考え始めたときに特に重要な概念のひとつです。

**カップリング**は、「ソフトウェアモジュールの間の相互依存の度合い、2つのルーチン、モジュールがどの程度密接につながっているかの尺度、モジュール間の関係の強さ」と定義されています[1]。

カップリングはあらゆるシステムの本質的な要素ですが、ソフトウェアシステムのカップリングの議論は緩いものになりがちです。より疎結合なシステムがよいということはよく言われることですが、はっきりさせておきたいことがあります。それは、ソフトウェアシステムのコンポーネントが完全にデカップリングされていたら、コンポーネント同士はやり取りできなくなるということです。これは役に立つ場合とそうでない場合があります。

カップリングはいつも完全に取り除けるものではありませんし、そうすべきものでもありません。

## 13.1 カップリングのコスト

しかし、カップリングは、持続可能かつ信頼できる形で繰り返しソフトウェアを作り提供する能力に、もっとも直接的に影響を与えます。システム内、そしてシステムを作る組織内のカップリングの管理は、規模や複雑度の違いにかかわらずソフトウェアを生み出していく能力の入口であり、核心です。

**モジュラー性**、**凝集度**といったシステムの属性や**抽象化**、**関心の分離**といったテクニックが重要な意味を持つ本当の理由は、システムの**カップリング**の削減に役立つことです。カップリングの削減は、作業を進めるスピードや効率、ソフトウェアと開発組織のスケーラビリティと信頼性に直接的な影響を与えます。

カップリングが生む問題やコストについて真剣に考えなければ、ソフトト

1　出典：Wikipedia, https://en.wikipedia.org/wiki/Coupling_(computer_programming)

ウェアは泥だんごになり、開発組織はコードを書き換えられず、本番環境にリリースできない状態に陥ります。カップリングの管理には大きな賭け金がかかっているのです。

前章では、ごく小さなソフトウェアでさえもがんじがらめに縛り付けてしまう鎖を破るために、抽象化が役立つことを学びました。抽象化を放棄すると、コードは密結合し、システムのある部分を書き換えたときにほかの部分のふるまいがおかしくなることを心配せざるを得なくなります。

本質的な複雑さと付随的な複雑さという異なる関心を分離しなければ、コードは密結合し、口座残高が正しく管理されている状態で並行処理が実現できているかというような複雑な問題を心配しなければならなくなることがあります。そのような仕事のしかたは避けたいところです。

しかし、だからと言って密結合は悪で、疎結合は善だというわけではありません。話はそれほど単純ではないのです。

ただ一般的に言って、開発者やチームが大きな間違いを犯すときの圧倒的多数は、過度な密結合に向かう方です。「過度に疎結合」になったときにもコストはかかりますが、一般にそれは「過度に密結合」になったときのコストよりもかなり下です。そういうわけで、一般的には**密結合よりも疎結合を目指す**ようにすべきです。ただし、両者のどちらかを選択したときのトレードオフも理解しておく必要があります。

## 13.2 スケールアップ

カップリングが事業成績に与える影響でもっとも大きなものは、開発をスケールアップする私たちの能力でしょう。知らなければならないすべての人が知っているかどうかは疑問ですが、プロジェクトのメンバーを増やしてもよりよいソフトウェアが早く作れるようになるわけではないことは大昔に明らかになっています。ソフトウェア開発チームの規模にはかなり厳格な限界があり、それ以上多くの人を投入するとかえって作業スピードが下がります（第6章参照）。

その理由はカップリングです。あなたのチームと私のチームが**開発カッ**

**プリング**[2]を起こしていると、おそらくリリースの調整のための作業が必要になります。私のコードを書き換えるたびに、あなたに何らかの形で通知をするという変更管理の方法は容易に想像できるでしょう。開発者やチームの数がごく少数ならそれでも機能するでしょうが、ちょっとでも増えるとあっという間に手に負えなくなります。全員の足並みを揃えるためのオーバーヘッドはあっという間に制御不能なまでに大きくなります。

このオーバーヘッドを最小限に抑え、調整の効率を最大限に引き上げる方法はいくつかあります。最良の方法は、**継続的インテグレーション**（CI）です。全員のコードをリポジトリーという共有空間で管理し、誰かが何らかの変更を加えるたびに、すべての部分がまだ正しく動作しているかどうかをチェックするのです。これは、あらゆる共同作業グループで重要なことです。グループのメンバーがごく少数でも、継続的インテグレーションによって得られる明確性は大きなメリットです。

このアプローチのスケーラビリティは、ほぼすべての人の予想を大幅に上回ります。たとえば、GoogleやFacebookは、ほぼすべてのコードでこれを実践しています。このような形でのスケールアップの欠点は、リポジトリー、ビルド、CI、自動テストに大きく投資しなければならないことです。開発作業の方向性を自在に変えられるぐらい高速にコード変更のフィードバックを得るためには、これらが必要になります。ほとんどの企業は、CIを機能させるために必要な変更を実現できるだけの投資ができないか、する気になれないでいます[3]。

この方法は、カップリングの兆候にうまく対処するための戦略と考えることができます。フィードバックが非常に早く、効率的なので、コードやチームが密結合になっていても、効率的に仕事を進められるのです。

2 （訳注）開発カップリングという概念は初出ですが、13.5節でほかのタイプのカップリングとともに説明されています。

3 私の著書『継続的デリバリー』は、ソフトウェア工学のこの側面をスケールアップするために必要なプラクティスを説明しています。https://amzn.to/2WxRYmx、https://www.amazon.co.jp/dp/B074BQQ96X参照。

## 13.3 マイクロサービス

オーバーヘッドを下げるもうひとつの戦略は、デカップリングまたは少なくともカップリングレベルの低下であり、これは**マイクロサービス**のアプローチです。マイクロサービスはソフトウェア構築でもっともスケーラブルな方法ですが、ほとんどの人はそのように捉えていません。マイクロサービスというアプローチは見かけよりもはるかに複雑で、実現するためには高度な設計力が必要とされます。

本書を読んできたみなさんにはお見通しかもしれませんが、私はサービスモデルによるシステム開発を支持しています。サービスモデルは、モジュールのまわりに境界線を描き、前章で説明した抽象化のシームを具体化する効果的なツールです。しかし、ソフトウェアのデプロイ方法にかかわらず、抽象化のシームを作ることがメリットであることを認識することが大切です。抽象化のシームの概念は、マイクロサービスの概念が生まれる数十年前からあるものです。

マイクロサービスという言葉が初めて使われたのは2011年ですが、マイクロサービスは何ら新しいものではありません。マイクロサービスに含まれるプラクティスとアプローチはすべてそれまでに使われていたもので、広く使われていたものも多数含まれています。マイクロサービスはそれらをひとつにまとめ、そのコレクションを使ってマイクロサービスとは何かを定義しました。マイクロサービスの定義にはいくつかの種類がありますが、私が使っているリストは次の通りです。

- 小さい
- ひとつのタスクにフォーカスしている
- 境界づけられたコンテキストと範囲が一致している
- 自律的である
- 独立してデプロイできる
- 疎結合になっている

みなさんもお気づきのように、この定義は、私が優れたソフトウェア設計を説明するときの特徴とほぼ重なっています。

このリストの項目でもっとも難しいのは、サービスが「独立してデプロイできる」というものです。**独立してデプロイできる**ソフトウェアコンポーネントは、大昔からさまざまなコンテキストで作られてきました。しかし、マイクロサービスでは、独立してデプロイできるということがアーキテクチャースタイルの定義の一部、それも中心的な一部になりました。

これはマイクロサービスと言えるかどうかを分ける重要な特徴です。この概念がなければ、マイクロサービスは何ら新しいものを導入したことにはなりません。

サービスベースシステムは、少なくとも1990年代始めからセマンティックなメッセージングを使っていました。マイクロサービスの特徴として挙げられるほかのものもすべてサービスベースシステムを作るチームでは広く使われていました。マイクロサービスの真価は、いっしょに実行されるほかのサービスとは別個にビルド、テスト、デプロイできることです。それには直接のやり取りがあるほかのサービスさえ含まれます。

このことが持つ意味について考えてみましょう。サービスをビルドして、ほかのサービスから**独立してデプロイできる**なら、ほかのサービスのバージョンを意識しなくてよいということになります。つまり、リリースする前に自分のサービスとほかのサービスの相性をテストしなくてよいということです。眼の前にある単純なモジュール、すなわち担当しているサービスだけに力を注げばよいという自由が得られるのです。

しかし、ほかのサービスやほかのコードに依存しすぎないようにするためには、サービスの凝集度が高くなければなりません。そして、サービスの変更によってほかのサービスが動作しなくなるようなことを防ぐためには、ほかのサービスとのカップリングを大幅に減らす必要があります。そうでなければ、リリースする前にほかのサービスとの相性をテストせずにサービスをデプロイできるようにはなりません。**独立してデプロイできる**とは言えなくなります。

マイクロサービスアプローチに従ってシステムを作っているつもりの多くのチームは、マイクロサービスの独立性とその意味を理解し損ねています。そのようなチームは、いっしょに使われるほかのサービスとの相性をまずテストしなくても、自分のサービスはデプロイできると言えるほどのデカップリングができていません。

**マイクロサービスはスケールアップできる組織を作るためのパターン**で、そこがマイクロサービスの長所です。社内の開発組織をスケールアップする必要がなければ、マイクロサービスは不要です（「サービス」自体はすばらしい概念ですが）。

マイクロサービスは、サービス同士をデカップリングし、サービスを作るチーム同士を完璧にデカップリングすることによって開発組織をスケールアップできるようにします[4]。

これであなたのチームは、私のチームの開発ペースが速いか遅いかにかかわらず、自分のペースで仕事を進められるようになります。あなたのサービスは私のサービスがどのバージョンかを意識しないで済みますが、それはあなたのサービスがそういう意識をしなくても済む程度に疎結合だからです。

しかし、このようなデカップリングを実現するためにはコストがかかります。サービスは、いっしょに使われるサービスが変更されても影響を受けない程度に柔軟に設計しなければなりません。ほかのサービスの変更が自分のサービスに影響を及ぼさないようにする設計戦略を取り入れることが必要になります。そして、チームが互いに独立して仕事を進められるように**開発カップリング**を切断しなければなりません。このコストは、開発組織をスケールアップする必要がなければマイクロサービスは間違った選択になるかもしれないという理由になります。

独立してデプロイできるようにすることにも、ほかのすべてのことと同じようにコストがかかります。そのコストとは、ほかのサービスとのやり取りに関してより抽象化され、より明確に分離され、より疎結合なサービスを設計するためのコストです。これを実現するためのテクニックにはさまざまなものがありますが、どれもサービスの複雑度と設計の難易度を上げます。

---

4　1967年にメルヴィン・コンウェイは、「システム（広い意味での）を設計する組織は、組織内のコミュニケーション構造を真似たような構造の設計を生み出す」と指摘しました。それをコンウェイの法則と呼んでいます。

## 13.4 デカップリングはコード量を増やす

理解を深めるために、これらのコストをできる限り切り離してみましょう。いつものことですが、決定を下せばそのために生まれるコストがあります。これは工学の本質的な特徴です。工学はトレードオフを扱うゲームなのです。コードのデカップリングを選ぶと、少なくともまず書くコードが増えるというコストがほとんど確実にかかります。

ここは多くのプログラマーがよく設計ミスを犯すポイントのひとつです。「コードは少ない方がよい」とか「コードが多いのはよくない」ということが多くの人々の先入観になっていますが、これはいつも正しいわけではありません。ここは、この先入観が間違っていると言い切れる場面です。今までの章でたびたび使ってきた小さなコード例をここでまた登場させましょう。リスト13-1は、カートに商品を追加するコードです。

**リスト13-1 凝集度のコード例のひとつ（再掲）**

```
def add_to_cart1(self, item):
    self.cart.add(item)

    conn = sqlite3.connect('my_db.sqlite')
    cur = conn.cursor()
    cur.execute('INSERT INTO cart (name, price)
      values(item.name, item.price)')
    conn.commit()
    conn.close()

    return self.calculate_cart_total();
```

空行を無視すると8行です。メソッドを抽象化してコードを改良しようとすると（みなさんも改良だということには賛成していただけると思いますが）、どうしてもコードの行数が増えます。

リスト13-2は、カップリングを減らし、凝集度を上げ、関心の分離を改善した分、行数が2行増えています。次のステップに進み、新しいモジュールやクラスを導入して引数として渡すようにすれば、設計の改良のためにさらに行数が増えます。

リスト13-2 カップリングの削減

```
def add_to_cart1(self, item):
    self.cart.add(item)
    self.store_item(item)
    return self.calculate_cart_total();

def store_item(self, item):
    conn = sqlite3.connect('my_db.sqlite')
    cur = conn.cursor()
    cur.execute('INSERT INTO cart (name, price) values (item.name,
      item.price)')
    conn.commit()
    conn.close()
```

私が本書で説明しているような設計アプローチを拒否するプログラマーがいるという話を聞いたことがあります。「タイプ量を増やさなければならない」という理由で自動テストを使うことを拒否するプログラマーがいるという話も聞いたことがあります。彼らは間違った目標のためにコードを最適化しようとしています。

コードはコミュニケーションの手段です。そして、第一義的にはほかの人とのコミュニケーション手段であり、コンピューターとのコミュニケーション手段ではないのです。

コードを書くのは、私たちの仕事を楽にし、私たちのコードとやりとりするコードを書くほかの人たちの仕事を楽にするためです。そのため、コードの可読性は、スタイルだの美学だのにこだわる人々にだけ意味のあるつまらない抽象的な性質ではありません。可読性は、優れたコードが持つ基本的な性質です。可読性は、コードの価値に直接経済的な影響を与えます。

そのため、コードやシステムをわかりやすくするために注意を払うことはとても重要です。しかし、これにはそれ以上の意味があります。入力する文字数によって効率を評価するのは愚かで馬鹿げたことなのです。リスト13-1のような構造化されずにカップリングしているコードは、この8行だけを見れば行数が少ないように見えるかもしれません。しかし、この関数が800行だとすれば、重複する部分や冗長な部分が含まれる可能性は高くなります。コードの複雑さ管理はさまざまな理由から重要ですが、それらの理由のひとつは、重複や冗長性を見つけ出して取り除くために役立つことです。

実際にシステムを作るときには、入力した文字数を数えることによってではなく、コードを通じてよく考え、設計を磨き、明確なコミュニケーションを実現することによって結果的にコード量が減るのです。

コードは、入力量を減らすためではなく、思考を深めることを目的として最適化すべきです。

## 13.5 カップリングのさまざまなタイプ

マイケル・ナイガード[5]は、カップリングを説明するすばらしいモデルを作りました。彼は、カップリングを5種類のカテゴリーに分類しています（表13-1参照）。

**表13-1 カップリングのナイガードモデル**

| タイプ | 影響 |
|---|---|
| 運用 | プロデューサーが実行されていないのでコンシューマーを実行できない |
| 開発 | コード変更のためにプロデューサーとコンシューマーの間の調整が必要になる |
| セマンティック | 共有する概念があるため両方を同時に書き換えなければならない |
| 機能的 | 協力して行う仕事があるため両方を同時に書き換えなければならない |
| 偶発的 | あまりよくない理由（たとえば互換性のないAPI変更）のために両方を同時に書き換えなければならない |

これは役に立つモデルであり、システム設計はこれらすべてのカップリングタイプに影響を与えます。私の変更が完成していないためにあなたの変更を本番環境にリリースできない場合、私たちの間には開発カップリングがあります。開発カップリングは、設計時の判断次第で対処できます。

あなたのサービスがまだ実行されていなければ私のサービスが実行でき

5 マイケル・ナイガード（Michael Nygard）はソフトウェアアーキテクトで、*Release It*の著者です。`https://bit.ly/3j2dGIP`でカップリングのモデルについてのすばらしい講演を見ることができます。この内容は複数のカンファレンスで講演されています。

ないのなら、私たちのサービスには運用カップリングがあります。これも、設計時の判断次第で対処できます。

カップリングにこのような種類の違いがあることを知ることは大きな前進です。これらのカップリングのタイプについて考え、どれにどのように対処するかを判断すれば、さらに前進できます。

## 13.6 どちらかと言えば疎結合を目指す

今まで説明してきたように、疎結合にはコストがかかります。そして、コードの行数が多くなるというコストは、パフォーマンス上のコストになることがあります。

### 疎結合のしすぎ

もう何年も前に、大手金融機関のコンサルティングに入ったことがあります。この会社は、自社で作った重要な発注管理システムに重大なパフォーマンス問題を抱えていました。私の仕事は、そのシステムのパフォーマンスを向上させる方法を探すことでした。

この設計の責任者のアーキテクトは、「ベストプラクティスに従った」ことを非常に誇りに思っていました。彼の解釈による「ベストプラクティス」とは、カップリングを減らすことと抽象度を高めることで、私もよいことだと賛成できることです。しかし、そのために開発チームがしたことのひとつは、リレーショナルデータベースのスキーマを完全に抽象化することでした。開発チームは、自分たちのデータベースには「あらゆるもの」を格納できることを誇りにしていました。

しかし、彼らがしたことは、一種のカスタム「スタースキーマ」を加味した「名前値ペア」を作るということで、これはRDBをストアとして使うことになってしまいます。しかし、それ以上に問題だったのは、彼らのアプリケーションに関する限り、「レコード」のなかの各フィールドが、兄弟レコードを読み出すためのリンクをともなうデータベース内の別個のレコードだったことです。そのため、アプリケーションは再帰の連続になっていました。

コードは汎用的で非常に抽象化されていましたが、ほとんどどのようなレコードをロードするときでも、個々のフィールドを引き出すために数百回、ときには数千回ものデータベースアクセスが必要で、それが終わってからでなければレコードを処理できませんでした。

抽象化のしすぎやデカップリングのしすぎが害になることもあるのです。

そのため、そういったコストがかかることを意識し、抽象化やデカップリングをしすぎないようにすることが大切になります。ただし、先ほども言ったように、大多数のシステムの問題は逆です。過度に抽象化、デカップリングされたシステムよりも、大きな泥だんごの方がはるかにたくさんあります。

私はキャリアの後半で極度にパフォーマンスの高いシステムの仕事をしているため、設計ではパフォーマンスを非常に重視しています。しかし、高パフォーマンスコードは煩雑になり、やたらと関数/メソッド呼び出しを増やせないと思うのはよくある間違いです。これは昔の考え方であり、捨てるべきです。

高パフォーマンスへの道は、単純で効率的なコードです。そして、最近の一般的なプログラミング言語やプラットフォームでは、単純で効率的なコードこそ、コンパイラーやハードウェアが理解しやすいコード、さらには予測可能な形で深く理解できるコードです。パフォーマンスは大きな泥だんごの言い訳にはなりません。

とは言え、高パフォーマンスコードではデカップリングのレベルに注意を払うべきだという議論には賛成できます。

これにはコツがあります。一方のサービス/モジュールからもう一方に遷移するために余分にかかるコストは許容しつつ、システムのなかの高パフォーマンスが要求される部分が抽象化のシームの片側に集まるようにシームを描いて凝集度を高めるのです。

サービス間のインターフェイスでは、一方の詳細がもう一方から見えなくなる程度に**疎結合を進めます**。インターフェイスは、システム設計のなかでも特に重要な部分なので、ほかの部分よりも注意を払って設計し、実行時のオーバーヘッドとコードの行数で少々コストが高くなっても許容するようにします。これは許容範囲内のトレードオフであり、よりモジュラーで柔軟なシステムを作るための重要な一歩です。

## 13.7 疎結合と関心の分離の違い

**疎結合**と**関心の分離**は似た概念のように感じられます。実際、両者には関連性があります。しかし、ふたつのコードが密結合しているのに関心の分離は非常によくできているとか、逆に関心の分離がよくできていないのに疎結合だということは十分あり得ます。

前者の方が簡単に想像できます。注文を処理するサービスと注文を格納するサービスのことを考えてみましょう。関心の分離はよくできていますが、2つのサービスの間でやり取りされる情報は詳細です。両サービスを同時に書き換えなければならなくなる場合があるでしょう。片方のサービスが「注文」の概念を変えたら、もう片方のサービスは動作しなくなるので、両者は密結合しています。

後者、つまり関心の分離はできていないのに疎結合なシステムの実際例は、これよりも少し想像しにくいでしょうが、抽象化すれば簡単に考えられます。

ふたつの別個の口座を管理するふたつのサービスがあり、片方の口座からもう片方の口座に送金するときのことを考えてみましょう。これらふたつの口座サービスは、メッセージを介して非同期に情報を交換するものとします。

まず、口座Aが「口座AからXという額のお金を出金し、口座Bに入金する」というメッセージを送ります。しばらくすると口座Bにメッセージが届き、口座Bは指定された額を入金します。このトランザクションには、2つの別々のサービスが参加しています。私たちが望むのは、一方の口座の資金をもう一方の口座に送金することです。ふるまいはそういうことですが、このふるまいには凝集度がありません。全体として一種の「トランザクション」が行われなければならないのに、出金と入金は別々の場所で行われます。

今説明したような形でこれを実装すると、まずいことになるでしょう。それでは単純化しすぎで、問題が起きます。送金のどこかで問題が起きたら、資金が消えてしまいかねません。

間違いなくもっと多くの作業が必要です。トランザクションの両側の歩調が合っていることをチェックする何らかのプロトコルを確立するのです。そうすれば、一方の口座から資金が抜かれたら、もう片方の口座にその資金が確実に届いていることを確かめられます。しかし、セマンティックにではなくても技術的にこれを疎結合な形で実現する方法は想像できます。

## 13.8 DRYは単純化しすぎ

DRYは「Don't Repeat Yourself」（同じコードを繰り返すな）を略したものです。システムの個々のふるまいには正統な表現をひとつだけ与えるようにしたいという思いを短い言葉で表しています。これは基本的によいアドバイスですが、いつもよいアドバイスになるとは限りません。これも、言うほど簡単ではないもののひとつです。

**DRY**は、ひとつの関数、サービス、**モジュール**のなかではすばらしいアドバイスです。アドバイスとして、間違いなくよいと言えます。しかも、DRYのスコープはこれらを超えて、バージョン管理リポジトリーやデプロイパイプラインまで広げられます。しかし、DRYにもコストがかかります。複数のサービスやモジュール、特に独立して開発されているものにDRYを適用すると非常に大きなコストがかかることがあります。

問題は、システム全体を通じて同じ概念に同じ正統な表現を与えるコストが密結合だということです。そして、密結合のコストが重複のコストを上回ることがあります。

これは両立しないものの間でバランスを取るという問題です。

依存関係管理は、いやらしい形で現れた開発カップリングです。あなたのサービスと私のサービスが何らかの同じライブラリーを使っていて、私のサービスをアップデートしたときにあなたのサービスもアップデートしなければならなくなるようなら、私たちのサービスと開発チームは開発カップリングしていることになります。

このカップリングは、私たちがそれぞれ独立して仕事を進められるかどうかと、私たち双方にとって重要なものの改良に深い影響を与えます。私のチームが新バージョンのライブラリーを使ったために、あなたのサービスもそれを使わざるを得なくなり、その対応が終わるまであなたがリリースを保留しなければならなくなるのは問題でしょう。また、ほかの仕事を進めてきたところ、この変更によってその仕事が難しくなるようなら、それは苦々しいことです。

DRYのメリットは、何かを変えるときに、1か所を変えるだけで済むことです。それに対し、デメリットは、そのコードを使っているすべての箇所が何らかの形でカップリングしてしまうことです。

工学的な見地に基づいてこの問題の解決に役立つツールがいくつかあります。もっとも重要なのは、デプロイパイプラインです。

継続的デリバリーにおいて、**デプロイパイプライン**の目的は、システムをリリースできるかどうかについて明確で決定的なフィードバックを与えることです。パイプラインが「すべてうまくいっているようだ」と言えば、それ以上何もせずに安心してリリースできます。これは暗黙のうちにデプロイパイプラインのスコープについて重要なことを言っています。それは、このスコープに入っているものは「独立してデプロイできるソフトウェアユニット」になっているということです。

そういうわけで、パイプラインがすべてうまくいっていると言えばリリースできます。これがDRYを取り入れてよい合理的なスコープです。同じデプロイパイプラインのスコープ内ではDRYを指導原則とすべきですが、複数のパイプラインにまたがってDRYを取り入れるのは避けるべきです。

では、マイクロサービスベースのシステムを作っているときにはどうでしょうか。それは、個々のサービスが独立してデプロイでき、それぞれのデプロイパイプラインを持っているということなので、複数のマイクロサービスの間ではDRYを取り入れてはなりません。**マイクロサービス間で同じコードを共有してはならない**ということです。

これは面白いことであり、私が本書を書く原動力となった考え方の根っこにつながっています。私のカップリングに関するアドバイスが遠くかけ離れているように見えるものとつながっているのは偶然ではありません。コンピューター科学のごく基本的な概念であるカップリングが、設計とアーキテクチャーを通じてソフトウェアのビルドとテストの方法に関わるデプロイパイプラインとつながる論理の糸を解きほぐしていきましょう。

私がここで説明し、みなさんに勧めようとしていることは、工学の考え方とアプローチの一部です。

作ったものについて優れたフィードバックを得ることの重要性、作業の進展とともに効果的、効率的に学びを得るためのアプローチの確立の重要性、人間が処理できる程度の大きさの部品に仕事を分割してシステムの複雑さに対処することの重要性、システムを作るための人間システムの問題といった概念から論理の糸をたどっていくと、ここにたどり着くのです。

ソフトウェアを常にリリースできる状態に保つという継続的デリバリーの基本概念に従って仕事を進めると、デプロイ可能性とデプロイパイプラインのスコープについて考えざるを得なくなります。本書第1部の目標だった早く学び、間違ったときには早い段階でエラーが起きるようにする（フェイルファスト）というアプローチを最適化していくと、システムのテスト可能性の向上を考えなければならなくなります。すると、モジュラー性と凝集度を上げ、関心の分離を徹底し、抽象化を進めて変更の影響を遮断し、疎結合なシステムを目指すようになります。

これらの概念はすべてつながっており、ひとつを向上させるともうひとつも向上するという関係になっています。これらの概念を真剣に受け止め、ソフトウェア開発に向き合うときの基礎として取り入れれば、よりよいソフトウェアをより早く作れるようになります。

いかなるものであっても、ソフトウェア工学はよりよいソフトウェアをより早く作るために役立たなければ「工学」の名に値しないものになります。

## 13.9 疎結合のツールとしての非同期処理

前章では、抽象化の漏れについて考えました。そういった漏れのある抽象化のひとつに、プロセス境界をまたぐ同期コンピューティングの概念が

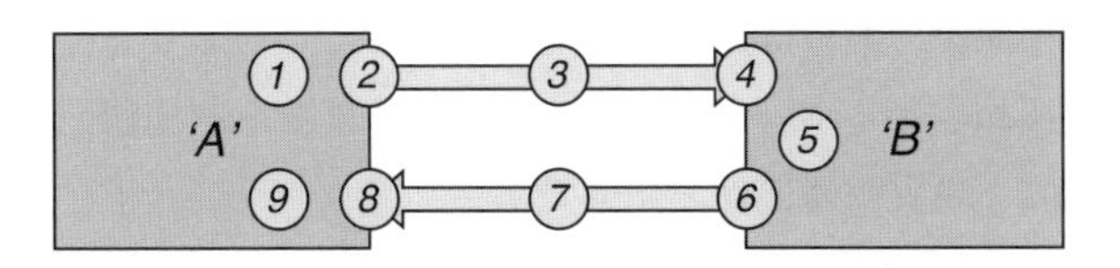


1. **A**にバグが含まれている可能性がある
2. **A**がネットワーク接続の開設に失敗する可能性がある
3. メッセージが伝送中に失われる可能性がある
4. **B**がネットワーク接続の開設に失敗する可能性がある
5. **B**にバグが含まれている可能性がある
6. **B**が応答を送れる状態になる前にネットワーク接続が落ちる可能性がある
7. 応答が伝送中に失われる可能性がある
8. **A**が応答を受け取る前にネットワーク接続が落ちる可能性がある
9. **A**の応答処理にバグが含まれている可能性がある

**図13-1 同期通信に含まれるエラー発生可能箇所**

あります。

性質がどのようなものであれ、この種の境界が確立した途端、同期処理の概念は架空の幻となり、コストを生み出します。

この抽象化の漏れがもっとも顕著になるのは、分散コンピューティングです。サービスAとサービスBがネットワークをはさんで通信するとき、通信が失敗する可能性があるすべての箇所を考えてみましょう。

同期処理が幻となり、抽象化の漏れが顕在化するのはこれらのエラーのどれかが発生したときに限られますが、この種のエラーはかならず起きます。**図13-1**は、分散処理が問題を起こし得る場所を示しています。

1と9以外のエラー発生可能箇所は、どれも同期通信という抽象の漏れです。これら一つひとつがエラー処理の複雑さを悪化させます。また、ほとんどすべてのエラーがAとBの足並みを崩し、さらに複雑さを悪化させます。そして、送信側のAが検出できるエラーはこれらの一部だけです。

では、AとBがビジネスレベルのふるまいについて、まるで同期通信が実現しているかのように通信していたとします。ネットワークで通信障害やメッセージの消失のような問題が起きると、ビジネスレベルの通信に技術的なエラーの話題が侵入してきます。

この種の抽象化の漏れは、実際に起きていることをより忠実に表現すれば、大幅に緩和されます。ネットワークは実際には非同期通信デバイスなのです。実際、現実の通信は非同期です。

私があなたと会話していて、あなたに何かを尋ねたあと、私の脳は返答を待ってフリーズしていません。他の仕事をしています。現実に近いより優れた抽象なら、漏れはあるにしてももっとましなものになります。

本来なら、ここは特定の設計アプローチについてあまり深入りしすぎないようにすべきところですが、あえて言えば、私はプロセス境界を非同期として扱うべきだと考えており、分散サービス/モジュール間の通信では非同期イベントだけを使うべきだと考えています。複雑な分散システムでは、このアプローチによって抽象化の漏れの影響を大幅に引き下げ、システムの下にある付随的な複雑さへのカップリングも大幅に削減されます。

信頼性の高い非同期メッセージングシステムを導入したときに、それが図13-1のエラー発生可能箇所のリストに与える影響を想像してみましょう。同じエラーがすべて発生し得ることに違いはありませんが、サービスAは非同期メッセージを送信し、しばらく時間が過ぎたら新しい非同期メッセージを受信するだけだという形になれば、サービスAがステップ2以降のエラーについて考える必要はなくなります。サービスBを実行しているデータセンターに隕石が落ちてきても、データセンターを再建し、サービスBのコピーを改めてデプロイし、サービスAが最初に送ったメッセージをサブミットし直せばよいのです。いささか遅くなりますが、わずか数μ秒でやり取りが終わったときと同じように処理は進んでいきます。

この章はカップリングのための章であり、非同期プログラミングやその設計のための章ではありません。私がここで目指しているのは、非同期プログラミングにはメリットがあるということをみなさんに納得していただくことではなく（メリットは多数ありますが）、非同期通信を例として使って、カップリング（この場合はネットワークや遠隔通信の付随的な複雑さとサービスのビジネス機能の本質的な複雑さのカップリング）を削減するアイデアを賢く使えば、システムが快適に動作している場合でもそうでない場合でも正しく機能するコードが書けるということを理解していただくことです。

## 13.10 疎結合のための設計

またかと思われるかもしれませんが、テスト可能なコードを書くように努めれば、疎結合なシステムを設計する方向に（そういう注意を払っていればの話ですが）設計作業に圧力がかかります。コードがテストしにくければ、それは一般に残念なレベルのカップリングが残っているからです。

そこで、設計からのフィードバックに対処し、カップリングを削減し、テストしやすくしていけば、デザインの品質は高くなります。このようにコードと設計の品質が上がることは、ソフトウェアに対して本格的に工学的なアプローチを取ることから得られる最小限のメリットです。

## 13.11 人間システムの疎結合

さまざまな経験の結果、私は、ソフトウェア開発でもっとも大きな関心事は一般にカップリングだと考えるようになりました。ソフトウェアを難しくするのはカップリングです。

ほとんどの人は、数時間で単純なプログラムの書き方を覚えます。人間は言語にきわめて堪能であり、それはプログラミング言語のように文法的に制約があって抽象的で奇妙なものであっても変わりません。言語自体は問題ではないのです。むしろ、ほとんどの人が数行のコードを書くために必要な少数の概念を簡単に習得できることは、まったく別の意味で問題だと言うべきかもしれません。あまり簡単にわかるので、人々は自分の能力がどういうものかについて勘違いしてしまうのです。

プロフェッショナルのプログラミングは、人間の言語からプログラミング言語に命令を翻訳することではありません。それは機械でもできます[6]。プロフェッショナルのプログラミングとは、問題に対する解、ソリューションを作ることであり、コードはソリューションを形にするためのツールなのです。

---

6 GPT-3は、全面的にインターネットで訓練した機械学習システムで、英語の命令から単純なアプリケーションをコーディングできます。https://bit.ly/3ugOpzQ参照。

コーディングの学習ではさまざまなことを学ばなければなりませんが、学習を始めるのは簡単で、自分自身の簡単な問題に取り組むと上達が早くなります。難しいのは、作ったシステムとシステムを作るチームが大きくなり、複雑になったときです。つまり、カップリングが影響を与え始めると難しくなるのです。

今までも触れてきたように、これは単にコードだけの問題ではありません。むしろ、コードを作る組織のなかのカップリングの方が大きな問題です。大企業では開発カップリングが頻発し、高いコストを引き起こしています。

この問題をチームの作業の統合によって解決することにすると、どのような方法を取る場合でも、統合のためにコストがかかります。私のもう一つの著書『継続的デリバリー』は、基本的にこのカップリングを効率よく管理する戦略を説明したものです。

私は、プロフェッショナルとしての人生のなかで、組織的なカップリングのために麻痺状態になっている大企業を多数見てきました。長年に渡ってカップリングのコストを無視してきたため、コード変更を本番環境にリリースすることがほぼ不可能になっていたのです。ほんのわずかな変更でも、数十人、数百人もの人々がそれぞれの仕事を調整しなければならなくなっていました。

この問題に対処するための戦略は2種類しかありません。調整か分散かです。どちらにもコストとメリットがあります。これは工学というものが持つ性質のひとつだと考えられるでしょう。

どちらの戦略も、フィードバックを得る効率の良し悪しによって大きく深く影響を受けます。継続的デリバリーが重要なコンセプトになっているのはそのためです。継続的デリバリーは、書いたコードの品質についてほとんど切れ目なくフィードバックが得られるほど、開発におけるフィードバックループを最適化するというアイデアのもとに組み立てられています。

大規模で複雑なソフトウェアの部品の間で一貫性を維持したければ、調整のアプローチを取るべきです。このアプローチでは、すべてのものをいっしょに格納、ビルド、テストし、全体をまとめてデプロイします。

こうすると、システムの状態がもっとも正確、明確に明らかになりますが、それら全体をすばやく効率的に実行できるようにするというコストがかかります。一般に、私はこの種のフィードバックが一日に複数回得られるようにするようアドバイスしています。必要なペースでフィードバックを得るためには、時間と労力とテクノロジーに莫大な投資が必要になる場合があります。

だからといって、複数のチームでシステムを開発できなくなったり、このアプローチによって複数のチームで作ったシステムが密結合になったりするわけではありません。ここで問題になるのが、本番リリースのための評価のスコープです。この場合、スコープはシステム全体になります。

複数のチームがある程度独立した形で仕事を進める場合、作業の調整は共有コードベースとシステム全体の継続的デリバリーのデプロイパイプラインを通じて行います。

このアプローチでは、フィードバックコストを最小限に抑えつつ、仕事をよい方向に進めるためにコード/サービス/モジュールを開発するチームがより密にカップリングすることが許されます。しかし、繰り返しになりますが、十分なスピードを得るためにはハードワークが必要になります。

現在は、調整よりも分散のアプローチの方が支持されています。これはマイクロサービスのアプローチです。マイクロサービスを採用する組織では、意思決定は意識的に分散化されています。マイクロサービスチームは互いに独立して作業を進めます。各サービスは独立してデプロイでき、チーム間に直接的な調整のコストはかかりません。しかし、間接的なコストがかかり、それは設計コストという形で現れます。

組織的なカップリングを削減するためには、プロセスのあとの方の段階で複数のサービスを同時にテストしなければならなくなるようなことをなくすことが大切になります。サービスを独立してデプロイできるということは、テストも独立にすればよいということです。ではインテグレーションテストなしでデプロイできると判断できるのはなぜでしょうか。一方のバージョン4ともう一方のバージョン6をいっしょにテストしてうまく動作することがわかったからといって、バージョン4とバージョン17をリリースできるでしょうか。それが心配になるようなら、独立しているとは言えません。

マイクロサービスは、ソフトウェア開発でもっともスケーラブルなアプローチです。作りたい数だけチームを編成できます。少なくとも必要な人数と彼らの人件費は明らかにできます。

コストは、調整を諦めなければならないことです。少なくとも、調整は単純でもっとも一般的な条件だけに制限しなければなりません。中央の司令本部から指針を示すことはできますが、強制しようとすればそれが調整のコストを生むので、強制はできません。

マイクロサービスに真剣に取り組んでいる組織は、意識的に管理を緩めています。実際、管理の緩和をともなわないマイクロサービスアプローチはナンセンスです。

これら2種類のアプローチ（実際に意味のあるアプローチはこの2種類だけです）は、チーム間のカップリングを管理するためのまったく異なる戦略です。カップリングが比較的密ならミスをチェックする頻度を上げ、カップリングが比較的疎ならすべてのチェック（少なくともリリースする前のチェック）を省略するということです。

どちらの戦略にもコストはありますが、折衷策が成り立つ余地はありません。しかし、多くの開発組織は、そのような折衷策を実現しようとする誤りを犯しています。

## 13.12 まとめ

カップリングは、ソフトウェア開発の中心にどっかりと座っている魔物です。ソフトウェアの複雑さがごく単純なレベルを超えると同時に、カップリングを正しく処理できているか、少なくとも設計のなかでカップリングのレベルを管理しようと努力しているかが、正否を分けることがよくあります。

“State of DevOps Report” は、ふたつのチームが互いの作業の調整をしなくても担当システムを改良していけるなら、定期的に高品質のコードを供給できる可能性が高くなると報告しています。

これを実現する方法は2種類です。ひとつは、コード/システムが比較的密結合でも、継続的インテグレーションと継続的デリバリーで十分早くフィードバックを得て早い段階で問題を見つける方法です。もうひとつは、ほかのチームに変更を強制することなく、自信を持って安全に書き換えられるような、よりデカップリングされたシステムを設計することです。合意に基づいて決して変えないことにしたインターフェイスをもとに仕事を進めるという形も考えられます。使える戦略は2種類のなかのどちらかだけです。

ソフトウェアと組織のカップリングのコストを無視するなら、相応のリスクを覚悟しなければなりません。

# 第4部

# ソフトウェア工学を支えるツール

# 第14章

# 工学分野のための<br>ツール

ソフトウェアを対象とする本物の工学分野はどうあるべきかを考えるとき、私は特定のツール、プログラミング言語、プロセス、作図テクニックなどについてはあまり考えません。私が重視するのは結果です。

**ソフトウェア工学**の名に値するアプローチは、問題について学び、アイデアを掘り下げ、実験するという私たちのニーズを中心に置いたものでなければなりません。何よりも大切なのは、よりよいソフトウェアをより早く作るために役立たないようなものは、「流行」であっても工学ではないということです。工学は機能するものでなければなりません。機能しないなら、機能するようになるまで変えることになります。

特定のツールについてはあまり考えないと言いましたが、取り上げるべきツールがないわけではありません。本書は、ソフトウェア開発で広く使えてよりよいソフトウェアをより早く作るために役立つメンタル「ツール」がいくつか存在するという考え方を前提として組み立てられています。すべての概念が平等なわけではありません。単純に間違った概念は実際にあります。私たちはそういうものを捨てられなければなりません。

この章では、本書全体を通じて話題にしてきた概念の一部を検証していきます。これらは、本書のその他の部分を引き出す力を持つ概念です。もし、あなたがこの章で取り上げる概念だけを取り入れて本書に書かれているほかの概念を無視し、取り入れた概念をソフトウェア開発に臨むときの根本原則として扱ったら、きっと今までよりもよい結果が得られるようになったと感じるはずです。そして、時間がたつとともに、本書で取り上げたほかのすべての概念も自力で見つけることになるでしょう。それは、これらの概念には論理的なつながりがあるからです。

## 14.1 ソフトウェア開発とは何か

ソフトウェア開発には、あるプログラミング言語の構文とライブラリーを知っているという以上のものが必要なことは間違いありません。ソフトウェア開発を通じてつかんだ考え方や概念の方が、そのために使ったツールよりもさまざまな意味で重要です。結局のところ、私たちが報酬を得ているのは問題解決のためであって、ツールを巧みに使うためではありません。

目的が何であれ、ソフトウェアが動作するかどうかがわからなければ、ソフトウェアを書く意味はありません。

書いたコードを慎重に検討したとしても、一度も実行していないなら、私たちは運を天に任せることになります。人間の仕事はそのようなものではありません。自然言語のように緩やかな解釈を許す言語でも、私たちはたびたび間違いを犯します。メールか何かを書いて、推敲せずに送ってしまったあとで文法ミスや誤字に気づいたけれども、もうあとの祭りだという経験は、誰にでもあるのではないでしょうか。

私を担当してくれている編集者の方々と私は本書のミスを取り除くために必死で仕事をしましたが、それでもいくつかのミスは間違いなく残っていると思います。人間は間違いを犯すものです。人間は実際にあるものではなく、見たいものを見てしまうことが多いので、特にチェックが苦手なのです。これは私たちの怠惰な性質に対する批判というよりも、私たちの生物学的な限界の認識の問題です。私たちは結論に飛びつくように生まれついているのです。敵がたくさんいた野生環境時代の人間にとっては非常に優れた性質だったと言えるのではないでしょうか。

ソフトウェアは誤りを許容できません。見直しとコードチェックだけでは不十分です。テストによって、正しく動作することをチェックすることが必要です。そのテストはさまざまな形を取り得ますが、とりあえずコードを実行して何が起きるかを観察する場合でも、デバッガーで実行して何が起きるのかを観察する場合でも、BDD（ふるまい駆動開発）のシナリオを実行する場合でも、変更のフィードバックを得ようとするのは私たち人間です。

第5章で説明したように、フィードバックは効率よく早く得られなければ、役に立ちません。

そこで、何がなんでもテストが必要だとするなら、残った問題は、できる限り効率よく効果的にテストするにはどうすべきかということだけです。

自分で仕事が完成したと思うまで待ってそれから全体をまとめてテストするとか、ソフトウェアを本番環境にリリースしてユーザーにただでテストしてもらうという方法もあり得ますが、それではほぼ間違いなくうまくいきません。品質の低いソフトウェアでは、思ったような利益は得られません。ソフトウェア開発に工学的にアプローチすることが大切なのはそのためです。

手を合わせて神様にコードが動作するようお願いするのではなく、変更を本番環境へリリースする前に何らかの評価を下すようにすべきです。評価方法の組み立て方には数通りのやり方が考えられます。

自分で完成したと思うまで評価を待つなら、高品質でタイムリーな**フィードバック**が得られないことは明らかです。おそらく自分の作業の細かいニュアンスをきれいに忘れており、テストの結果は雑なものになります。テストはかなり骨が折れる仕事にもなるでしょう。

そこで、多くの企業はソフトウェア開発者のためにこの骨折り仕事をする人々を雇います。すると、ソフトウェア開発者は、自分のソフトウェアはきっと動くだろうと思い、そうでないことを他人任せで知るという、運を天に任せるつまらない存在に戻ってしまいます。本番環境でユーザーの嘆き声が聞こえて来るのを待つのと比べれば一歩前進ですが、結果の品質は低いままです。

別のグループの人々を投入するという形でプロセスに新しいステップを追加しても、フィードバックが得られるスピードやフィードバック自体の品質は上がりません。これは、作業に当たる人々に対する批判ではありません。必要なフィードバックを得るということでは、人間の作業は自動化されたアプローチと比べて遅すぎ、結果がまちまちで、コストがかかりすぎます。

しかも、フィードバックが得られるのが遅すぎ、開発している最中にソフトウェアがどの程度よい（悪い）かはまったくわかりません。もっとタイムリーにフィードバックがあれば得られていたはずの貴重な学びのチャンスを失っているということです。自分で完成したと思うまでフィードバックを得るのを先延ばしにして、品質が低く、遅すぎるフィードバックしか得られないようにしているのです。システムの内部動作を知らない人がテストのことを考えずに設計されたシステムをテストするのですから、テスターがいかに優秀で真摯に仕事をしたとしても、よい結果は得られません。

それでも、ソフトウェアの残念な品質に驚くという喜ばしい経験をする可能性はあるでしょうが、見つからずに残ったひどい誤りのためにショックを受ける可能性の方がはるかに高いでしょう。何しろ、そのときまで何のテストも行わず、ソフトウェアの実行さえしていないのです。

私がこれではとてもよいとは言えないと思っていることは、みなさんにもわかっていただけているでしょう。

このやり方ではだめであり、ここまで遅い段階まで待たずに作業に何らかのチェックを組み込まなければなりません。ユーザーがログインできないことや、すばらしいはずの新機能がディスクを壊していることがわかったときでは遅すぎるのです。

何らかのテストをしなければならないのなら、賢い方法を考えましょう。しなければならない仕事の量を最小限に抑え、作業中に得られる知見を最大限まで増やすには、どのような仕事の進め方をすればよいでしょうか。

第2部では、最適な形で学びを得るための方法を取り上げました。では、私たちが学びたいこととは何で、学びを得るためにもっとも効果的で効率的な方法は何なのでしょうか。

何らかのコードを書こうとしているときに学びたいことは次の4種類に分類されます。

- 私たちは正しい問題を解決しようとしているか
- 私たちのソリューションは思った通りに動作しているか
- 私たちの仕事の品質は高いか低いか
- 効率よく仕事を進められているか

確かにこれらは答えるのが難しい複雑な問いですが、基本的にどれもソフトウェアを開発するときに気になることです。

## 14.2 ツールとしてのテスト可能性

ソフトウェアをテストするつもりなら、ソフトウェアをテストしやすくして仕事を楽にすべきでしょう。すでに説明したように（第11章）、コードをテストしやすくするためには、**関心の分離**と**依存性注入**が役に立ちます。実際、テスト可能性が高いのにモジュラーでなく、凝集度が低く、関心の分離がしっかりとできておらず、情報隠蔽できていないコードは容易に想像できません。これらをすべて実行すれば、必然的に**適度なカップリング**が得られます。

コードの**テスト可能性**を上げるとどうなるかを単純なコード例で見てみましょう。このコード例では、何かをテストできるようにしたいときの思考の流れをたどる以外のことはしていません。リスト14-1は、単純なCarクラスを示しています。

**リスト14-1 単純なCarクラスのコード例**

```
public class Car {
    private final Engine engine = new PetrolEngine();

    public void start() {
        putIntoPark();
        applyBrakes();
        this.engine.start();
    }

    private void applyBrakes() {
    }

    private void putIntoPark() {
    }
}
```

このクラスは、PetrolEngine（ガソリンエンジン）というエンジンをメンバーにしています。「車を始動する」（startメソッド）ときには、複数のことをします。ギアシフトをパーキングにして（putIntoPark()）ブレーキをかけ（applyBrakes()）、エンジンをスタートします（this.engine.start()）。よさそうに見えます。このような感じのコードを書く人は多いはずです。

では、このコードをテストしてみましょう。テストは、リスト14-2のようになるはずです。

リスト14-2 単純なCarクラスのテスト

```
@Test
public void shouldStartCarEngine() {
    Car car = new Car();
    car.start();
    // assertするものがない！
}
```

すぐに問題にぶつかります。Carクラスのカプセルを破ってプライベートフィールドのengineをパブリックにするか、テストがプライベート変数を読み出せるようにするバックドアを作るという汚いハックをする（ちなみに、どちらもとんでもない考えです）のでもない限り、Carクラスをテストできないのです。このコードは、「車の始動」の効果を確かめられないためテスト不能になっています。

ここでの問題は、ある種の限界にぶつかっていることです。Carに対するアクセスは、startメソッド呼び出しまでです。その先の内部動作は見られないようになっています。Carをテストしたいなら、テストという特殊な条件に限られない形でエンジンへのアクセスを認める必要があります。エンジンを見られるようにしたいということです。

この課題は、**依存性注入**によって計測点を追加すれば達成できます。改良されたCarクラスの例を見てみましょう（リスト14-3）。このコード例では、Engineを隠すのではなく、使いたいEngineをBetterCarに渡せるようにしています。

リスト14-3 BetterCar

```
public class BetterCar {
    private final Engine engine;

    public BetterCar(Engine engine) {
        this.engine = engine;
    }

    public void start() {
        putIntoPark();
        applyBrakes();
```

```
        this.engine.start();
    }

    private void applyBrakes() {
    }

    private void putIntoPark() {
    }
```

リスト14-3は、Engineを注入しています。この単純なステップにより、PetrolEngineとのカップリングは根本的に変わります。PetrolEngineではなく、Engineを扱うようになって、BetterCarは抽象化の度合いが高くなりました。また、PetrolEngineの作り方を考えなくなったため、関心の分離が進み、凝集度が上がりました。

リスト14-4は、BetterCarのテストコードです。

リスト14-4 BetterCarのテストコード

```
@Test
public void shouldStartBetterCarEngine() {
    FakeEngine engine = new FakeEngine();
    BetterCar car = new BetterCar(engine);
    car.start();
    assertTrue(engine.startedSuccessfully());
}
```

このBetterCarTestは、リスト14-5に示すFakeEngineを使っています。

リスト14-5 BetterCarのテストに使うFakeEngine

```
public class FakeEngine implements Engine {
    private boolean started = false;

    @Override
    public void start() {
        started = true;
    }

    public boolean startedSuccessfully() {
        return started;
```

```
    }
}
```

FakeEngineは、startが呼び出されたときに始動を記録する以外何もしません[1]。

この単純な変更により、私たちのコードはテスト可能になり、説明してきたようによくなりました。モジュラー性や凝集度といった抽象的な品質属性だけでなく、単純で実用的になったという点でも改善されています。

テスト可能にしたために、コードは柔軟にもなりました。PetrolEngineを搭載したBetterCarを作るのは簡単ですが、ElectricEngine、FakeEngine、さらにはちょっと極端ですがJetEngineを搭載したBetterCarも同じように簡単に作れます。BetterCarはよりよいコードになっており、それはテストのしやすさに重点を置いて作ったからです。

コードの**テスト可能性**を上げることを目指して設計すると、設計するコードの品質が上がります。もちろん、これは万能薬ではありません。コーディングが下手な人なら、そうしてもよいコードにはならないかもしれません。しかし、テスト可能になるようにコードを書けば、いつものコードよりもよくなります。コーディングがうまい人なら、テスト可能にすることによってさらにすばらしいコードになります。

## 14.3 計測点

私たちのコード例のFakeEngineは、**計測点**という重要な概念を示すものにもなっています。コードをテスト可能にしたければ、変数を管理できるようにしなければなりません。本当に必要な情報だけを注入できるようにしたいということです。ソフトウェアをテストできる状態にするには、何らかのふるまいを起動し、結果を計測可能にして見えるようにすること

1 実際のテストでは、自分でこのようなコードを書くのではなく、モッキングライブラリーを使うべきです。ここでFakeEngineを示したのは、行っていることを明確にするためです。

が必要です。

「テスト可能性を意識した設計」とはそういうことです。計測点をたくさん作るようにシステムを設計するのです。計測点とは、システムの完全性を損ねずにシステムのふるまいをチェックできるポイントのことです。計測点は、コンポーネントの性質や私たちが考えるテスト可能性のレベルによって異なる形を取ります。

粒度の細かいテストでは、関数/メソッドの引数と戻り値を使いますが、リスト14-4で示したように**依存性注入**を使うこともあります。

システムレベルの大規模なテストでは、システムに**計測点プローブ**を注入するために、外部依存コードとしてフェイクコードを使います。そうすれば、第9章で示したように、テスト入力を注入したりテスト出力を集めたりすることができます。

## 14.4 テスト可能性を実現する上での問題点

私がここで説明しているようなテスト可能性を実現するために苦労しているチームはたくさんありますが、苦労する大きな理由は技術的な難しさと文化的な問題のふたつです。

今まで説明してきたように、どのようなテストでも、まともな計測点にアクセスできるようにすることが必要になります。大半のコードでは、これはそれほど難しいことではありません。依存性注入のようなテクニックを使ったり設計のモジュラー性を高くしたりすれば、テストしやすいコードが書けます。しかし、システムの周縁部、つまり何らかの形で現実世界(またはコンピューターによるその忠実な模写)と触れ合う部分では、これが難しくなります。

ディスクへの書き込み、画面への描画、その他何らかのハードウェアデバイスを制御したりデバイスに反応したりするコードを書くとき、そのようなシステムの周縁部のテストは難しくなります。こういった部分にテストデータを与えたり、テスト結果を集めたりするテストコードを注入するにはどうすればよいのでしょうか。

この問題に対する当然の答えは、こういった「周縁部」を隅に押しやり、複雑度を最低限に抑えるようなシステム設計をすることです。実際には、システムの大半の部分とこういった周縁部との間のカップリングを減らすということです。さらに、サードパーティーソフトウェアに依存する部分を減らし、コードの柔軟性を確保することも必要になります。

具体的には、この周縁部でのやり取りを表現する適切な抽象を作り、この抽象のフェイク実装と私たちのシステムのやり取りを評価するテストを書き、抽象を外部テクノロジーとの実際のやり取りに変換する単純なコードを書きます。短く言えば、これは抽象化のレベルを追加するということです。

リスト14-6は、何かを表示しなければならないコードの単純な例です。何らかの画面への出力を記録するカメラを持ったロボットを作るという方法もあり得ますが、大げさ過ぎます。リスト14-6は、何らかのテキストを「表示する」機能を提供するコードの注入という形で、何かを表示するという動作を抽象化しています。

**リスト14-6 表示機能を持つクラス**

```
public interface Display
{
    void show(String stringToDisplay);
}

public class MyClassWithStuffToDisplay
{
    private final Display display;

    public MyClassWithStuffToDisplay(Display display)
    {
        this.display = display;
    }

    public void showStuff(String stuff)
    {
        display.show(stuff);
    }
}
```

情報の表示という動作を抽象化することにより、表示したいものを持つクラスが実際の表示デバイスからデカップリングされる（少なくとも、用意した抽象の境界の外側に置かれる）という好都合な副作用が得られます。当然ながら、それは本物のDisplayなしでこのコードをテストできるようになるということです。リスト14-7は、そのようなテストの例です。

**リスト14-7 表示機能のテストコード**

```
@Test
public void shouldDisplayOutput() throws Exception
{
    Display display = mock(Display.class);
    MyClassWithStuffToDisplay displayable =
      new MyClassWithStuffToDisplay(display);

    displayable.showStuff("My stuff");

    verify(display).show(eq("My stuff"));
}
```

最後にDisplayの具象クラスの実装を作ります。以下のリスト14-8に示す単純な例ではConsoleDisplayですが、ニーズがあれば、LaserDisplayBoard、MindImprintDisplay、3DGameEngineDisplayなど、表示機能を持つほかのさまざまなものに置き換えられます。

**リスト14-8 表示機能**

```
public class ConsoleDisplay implements Display
{
    @Override
    public void show(String stringToDisplay)
    {
        System.out.println(stringToDisplay);
    }
}
```

リスト14-6から14-8はごく単純な例であり、この周縁部でやり取りをするテクノロジーが複雑なら、当然抽象はもっと複雑なものになりますが、原則に変わりはありません。

### 周縁部でのテスト

私が参加したあるプロジェクトでは、ウェブページロジックをユニットテストできるようにするために、この方法でウェブのDOMを抽象化しました。

今はもっとよい方法がありますが、当時は本物のブラウザーを使わずにウェブアプリケーションのユニットテストをするのは容易ではありませんでした。しかし、テストケースごとにブラウザーインスタンスの起動が必要になってテストが遅くなるのは、どうしても避けたいことでした。そこで、私たちはUIの書き方を変えました。

私たちは、「DOMの手前に位置する」UIコンポーネントのライブラリー（DOMのポートアンドアダプター）を書きました。表が必要なら、自分たちで作ったDOMファクトリーを介してJavaScriptの表オブジェクトを作りました。DOMファクトリーは、実行時には表として使えるものを与えてくれる薄いファサードオブジェクト、テスト時には実際のブラウザーやDOMなしでテストを実行できるスタブを返してくれました。

こういうことはいつでもできます。抽象化しようとしているテクノロジーが抽象化しやすいかどうか、この作業に労力を費やすだけの重要性があると思うかどうかの問題に過ぎません。

労力を費やす価値については、こういった「システムの周縁部」ではほとんどかならずあります。たとえばウェブUIやモバイルアプリのテストのように、すでにほかの人が抽象化してくれている場合もありますが、問題はこれが周縁部をユニットテストするための方法だということです。

このアプローチ（実際には、この問題を解決するためのアプローチならどれでもそうですが）の一番の問題は文化の問題なのです。テスト可能性を本気で重視し、最初から設計アプローチとしてテスト可能性の確保を目指していれば、これは簡単なことです。

しかし、テスト可能性を考えずに作られたコードを担当することになったときや、人々がテスト可能性を重視していない環境にいるときにははるかに難しくなります。このような文化の衝突は、容易に乗り越えられない障害になります。

コーディングはおそらくこの問題のなかでは簡単な方ですが、簡単な方はかならずしも「簡単」という意味ではありません。もっとも、漏れが多いものでもよければ抽象はいつでも追加できますし、抽象があればテストは楽になります。どうしても必要なら、テストのスコープ内に「周縁部」コードを入れることもできます。これはあまり面白くない妥協ですが、状況次第では不可能ではありません。

難しいのは人間の問題です。私は、「コードを書く前に書いたテストによって開発の方向性を定めていく」という本当の意味でTDDを実践してうまくいかなかったチームは決してなかったと言えるほど自信過剰ではありませんが、少なくとも私はそういうチームに巡り合ったことはありません。

確かに、「TDDを試してみたけど、うまくいかなかった」と言ってきたチームはありましたが、そういったチームはすべてコードを書いてからユニットテストを書いていました。それではTDDとはとても言えません。

TDDなら**テスト可能なコード**の設計を後押ししてくれますが、コードを書いてからのユニットテスト作成にはそのような効果はありません。ただユニットテストしましょうというだけの方針では、手抜きやカプセル化の破壊、すでに作成済みのコードとテストの密結合が増えるだけです。

TDDは、ソフトウェア開発に対する工学的アプローチの土台であり必要不可欠です。本書の考え方に沿って私たちの優れた設計を生み出す能力を後押しし、強化してくれるプラクティスとして、私はTDD以上のものを知りません。

私がときどき耳にするTDDへの最強の反対論は、テストとコードがカップリングするため、設計の品質が下がり、コードを書き換える能力に制限がかかるというものです。しかし、私は「テストが先のTDD」で作られたコードベースでそういうものを見たことは一度もありません。それは、「テストがあとのユニットテストプラクティス」で一般的に見られるものです（私に言わせれば、そうなることは避けられません）。そういうわけで、私は「TDDはだめだよね」と言う人は、本当はTDDを試していないのではないかと疑っています。すべてがそうだと決めつけるのは間違っているだろうと思いますが、大多数はそうであり、実態の要約としては間違っていないだろうとも思います。

私は設計の品質にとことんこだわる人間なので（これはみなさんも本書から想像していただけたと思いますが）、設計の品質に対する批判は特に胸に刺さります。

もし私がソフトウェア開発、ソフトウェア設計、TDDのスキルがないようなふりをすれば、それは不誠実だということになるでしょう。私はこういったことがかなり得意ですが、その理由は推測の域を出ません。たしかに経験は積んでいます。たぶん、天性の才能もあると思います。しかし、そういったものよりもはるかに重要なのは、私をトラブルから遠ざけてくれるよい習慣が身に付いていることだと思います。TDDは、私の発展過程の設計がどの程度の品質かについて、私が知っているほかのどの手法よりもはっきりとしたフィードバックを与えてくれます。TDDは、私の（そしてほかの人々に勧める）仕事の進め方の重要な基礎です。

## 14.5 テスト可能性の引き上げ方

第2部では、学びを最適化することの重要性を説明しました。これは何か学術的な大げさな意味での学びではありません。日常の工学実践における実際的な意味での小さな学びです。私たちは学びのために反復的に作業を進め、目の前の仕事のテストを書きます。数分ごとという短い間隔でコードが思った通りに動作しているかどうかをすばやく学ぶために、テストから効率よく明確なフィードバックを早く得ようとします。

そのためには、システムをコンパートメント化してフィードバックの意味をより明確に理解できるようにしたいところです。そこで、小さく分割されたコードを漸進的に開発して評価のスコープを狭め、開発作業の過程で何が起きているのかを明確にします。

個々のテストケースがコードの望ましいふるまいを予測、検証する小さな実験になるようにすれば、私たちの仕事は実験的に進められます。テストはコードが示すふるまいについての仮説を試せるように書きます。テストがどのように失敗するかを予測してからテストを書いて実行し、本当にテストしたいことをテストしていることを検証します。次に、テストを合格させるようなコードを作り、設計を再評価するためのプラットフォームとして、安定して合格するコードとテストの組み合わせを使います。そして、コードとテストの品質を上げるために、同じふるまいを維持するようにしながら小さくて安全な変更を加えていきます。

このアプローチは、単に「このコードはテストに合格するか」の確認よりもはるかに深いところを見ていくので、設計についての深い知見を与えてくれます。注意を払って作業を進めていけば、コードがテスト可能だということが、品質の高い結果を得る方向に私たちを導いてくれます。

このような効果を持つツールはあまりないのに、私たちはこの重要なアプローチを無視して自ら墓穴を掘っています。このアプローチを無視したために本来の力を発揮できず、品質の低いソフトウェアをのろのろと作っている開発者と開発チームがあまりにも多すぎます。

最初のテストが書きにくいようなら、それは書こうとしているコードの設計が悪いということなので、設計を改善する必要があります。

システムのテスト可能性はフラクタルです。企業システム全体のレベルでも、わずか数行のコードという狭いスコープでも、テスト可能性の有無はあり、それをツールとして活用できます。テスト可能性は、ソフトウェア開発者のツールボックスのなかでも飛びきり強力なツールのひとつです。

関数やクラスという粒度の細かいレベルでテスト可能性に関連してもっとも重視すべきなのは計測点です。計測点はコードを特定の状態に置きやすくし、コードのふるまいの結果を観察、評価しやすくします。

システム全体、あるいは複数のシステムが関わる粒度の大きいレベルでは、評価とテストのスコープをより重視すべきです。計測点という基礎は依然として重要ですが、このレベルでは評価のスコープが重要なツールになります。

## 14.6 デプロイ可能性

私の著書『継続的デリバリー』では、ソフトウェアをいつもリリース可能な状態に保つという考え方に基づく開発アプローチを説明しました。小さな変更を加えるたびに、ソフトウェアがリリース可能な状態になっているかどうかを評価するのです。一日に数回ずつこのようなフィードバックを得るようにします。

これを実現するために、デプロイパイプラインというメカニズムを取り入れます。デプロイパイプラインは、徹底的な自動化により、リリース可能性の判定を可能にすることを目的としています。

では、「リリース可能性」とは何なのでしょうか。その意味は状況次第で変わらざるを得ません。

どうしても知らなければならないのは、コードが開発者の思った通りの動作をしているかどうかであり、さらにユーザーがソフトウェアに求めていることが実現されているかどうかも知りたいところです。そのあとで、ソフトウェアのスピード、セキュリティ、耐久性、コンプライアンスが十分かどうかを知ろうとすることになるでしょう。デプロイパイプラインの仕事はこれらすべてです。

さて、今まではリリース可能性という観点からデプロイパイプラインを説明してきましたが、先に進む前に用語の微妙なニュアンスの違いに触れておきたいと思います。

私が実際にデプロイパイプラインについて説明するときには、**リリース可能性**と**デプロイ可能性**を区別しています。これは微妙な違いですが、開発者の視点からは、「ユーザーに対して機能をリリースすること」と「変更を本番システムに**デプロイ**できる状態にすること」を区別しておきたいのです。

継続的デリバリーでは、複数回のデプロイにまたがって新機能を作る自由を確保したいところです。ここで私たちの関心は、何らかの機能が完成してユーザーが使える状態になることである**リリース可能性**から、ソフトウェアが本番環境にデプロイされても安全な状態である**デプロイ可能性**に移ります。何らかの機能がまだ使える状態になっておらず、ユーザーの目からあの手この手で隠されていても、デプロイ可能であることに変わりはありません。

そういうわけで、システムの**デプロイ可能性**は複数の属性から構成されていることになります。ソフトウェアユニットがデプロイできる状態でなければならないと同時に、システムのコンテキストにおいて意味のあるリリース可能性のすべての属性（スピード、セキュリティ、耐久性が十分で動作するといったことなど）を満たしていなければなりません。

このデプロイ可能性の概念は、システムやアーキテクチャーのレベルできわめて役に立つツールになります。デプロイパイプラインがシステムはデプロイ可能だと言えば、そのシステムは本番環境にデプロイできます。

多くの人々が継続的デリバリーのこの部分を誤解していますが、デプロイパイプラインはまさにこのためにあるのです。デプロイパイプラインが変更を承認すれば、本番環境に変更をデプロイする前にこれ以上テストをする必要はなく、承認をもらう必要もなく、システムのほかの部分とのインテグレーションテストも不要だということです。だからといってそれを本番環境にデプロイする必要はありませんが、その気があればデプロイしてかまいません。

このルールはある重要なことを言っています。デプロイ可能性とは「これ以上の作業が不要なこと」だと定義しているのです。そのためにはデプロイ可能な結果を生み出さなければならず、**デプロイ可能なソフトウェアユニット**のレベルでモジュラー性、凝集度、関心の分離、カップリング、情報隠蔽を真剣に考える必要があります。

私たちの評価のスコープは、かならず**独立してデプロイ可能なソフトウェアユニット**でなければなりません。さらに何かをしなければ自信を持って本番環境に変更をリリースできないなら、評価のスコープ、デプロイパイプラインのスコープが間違っているということです。

この問題にはさまざまなアプローチの方法がありますが、意味のある方法はふたつしかありません。システムに含まれるすべてのものを評価のスコープ、デプロイパイプラインのスコープに収めるか、システムを独立してデプロイ可能なソフトウェアユニットに分割するかです。それ以外の方法は意味を成しません。

システムの複数のコンポーネントを異なる場所で異なるリポジトリーからビルドすることは認められますが、評価のスコープはデプロイ可能性が求める条件によって左右されます。そのため、このルートを選んでも、リリースする前にこれらのコンポーネントをまとめて評価しなければならないようであれば、評価のスコープとデプロイパイプラインのスコープは依然としてシステム全体になります。これは重要なことです。システムの個々の小さな部品がいかに早くテストできても、本当に重要なのは、変更のデプロイ可能性の評価にかかる時間なのです。最適化の対象は、デプロイパイプラインのスコープでなければなりません。

つまり、デプロイ可能性はシステム開発において重要な位置を占める問題なのです。このような考え方をすると、対応しなければならない問題に集中するために役に立ちます。合理的な時間内に開発の方向性を左右するフィードバックを得るためにはどうすればよいのでしょうか。

## 14.7 スピード

ここで**スピード**が問題になります。第2部で説明したように、開発の過程でフィードバックを得るためにかかる時間とフィードバックの質は、学びの最適化のためにきわめて重要な意味を持ちます。第3章では計測の重要性を述べ、**安定性**と**スループット**の計測に注目しました。開発プロセスの効率の尺度であるスループットは、明らかにスピードに関連した指標です。

継続的デリバリーを取り入れたいという開発チームのコンサルティングに入ったときに私がアドバイスするのは、フィードバックを得るためにかかる時間の削減に力を注げということです。

普通はさらにガイドラインを示します。時間短縮を強く意識しながら、リリース可能な結果、すなわち本番品質のデプロイ可能なソフトウェアを一日に複数回作れるように開発プロセスを最適化するよう指示します。そして、何らかの変更をコミットしてから1時間以内に本番環境にデプロイできるものを作るという目標を示します。

この目標を達成するのはなかなか大変ですが、このような目標にどのような意味があるのかを考えましょう。コミュニケーションのオーバーヘッドのために作業ペースが下がるので、チームを大きくしすぎてはなりません。チーム間の調整コストのために作業ペースが下がるので、チームをサイロ化してはなりません。さらに、自動テストの体制をしっかりさせなければなりませんし、継続的インテグレーションや継続的デリバリーなどのフィードバックのメカニズムが必要になります。アーキテクチャーはこの種の戦略をサポートできるものでなければなりませんし、独立してデプロイ可能なソフトウェアユニットを評価しなければなりません。1時間以内でリリース可能な結果を得るためには、そのほかにもさまざまな条件を満たす必要があります。

開発の過程でフィードバックを得るスピードを上げるだけのために反復的実験的なアプローチを採用すると、それがアジャイル理論、リーン理論、継続的デリバリーとDevOpsのすべての内容に対する適応度関数のように機能します。

このようにスピードとフィードバックを重視すると、否応なくこれらの理論が説くことに引き寄せられるのです。何らかのお仕着せの開発プロセスの儀式やレシピにただ従うよりも、この方がよりよい結果を生む方向にはるかに強力に計測可能な形で導いてくれます。私がソフトウェアのための工学を話題にするときに考えているのはこういったことです。

スピードは高品質で効率的な結果に私たちを導いてくれるツールです。

## 14.8 変数の管理

信頼できる形で繰り返しすばやくシステムをテスト、デプロイしたければ、ばらつきを抑え、**変数を管理する**ことが必要です。ソフトウェアをデプロイするたびに同じ結果が得られるようにするためには、デプロイを自動化し、デプロイするシステムの構成、設定をできる限り管理しなければなりません。

そのような管理が及ばない外部世界と触れるシステムの周縁部の扱いには、十分な注意が必要です。自分たちの管理下にない外部の環境にソフトウェアをデプロイする場合には、できる限り環境に依存しないようにしましょう。直接の管理下にない環境と接する部分を減らすためには、抽象化、関心の分離、疎結合が重要な役割を果たします。

テストは、同じバージョンのソフトウェアを対象として実行するときには毎回同じ結果になるようにしたいところです。テスト結果がまちまちになる場合には、テストに対する外界の影響を抑えるために管理を強化する方法を追求したり、コードの決定論的な性質を引き上げる努力をしたりすべきです。このような管理の実現でも、モジュラー性、凝集度、関心の分離、抽象化、カップリングが重要な役割を果たします。

実行に時間のかかるテストやマニュアルテストを使いたくなるのは、多くの場合、変数の管理が不十分なことの兆候です。

しかし、このことは十分真剣に考えられていないことが多いのです。

**管理の甘さが生み出すコスト**

以前、大規模で複雑な分散システムを構築していたある大企業のコンサルティングに入ったことがあります。このプロジェクトには100以上の開発チームが携わっていました。彼らが私に求めてきたのは、パフォーマンステストについてのアドバイスです。

彼らはシステム全体を対象とするエンドツーエンドの大規模で複雑なテストを作っていました。

彼らは4回に渡ってこのパフォーマンステストスイートを実行しましたが、結果の解釈に困っていました。

結果があまりにもまちまちだったので、テストラン同士をどのように比較したらよいかがわからなかったのです。

こんなことになってしまった理由のひとつは、企業ネットワーク上でテストを実行したことです。そのため、テスト実行時にほかに何が行われていたかによって、結果が完全に歪んでしまったのです。

結果の意味が誰にもわからなかったこのテストを作成、実行するためにかけた労力は、本質的に無駄だったのです。

コンピューターは私たちにすばらしいチャンスを与えてくれます。

NANDゲートと宇宙線やニュートリノの衝突を無視すれば（これらはハードウェアのエラー訂正プロトコルが対処してくれます）、コンピューターとその上で動作するソフトウェアは決定論的です。同じ入力を与えられれば、コンピューターは毎回同じ出力を生成します。この事実に制約を与えるのは並行処理だけです。

コンピューターは驚異的に高速でもあるので、未だかつてなかった魅力的な実験プラットフォームを提供してくれます。私たちは、これらのメリットを諦めるか、それとも環境をしっかりと管理してこれらのメリットをうまく活用するかを選択できます。

システムをどのように設計、テストするかは、私たちが発揮できる管理能力に大きな影響を与えます。これもテストによって設計の方向性を決めていくことのメリットのひとつです。

非常に特異なタイプのテストを除き、信頼できる形でテストできるコードは、テストのスコープ内ではマルチスレッドではありません。

並行処理コードは決定論的ではないので、テストが困難になります。コードがテスト可能になるように設計するつもりなら、並行処理について念入りに考え、システム内のよく管理、理解できている周縁部に並行処理を移す努力をしなければなりません。

私の経験では、こうするとコードが決定論的になってはるかにテストしやすくなりますが、それだけでなく、コードが大幅にわかりやすくなりますし、私が作業に参加した環境では間違いなく計算効率が大幅に上がりました。

## 14.9 継続的デリバリー

**継続的デリバリー**は、以上の概念を効果的効率的で機能する開発アプローチに導入するために役立つ概念です。ソフトウェアをいつもリリース可能な状態に保つ努力をすると、私たちの意識はデプロイパイプラインが評価するスコープやソフトウェアのデプロイ可能性に集中するようになります。すると、**独立してデプロイ可能なソフトウェアユニット**を作れるようなコードと組織を作るために使えるツールが手に入ります。

デプロイの自動化は継続的デリバリーの一部ですが、継続的デリバリーの本来の目的ではありません。継続的デリバリーは、半ば連続的な変更のフローを作り出せるように仕事を組み立てるというはるかに重要な考え方を支える手法です。

この考え方を真剣に受け止めると、このようなフローを実現できるように開発アプローチのあらゆる側面を組み立て直すことが必要になります。この考え方は、開発組織の構造にも影響を与えます。組織間の依存関係を最小限に抑え、小規模なチームの自律性を伸ばす方向に向かうことになるでしょう。ほかのチームとの調整が不要になり、チームは品質の高い仕事をすばやく進められるようになっていきます。

継続的デリバリーは、ソフトウェアのテストを中心として高い水準の自動化を実現し、システムに加えた変更に問題がないことをすばやく効率的に理解できるようにもします。その結果、テストを非常に真剣に捉えるようになり、ソフトウェアをテスト可能なものにして、そこから得られるすべてのメリットを享受できるようになります。

継続的デリバリーは、システムのデプロイと構成、設定をテストする方向にも私たちを導きます。私たちは、テスト（そしてその副次的な効果として本番環境へのデプロイ）を反復可能で信頼性の高いものにするために、変数の管理についても真剣に考えざるを得なくなります。

継続的デリバリーは、ソフトウェア開発を対象とする強力な工学分野を確立するための主軸となる非常に効果的な戦略なのです。

## 14.10 工学を支える汎用性の高いツール

これらの概念は汎用性の高いツールです。ソフトウェアをめぐるあらゆる問題に応用できます。

単純な例について考えてみましょう。私たちのシステムにサードパーティーのコンポーネント、サブシステム、フレームワークといったものを追加したいものとします。

もちろん、それらは機能し、私たちのシステムに対して何らかの価値を提供しなければなりません。しかしそれ以前に、それらを採用してよいかどうかの判断のために、この章、そして本書全体で説明してきた考え方や概念が使えるはずです。

そのテクノロジーはデプロイ可能でしょうか。つまり、そのテクノロジーのデプロイは自動化でき、高い信頼性で繰り返しデプロイできるでしょうか。

そのテクノロジーはテスト可能でしょうか。つまり、私たちがそのテクノロジーに求めていることが実際に行われていることを確かめられるようになっているでしょうか。サードパーティーテクノロジーの徹底的なテストは私たちの仕事ではありません。それが必要になるようなら、そのテクノロジーはあまり優れておらず、私たちのシステムで使ってよいだけの品質に達していないということです。しかし、そのテクノロジーが私たちのシステムで必要なことを実際にできているか、正しく構成されているか、必要なときにすぐに実行できるかといったことはテストしたいところでしょう。そういうテストができるようになっているでしょうか。

そのテクノロジーは変数の管理ができるようになっているでしょうか。高い信頼性で繰り返しデプロイできるでしょうか。デプロイと構成のバージョン管理はできるでしょうか。

そのテクノロジーは継続的デリバリーに対応できるだけのスピードが出るでしょうか。許容できる時間内にデプロイでき、一日に複数回使ったりテストしたりできる程度にすぐに起動できるでしょうか。

そのテクノロジーがインターフェイスコードを書いて使うようなソフトウェアコンポーネントの場合、モジュラー性の高いコード設計アプローチを維持できるようなものでしょうか、それとも独自のプログラミングモデルに従うことを強制し、私たちの設計アプローチに妥協を強いるようなものでしょうか。

これらの問いに対してまずい答えがひとつでもあれば、処理内容が優れているかどうか、ほかのコンテキストで役立つかどうかを確かめるまでもなく、それはほぼ確実に私たちが使ってよいテクノロジーではないということでしょう。

そのサードパーティーテクノロジーが提供するサービスが必要不可欠だというのでもない限り、別のものを探すことをお勧めします。どうしてもそのサービスが必要なら、テクノロジーの欠点を補って上記の性質を実現する方法を追求しなければなりません。これは、そのテクノロジーのコストベネフィット計算に組み込まなければならないコストです。

この簡単な例は、このようなスタイルの考え方の汎用性を示すモデルとして提示したものです。ソフトウェア開発のあらゆる場面で決断や選択を迫られたときには、本書の学びのツールと複雑さ管理のツール、すなわちソフトウェア開発に対する工学的なアプローチをサポートするツールが活用できます。

## 14.11 まとめ

この章では、本書で示してきた相互につながり合う概念をひとつにまとめて、より効果的なソフトウェア開発のための一貫性のあるモデルを示しました。ソフトウェアを組み立てるための原則として本章で説明した概念を取り入れれば、これらの概念を無視したときよりもよい結果が生まれるはずです。

本章で示したのは、あらゆるツール、プロセス、訓練に期待できるベストです。成功の保証はありませんが、本章（そして本書全体）で説明してきた考え方や概念を応用すれば、より高い品質のソフトウェアをより早く作れるようになるはずです。

# 第15章

# 現代のソフトウェアエンジニア

本書で取り上げている概念群は互いに密接に関連し合っています。あちこちに交差する部分や重複する部分があります。

**モジュラー性**、**凝集度**、**関心の分離**は、私たちの**フィードバック**収集能力を強化し、その結果**実験**を促進する効果があります。

そのようなことから、本書の論述の過程ではこれらのテーマが何度も繰り返し現れることになりました。それは意図的なものであると同時に避けがたいことでもあるのですが、これらの概念についてより重要なことを表しているようにも思います。

これらの概念は深くつながっているだけでなく、ほとんどあらゆる場面で登場します。そのこと自体がこれらの概念の核心ではないでしょうか。

一時的なものの細部にとらわれて道を見失うことは、簡単すぎるほど簡単に起きます。どの言語、OS、テキストエディター、フレームワークを選ぶかは、それらすべてに通じるこれらの概念のスキルと比べれば、私たちにとってはるかに小さな問題です。

ほかの場所でも言ったように、私がともに仕事をしたソフトウェア開発者のなかで特に優れた人々は、どのようなツールを選んでも優れたソフトウェアを書いていました。彼らの多くがそれらのツールについて深い専門知識を持ち、スキルを積んでいることは間違いありませんが、彼らのスキル、能力、所属企業にとっての価値の核心はそこではありません。

本書で取り上げた概念はみなさんにとってもおなじみのものでしょう。しかし、仕事を組み立てていくためのアプローチとしてこれらの概念を考えたことはなかったのではないでしょうか。本書で私が意図したのはまさにそれです。ただ単にこういった概念があることを思い出していただくだけでなく、あらゆる仕事の土台を支える指導原則としてこれらの概念を取り入れることをお勧めすることです。

これらの概念は、私たちの学びの能力を最大限に引き出し、作るシステムの複雑さを管理するために行うすべてのことを最適化するという原則を軸として組織されており、ソフトウェアを使った問題解決に対する工学的なアプローチだと自信を持って言える学問分野の基礎を形成するものです。

これらを実践すれば、そうでない場合よりも成功する可能性が高くなります。

これは、「その取っ手を回してみましょう」的なアプローチではありません。私やほかの誰かのレシピに単純に従えば優れたソフトウェアが作れるというわけではないのです。それは、点と点をつなぐような自動車組み立てマニュアルがあれば優れた車が作れるわけではないのと同じです。

これらの概念を実践するには、頭を使って注意しながら粘り強く考えることが必要です。ソフトウェア開発をうまく進めるのは簡単なことではありません。コーディングの作業形態のなかには簡単なものもあるかもしれませんが、すでに述べたように、ソフトウェア開発にはただのコーディング以上のものがたくさん含まれています。

これはソフトウェア工学の単純なモデルですが、当てはめが難しいモデルでもあります。

単純だというのは、ふたつのグループに分かれた10個の基本概念とそれらを実現するために役立つ少数のツール（テスト可能性、デプロイ可能性、スピード、変数の管理、継続的デリバリー）しかないところです。しかし、10個の基本概念が内包するものは複雑で熟考を促さずにはおかないことが多いので、当てはめが難しいのです。

これらのツールの使い方をマスターし、10個の基本概念を設計と判断を支える基本原則として使えば、成功の可能性は高くなります。作成するソフトウェアに関する意思決定の基礎としてこれらを使うことは、私に言わせればソフトウェア開発を対象とする工学分野の核心です。

本書で私が言いたいのは「ソフトウェアは簡単だ」ということではありません。「ソフトウェアは難しいので、よく考えてアプローチしよう」ということです。

私にとって、ソフトウェアにはもう少し注意しながらアプローチする必要があるということです。注意するとは、考えたことのない問題に対してよりよい答えを見つけるための思考のフレームワークを使うということです。これは、どうすれば解けるかがわからない問題の解き方を見つけるためのアプローチなのです。

私は10個の基本概念からこのフレームワークを作り上げました。多くの人々やチームがこのフレームワークを使って成果を上げているところを私は見ています。

私たちの専門分野の性質を理解することが、前進できるかどうかに影響を与えます。私たちが作るシステムは複雑だという現実とソフトウェア自体が持つ性質を認識することが、成功のために重要な意味を持ちます。コーディング、すなわち命令をほぼ線形に並べる些細な作業としてソフトウェアを捉えると、小さなプログラミング演習以外のすべてのシステムではまちがいなく失敗に追い込まれます。

私たちには、直面する状況に合わせて修正できるメンタルツールが必要です。私には、これがソフトウェア開発を対象とする工学分野の核心だと思えてなりません。

## 15.1 ヒューマンプロセスとしての工学

工学という用語にはつかみどころがないところがあり、それはソフトウェア開発のコンテキストで工学という用語がよく誤用されているところからもわかります。

工学の定義の大半は、「エンジニアの仕事についての研究」のようなところから始まり、その研究のために数学と科学を使うという説明が続きます。工学は実際にはプロセスであり、仕事をするためのアプローチなのです。

私が本書の冒頭で導入した定義は、私にとって的を射たものです。

> 工学とは、実際的な問題に対する効率的、経済的な解を見つけるための経験的、科学的なアプローチの応用のことである。

工学は、毎回完璧な結果を期待するところまでは科学に頼らないという点で経験的です（実際には、科学も毎回完璧な結果を期待できるわけではありません。それに近づこうと努力しているだけです）。

工学とは、不完全なことが多い情報を使って合理的な判断を下し、その後の現実世界での経験からのフィードバックに基いて、最初に考えたことが現実のなかで果たした役割を学ぶことです。

工学は科学的なスタイルの論理的思考に基づいています。計測できるものは計測しようとします。実験的なアプローチで変更を加えていきます。変更の影響を理解するために、変数を管理します。モデル、すなわち仮説を立て、理解の深化とともに継続的に理解と仮説を比較対照して、モデルを発展させていきます。

見つけたソリューションとその達成方法が効率的であることが重要です。

成功のために、できる限り単純で、できる限り高速で、しかも必要最小限の資源しか消費しないシステムを作ることを目指します。

さらに、最小限の労力で短期間のうちにシステムを作ることを目指します。これは経済的な理由から重要なことですが、効果的な学びのためにも死活的に重要なことです。タイムリーなフィードバックが得られるかどうかは、作業効率の優れた尺度になるとともに、第5章で説明したように、効果的な学びを実現するための基礎でもあります。

ソフトウェア開発に工学的な思考法を応用することに加えて、仕事をする会社とチームも情報システムであることを認識することが大切です。そこで、複雑さ管理の考え方は、これらに対しても同じように（より以上にではなくても）適用すべきです。

## 15.2 デジタルによる破壊的企業

企業やビジネスリーダーは、よくデジタルディスラプション（デジタルによる破壊）を話題にします。デジタルテクノロジーによって従来のビジネスの発想を転換し、破壊するということです。Amazonはリテールサプライチェーンを破壊し、Teslaは自動車製造に対するアプローチを根本的に変え、Uberはタクシーサービスをギグエコノミーに変えました。彼らの発想は、従来型のビジネスとビジネス思考に転換を迫っています。

これらの企業には、ほとんどかならず工学主導で動いているという決定的な特徴があります。ソフトウェア開発はコストセンターやサポート部門ではなく、ビジネスなのです。物理的な装置を作っているTeslaのような会社でも、ソフトウェアの発想で組織を作っています。

Teslaは、誰かが新しいアイデアを生み出すと、そのアイデアを活用するために、多くはソフトウェアによって工場の構成を組み換えており、そ

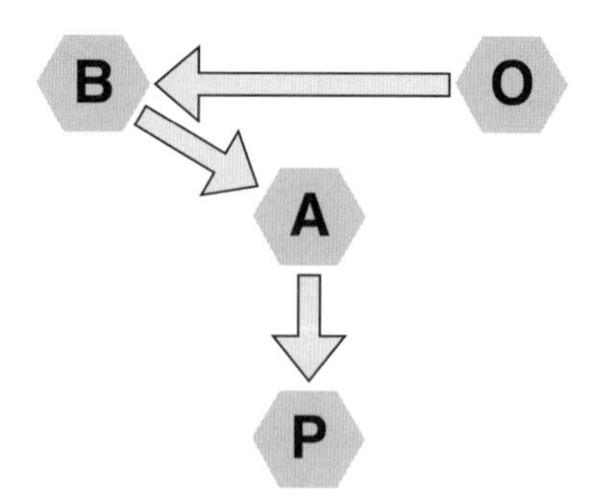


**図15-1 ほとんどの企業のプランの流れ（OBAP）**

のような意味で継続的デリバリー企業になっています。

ソフトウェアはビジネスの進め方を変えつつあり、そのために従来の考え方の見直しを迫っています。

ジャン・ボッシュの「BAPO対OBAP」はそのような発想の転換のモデルとして私が気に入っているもののひとつです[1]。**図15-1**と**図15-2**は、彼が言っていることを理解しやすくするために描いたものです。

ほとんどの企業は、OBAPモデル（図15-1）に従っています。まず組織（Organization）、部門、チーム、職務などを固めてから、固めた組織の制約内でビジネス（Business）戦略や収益、利益、その他のビジネス目標の達成方法を決めます。そして、システムの基礎として適切なアーキテクチャー（Architecture）を決め、最後にそのシステムアーキテクチャーを実現するプロセス（Process）を決めます。

これは馬鹿げています。ビジネスのビジョンと目標が、組織構造によって制約されてしまうのです。

それよりも、組織構造をツールとして扱うBAPOモデルの方が適切です。まず、ビジネスのビジョンと目標を定め、次にその技術的な達成方法（アーキテクチャー）を決めて、さらにそのようなものを構築する方法（プロセス）を明らかにします。そして最後に、必要な作業を進めるために効果

---

1　ジャン・ボッシュ（Jan Bosch）は、ブログ投稿の“Structure Eats Strategy”（`https://bit.ly/33GBrR1`）と著書*Speed, Data and Ecosystems*（`https://amzn.to/3x5Ef6T`参照）でこの考え方を説明しています。

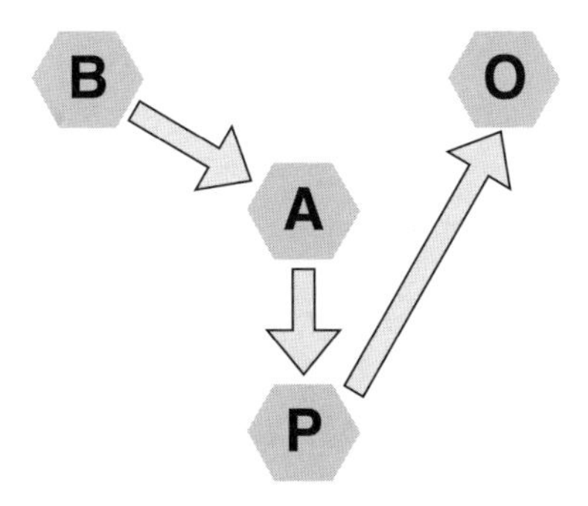


図15-2 ビジネスの適切な組み立て方（BAPO）

的な組織構造を選ぶのです。

目標達成のツールとして人々のグループの作り方を考えるようにしたとき、このツールをうまく利用するためには、本書で説明したような工学的思考が重要な役割を果たします。

ほかの情報システムと同じように、組織内のカップリングの管理は成功の鍵のひとつになります。ソフトウェアでカップリングの管理が大切なのと同じように、組織でもカップリングの管理が大切なのです。適切な関心の分離に基づきモジュラー性と凝集度が高く、組織のほかの部分に詳細情報を隠せるように抽象化されたチームを集めた組織は、足並みを揃えなければ前進できない密結合の組織よりもスケーラブルで効率的です。

これは、組織の規模拡大（スケーリング）が難しい理由のひとつです。組織が大きくなるとともに、カップリングのコストが高くなるのです。チーム、グループ間のカップリングが最小になるような組織設計は、急成長を遂げて大きくなった企業の最新の成長戦略です。

Accelerate本の調査が、安定性とスループットという点でパフォーマンスの高いチームの決定的な特徴のひとつは、上からの許可やほかのチームとの協調が不要でチーム内で判断を下せることだとしたのは、偶然ではありません。そのようなチームによる組織は、情報の流れがデカップリングされているのです。

これは重要なことです。組織を倍にすると生産性が倍以上になるAmazonのような企業と組織を倍にしても生産性が85%しか上がらない従来型の構造の企業の違いはここにあります[2]。

## 15.3 結果かメカニズムか

本書の結論の執筆に近づいていた頃、私は結果とメカニズムの重要性についてのオンラインでの論争に巻き込まれました。最初は、結果の方がメカニズムよりも重要だという私の持論に誰もが賛成するはずだと思っていましたが、すぐにこの考えを捨てました。

しかし、自分に賛成してくれないからといって論争相手が馬鹿だとは思いませんでした。彼らの反応を見ると、彼らも最終的には私が言っていることに賛成してくれたと思います。彼らは「結果」の重要性を否定したわけではありませんでした。彼らが気にしていたのは、望む結果を得るために役立ったと評価している暗黙の何かや好みのメカニズムのことでした。

ソフトウェア開発の結果の成否は複雑な概念です。簡単に計測できてまっ先に思いつくものがいくつかあります。業種やソフトウェアのタイプによっては商業的成果というものがあります。これは成功の尺度のひとつです。利用者の数も計測できます。オープンソースソフトウェアプロジェクトの成否は、よくダウンロード数で評価されます。

DORAの生産性と品質の指標である、**安定性**と**スループット**を使うこともできます。この指標によると、成功しているチームは、非常に品質の高いソフトウェアを非常に効率よく作っていることがわかります。さまざまな指標によって製品に対する顧客満足度を計測することもできます。

これらすべての指標で高い「スコア」を出せば、ある程度まで望ましい結果になったと言えるでしょう。これらのなかにはコンテキストによって左右されるものとそうでないものがあります。どのコンテキストでも、効率よく品質の高いものを作る（つまり、**安定性とスループット**のスコアが高い）と、成功と言えることが多いようです。私がこのふたつの指標を効果的なツールだと考えているのはそのためです。

2 マイクロサービスという用語を生み出したジェームズ・ルイスが、サンタフェ研究所の非線形力学研究に触れながら面白いプレゼンテーションをしています。https://youtu.be/tYHJgvJzbAk参照。

「結果の方がメカニズムより重要だ」論争のコンテキストとは、概念としての継続的デリバリーとDevOpsの優劣でした[3]。

私の主張は、「継続的デリバリーはメカニズムではなく望ましい結果を定義するので、ソフトウェア開発の戦略とアプローチを導く一般的な指導原則としてDevOpsよりも役立つ」というものでした。

DevOpsは、プラクティスのコレクションとして非常に役に立ちます。DevOpsのすべてのプラクティスを採用して適切に実施すれば、ユーザーと顧客の手に継続的に価値を提供できます。しかし、何らかの理由でDevOpsがカバーしている範囲を越えることが起きたら、DevOpsはCD（継続的デリバリー）よりもプラクティスのコレクションという性格が強いので、どう対処すればよいかがCDほどはっきりとはわかりません。

それに対し、CDは、「ソフトウェアを常にリリース可能にするように仕事を進めよ」、「フィードバックを早くせよ」、「目標は、もっとも効率のよい形でアイデアに対するフィードバックを得て、ユーザーの手に価値のあるソフトウェアを提供することだ」と言っています。

これらの考え方を真剣に受け止めてCDを使えば、今までに見たことがない問題に対してもユニークでイノベーティブなソリューションを提供できます。

私を含む人々が継続的デリバリーの体系化を始めたとき、私たちは車、宇宙船、遠隔通信ネットワークを作ったことはありませんでした。これらの製作は、ジェズ・ハンブルと私が『継続的デリバリー』を書いたときに作っていたシステムとは大きく異なる課題を抱えています。

私は、コンサルタントとして仕事に入ったときには、デプロイパイプラインからのフィードバックに関連して達成すべき目標についてクライアントにある具体的なアドバイスをします。「1時間ごとにリリースできるものを作りましょう」。これは、一般にコミット段階から5分以内、パイプライン全体では1時間以内に結果を出すようにしてくださいということです。

---

3　CD対DevOps論争での私の考えに興味があるなら、私のYouTubeチャンネルの動画、`https://youtu.be/-sErBqZgKGs`をご覧ください。

あなたが車を作っているTesla、ロケットを作っているSpaceX、グローバルなモバイルインフラを作っているEricssonなら、シリコンの熱処理や金属部品の製作などが障害となってそのようなことはできないでしょう。しかし、継続的デリバリーの原則は維持できます。

「ソフトウェアを常にリリース可能にするように仕事を進めよ」。ひとつでもテストが失敗したらすぐにその変更を捨てるようにすれば、ソフトウェアを徹底的にテストできます。「フィードバックを早くせよ」。大多数のテストをシミュレーションで行うようにテストを自動化すれば、フィードバックは常に早く効率的になります。

さらに掘り下げ、継続的デリバリーの基礎である科学の考え方を取り入れれば、もっとも持ちのよい原則が得られます。

- **特徴づけ**：現在の状態を観察する
- **仮説の定立**：観察したものごとを説明する理論、記述を生み出す
- **予測**：仮説に基づいて起きることを予測する
- **実験**：予測を検証する

このアプローチによる学びを意味のあるものにするためには、変数を管理しなければなりません。これには複数の方法があります。小さなステップで仕事を進めれば、個々のステップがもたらす効果を理解できます。本書で説明してきた複雑さ管理のためのテクニックを使えば、システム全体の構成を完全に管理し、変更のスコープを制限できます。

私が工学という言葉に込めている意味はこういうことです。工学とは、成功の可能性を確実に高められる考え方、手法、ツールのことです。

私が一般にアドバイスしているフィードバックの目標は達成できない場合があるかもしれません。しかし、物理的な制約（経済的な制約の場合もあるかもしれませんが）のもとでこれを目標として使って仕事に励むことはできるはずです。

## 15.4 長く有効で汎用性の高い原則

ソフトウェア開発のための工学を確立できれば、それはテクノロジーを選ばないものになるはずです。ソフトウェア工学を支える原理、原則は長く有効性を保ち、役立つでしょう。まだ予見できていない問いに答えるためにも、まだ生み出されていないアイデアやテクノロジーを理解するためにも役立つはずです。

本当にそうか試してみましょう。

私のキャリアは同僚と私が設計したソフトウェアを開発することに終始してきましたが、ほかの形態のソフトウェア開発にもこの種の考え方を応用できるでしょうか。たとえば、これらの工学的原則は機械学習（ML）にも応用できるでしょうか。

**図15-3**は、MLの典型的なワークフローを描いたものです。訓練データを集め、クレンジングし、使える状態にします。適切な機械学習アルゴリズムを選択し、入力データに適用する適応度関数を定義し、MLアルゴリズムに訓練データを処理させます。適応度関数が望ましい正解率を達成するまで、異なるソリューションを試すという形でこのプロセスは繰り返されます。正解率が目標に達したら、そのときのアルゴリズムを本番環境にデプロイします。

正解率が目標に達しない場合には、開発者/データサイエンティストは

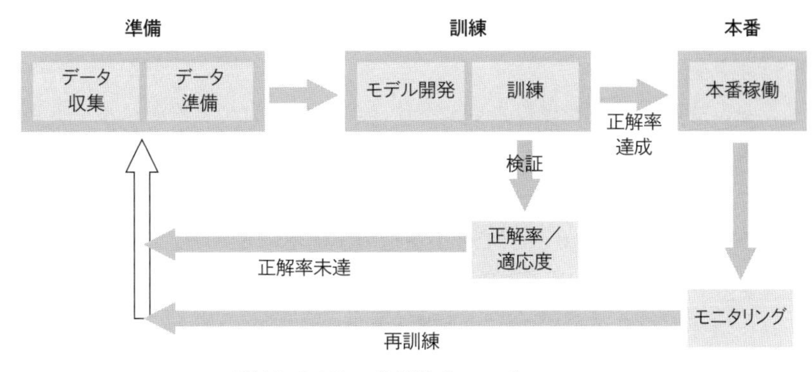


**図15-3 MLの典型的なワークフロー**

最初に戻り、訓練データと適応度関数を取り替えて効果的なソリューションを探します。

アルゴリズムが本番環境にデプロイされたあとも、アルゴリズムはモニタリングされます。そして、問題が明らかになったら、サイクルの先頭に戻って再訓練します。

私たちの工学モデルは、このプロセスにどのように適合するのでしょうか。

MLシステムの開発は、明らかに機械だけの問題ではなく、学習/学び全体の問題です。開発者は、システムの訓練のためにどのデータを使うべきか、訓練に役立つのはどの適応度関数かを学ぶために、仕事とアプローチを最適化する必要があります。

MLシステムの訓練には大量のデータが使われるので、効果的に前進するためには、その複雑さの管理について考え、そのために役立つテクニックを積極的に取り入れていかなければなりません。データサイエンティストたちがデータの泥沼のなかで迷子になり、再現可能な形で前進できなくなるのは簡単なことであり、よくあることだという話は私も聞いています。

開発プロセス自体は、明らかに反復的な形のものがもっともうまく機能します。訓練データの収集と準備や適切な適応度関数の選定、改良は本質的に反復的なプロセスです。フィードバックは、適応度関数の正解率という形で得られます。当然ながら、このプロセスは、1回のイテレーションが短時間で終わり、明確なフィードバックが早く得られればもっともうまく機能します。プロセス全体が実験的なイテレーションと改良の形になっています。

このように機械学習を考えると、仕事の改善のチャンスが見えてきます。開発者が一回のサイクルを早く回せるようにプロセスを最適化すれば、個々のイテレーションで得られる学びの質を向上させられるはずです。それは、小さなステップで仕事を進め、フィードバックの性質と品質を明らかにするということです。

個々の小さなステップを実験と考えれば、変数の管理を強化するために、スクリプトや訓練データのバージョン管理などを取り入れる方向に向かうでしょう。

プロセスのこの部分については、動的、反復的でフィードバックによって進む経験的な発見のプロセス以外の形で計画、遂行されることを想像することさえ奇妙な感じがします。

なぜ経験的なのでしょうか。データが煩雑で結果が複雑なので、ML開発で一般に実現できる管理のレベルでは決定論的になり得ないからです。

ここからは新たな面白い問いが生まれます。管理をもっと強化できないのでしょうか。これに関してはあるMLの専門家と交わした面白いやり取りがあります。私が描いた図（図15-3のことです）を見て、彼は「このモニタリングというのはどういう意味ですか。どうすれば結果がわかるんですか」と尋ねてきたのです。

私たちが工学のアプローチを取るなら、モデルの本番環境へのリリースは実験として扱うことになります。リリースが実験なら、何らかの予測を立て、予測を検証しなければなりません。MLシステムを作るとき、このシステムで何をしようとしているのかを説明するところを想像してみましょう。「起きるはずの結果を予測できるようになります」。これは適応度関数以上のものです。何らかの誤差限界を定義し、答えはその範囲内に収まるはずだというような意味になるでしょう。

本の売上を増やすためのMLシステムを作ったのに、答えが「世界征服を試みる」というような領域に踏み込んでいくようなら、それはおそらくよい仕事とは言えないでしょう。

複雑さ管理はどうでしょうか。MLの問題点のひとつは、MLの専門家たちの多くにソフトウェア開発の経験がないことです。そのため、ソフトウェア開発では当然の標準になっている多くのテクニック（バージョン管理のようなごく初歩的なものを含め）がそうなっていません。

それでも、本書で説明してきた工学的原則の応用方法は簡単に見つかります。たとえば、データの収集、クレンジング、適応度関数の定義のためのスクリプトを書くときにモジュラーなアプローチを取るのは当然のことでしょう。これはコードなので、優れたコードを書くために必要なツールを使えばよいでしょう。変数を管理し、凝集度を高めるために関連するデータを近くにまとめ、モジュラー性を高めるために無関係なデータを別々に管理し、関心の分離を実践し、抽象化し、疎結合を目指すのです。データでも、これらの原則は同じように当てはまります。

データにこれらの考え方を当てはめ、モジュラー性の高い（問題の適切な側面にフォーカスしているという意味で）訓練データを選べば、MLシステムの開発者たちはイテレーションをもっと早く回せるようになるでしょう。すると、変更を制限して訓練プロセスに集中し、おそらく訓練データの管理のためにより効果的でスケーラブルなアプローチを取りやすくなるでしょう。これはデータクレンジングの本当の意味は何かについての解釈方法のひとつになります。

データと適応度関数のなかでの関心の分離も重要です。訓練データのなかでの関心の分離が不十分なことの現れとして（私たちの社会に対する残念な見方の現れでもありますが）、経済的環境とエスニックグループ、あるいは給与とジェンダーの間にある種の「前提」が組み込まれているために、MLシステムが間違った判断を下すような問題があることは納得していただけるはずです。

しかし、私のMLに対する無知をこれ以上さらけ出す前にこの話はやめておきましょう。ここで私が言いたいのは、これらのメンタルツールに汎用性があるなら、問題（よく知らないものであっても）にアプローチするための手段としてこれらのツールは役立つはずだということです。

ここで示した例の場合、私が何らかの正解を示したと言うつもりはありませんが、私は自分のモデルのおかげで、（私が知る限り）MLの専門家たちのなかであまり話題にならない疑問点を提出できたのではないかと思います。これらは検討に値する疑問点であり、プロセスを最適化し、MLシステム製作のプロセス、さらにはMLシステム自体の品質を向上させていく上で役立つ可能性を秘めている疑問点だと思います。

これは、本物の工学的プロセスに期待すべきことです。工学的プロセスは、答えを与えてくれるわけではありませんが、よりよい答えに私たちを導いてくれるアプローチを提供してくれます。

## 15.5 ソフトウェアを対象とする工学の基礎

本書で述べてきた考え方は、私たちの成功の可能性を引き上げてくれる工学分野を形成する基礎となるものです。

本書で概要を示した考え方は、プログラミング言語、フレームワーク、開発メソドロジーとしてどれを選ぶかよりも成功を大きく左右します。

これらのものの選択が私たちの仕事と無関係だというわけではありません。関係はあります。大工が選ぶトンカチのモデルが大切な程度には大切だというだけです。

ソフトウェアの場合、この種のものの選択は、チームとしての仕事の進め方に影響を与えるため、個人的な好み以上の意味がありますが、結果に大きな影響を与えるのは、基本的にどのテクノロジーを選択するかよりもそのテクノロジーをどのように使うかです。

本書で私が目指したのは、ツールをより効果的に使うための一般的な手引となる考え方を示すことです。

学びの最適化と複雑さ管理の基本にフォーカスすれば、どのテクノロジーを使うことにした場合でも、成功の可能性は大きく広がります。

## 15.6 まとめ

本書で述べてきた考え方は、長年携わってきたソフトウェア開発に対して今の私が取るアプローチの基礎を形成しています。本書を執筆したおかげで、必然的に自分の考えがくっきりと結晶化し、ほかの人々に伝えやすくなったのではないかと思っています。

キャリアの後半に入ってからは、ほとんどいつも複雑なシステムの開発に携わってきました。今までほとんど誰も解決したことのないいくつかの問題に関われたのは幸運でした。チームや私自身が行き詰まったときに向き合った基本がこれらの考え方です。どのようにすれば前進できるかについての手がかりがまったくないときも含め、問題がどのような性質のものであっても、これらの考え方はよりよい結果に向かって舵を切るための導きの星になりました。

最近の仕事は、多くはイノベーティブなシステムをときには未だかつてない規模で開発する巨大多国籍企業へのアドバイスが主になっています。これらの考え方はそういう場でも正しさを失わず、本物の難問の解決に役立っています。

自分でコードを書く場合でも（今でもとても楽しいことですが）、もっとも小さな規模で、そして多くはもっとも単純な形で同じ考え方を取り入れています。

いつでも自分の学びの能力を効率よく最大化するように、仕事と仕事への取り組みを最適化すれば、あなたの仕事はよりよいものになります。

規模がどのようなものであっても、いつも眼の前の仕事の複雑さ管理を心がけるようにすれば、よりよい仕事をする能力をいつまでも維持できます。

ソフトウェア開発を対象とする本物の工学分野の特徴はこのふたつです。このふたつに従えば、よりよいソフトウェアをより早く構築できる可能性は飛躍的に上がります。

ここには重要で価値のあるものがあります。みなさんの仕事に役立つような形で本書がそれを表現できていることを願っています。

## 謝辞

本書のような本を執筆するためには、長い時間と多くの作業量、さまざまな概念の掘り下げが必要とされます。執筆の過程では、私に賛同し、私の確信を深めてくれたり、私に反対し、論拠の強化や考え方の転換を迫ったりといったさまざまな形で、多くの人々が私の力になってくれました。

まず、執筆作業をあらゆる形で支援してくれた妻のKateにありがとうを言わせてください。彼女はソフトウェアのプロではありませんが、本書の大部分を読み、文法の誤りを訂正したり、文章を磨いたりしてくれました。

科学についての議論を戦わせたり、実験と経験主義などのさまざまなテーマについて論じたいと思う理由を熟考するきっかけを作ってくれたりした義兄弟のBernard McCartyにも感謝しています。

すばらしい序文を書いてくれただけでなく、誰かに背中を押してほしい気持ちになったときに本書への期待を熱く語ってくれたTrisha Geeに感謝しています。

コンピューター科学についての議論にいつでも付き合ってくれるとともに、私のかなり乱雑な考えに数分で反応を返してくれたMartin Thompsonに感謝しています。

ほかのプロジェクトにも過剰なぐらいに力を注いでいるにもかかわらず、私にアドバイスして本書の論旨を強化するために力になってくれたMartin Fowlerに感謝しています。

今挙げた人々のほかにも、私が長年に渡って本書で取り上げたテーマについての思考を形にするために間接的に力になってくれた友だちがたくさんいます。Dave Hounslow、Steve Smith、Chris Smith、Mark Price、Andy Stewart、Mark Crowther、Mike Barkerをはじめとする多くの友人たちに感謝しています。

さらに、応援したり、議論したり、反論したり、深い考えを示したりして力になってくれた非常に多くの人々（そのなかにはよく知らない人々も含まれていますが）にも謝意を述べたいと思います。本書で述べている考え方や概念の多くは、数年前からTwitterや私のYouTubeチャンネルで取り上げてきており、その結果非常にすばらしいやり取りが生まれました。
本当にありがとうございました。

## 解説 「継続的デリバリーのソフトウェア工学」の歩き方

本書は実践のための書である。だが、プラクティス集というものとは少し趣が異なる。一方で「工学」と題することですぐにイメージされるような、少しアカデミックな要素の強い、理論じみた内容の書籍でもない。だが、確かに「工学」としての体を成す体系を解説するものである。

著者のデイビッド・ファーリーは本書の冒頭、相当な分量を割いて、「工学」を定義しようと試みている。この書籍の原題は“Modern Software Engineering : Doing What Works to Build Better Software Faster”であり、「より良いソフトウェアをより早く作るためにすべきこと」を「モダンソフトウェア工学」と位置付けるものである。Software Engineering という言葉は1968年にドイツで開催されたNATOの会議で初めて使用された、というのは有名な話で、本書でも何度も言及されているが、このSoftware Engineeringという言葉は、一般的に日本語では「ソフトウェア工学」と訳されることが多い。しかし、文脈的には「ソフトウェアを作る（あるいは上手く運用する）行為」そのものをさすことも多く、学術的ニュアンスの「工学」という訳がかならずしもぴったり当てはまるわけではない場合も少なからずある。だが、前述した通り、本書は実践のための書でもあると同時に、単なるプラクティス集ではなく、筋道立ててプラクティスとそのプラクティスを使うべき理由、そして根底に持つべき観点や思考法を体系的にまとめあげており、「作る行為」の解説書であると同時に、確かに「工学」としての価値もあるものになっている。

しかし、本書が概念的にまったく新しい何かを提示しているかというと、そういうことはない。まったく新しいソフトウェア開発手法や、開発テクニック、パターンやアーキテクチャを学んでやろうと期待して本書を購入された方には、ある意味で肩透かしとなったかもしれない。本書中にも頻出する『継続的デリバリー』や『LeanとDevOpsの科学[Accelerate]』、『ドメイン駆動設計』、『チームトポロジー』あたりの書籍と、あとは『人月の神話』を読んだことがある人なら（かなり多くの読者が当てはまりそう）、聞いたこともない手法が論じられていると感じることはないはずだ。しかも、ずっと以前からソフトウェア工学では論じられてきた凝集度だとかカップリング、情報隠蔽や抽象化等の話題が頻出する。では、一体どこが「モダンソフトウェア工学」なのか？

その疑問を解く鍵は、2つの着眼点にある。個々のプラクティスは以前から提唱されていたものであっても、それらを活用する際の着眼点あるいは意識の持ち様が、より良いソフトウェアをより早く作る「モダン」なやり方に体系的な筋を通してくれると著者は主張しているのである。2つの着眼点とは「学び」をベースとするプロセスと「複雑さの管理」のための要点である。

「学び」をベースとするプロセスは、そのアプローチ方法が明確に定義されている。①反復的に作業すること ②早くて高品質なフィードバックを行うこと ③漸進的な進め方をすること ④実験主義的であること ⑤経験主義的であること、の5つだ。これらは5つに分けて解説されているが、実は互いに関連していて、経験主義であるためにはフィードバックが必要だし、漸進的な進め方をする方が良いし、実験主義的である方がフィットしやすい。同様にプロセスが反復的でなければ漸進的な進め方はできないし、実験主義的であっても仮説から得た洞察を活かす場がない。早いフィードバックがあればこそ、実験の価値は活きるというものだし、それらの知見は経験として蓄積される。クラウドやマイクロサービス、自動テストや自動デプロイを駆使した継続的デリバリーといった現代のテクノロジーが「学び」をベースとするプロセスを可能にし、「学び」をベースとしたプロセスでなければ最新テクノロジーを最大限に活用することができない。5つの行動様式は異なるポイントではあるが、目指すところは同じであることがわかるはずだ。

「複雑さの管理」においては、それこそ従来から「ソフトウェア工学」で我々が学んできたことが、現代のテクノロジーにマッチするよう解説されている。①モジュラー性 ②凝集度 ③関心の分離 ④情報隠蔽/抽象化 ⑤カップリング、である。モノリシックなモジュールとマイクロサービスのように単独でデプロイできる単位のトレードオフが論じられ、凝集度を高めるために単一機能の実装と、それを行うための関心の分離について、具体的なコードでの解説が行われる。私たちは、従来からのプラクティスを現代的な文脈の中で活かせることをもっと明確に意識すべきであることが著者の最も主張したいところなのではないかと推察する。ほら、昨今具体的にはこうやるんだよ、と。

ところで、著者はソフトウェア開発が「工芸」的である側面を認めながらも、「モダン」なソフトウェア開発におけるそれについては否定的である姿勢を見せている。あくまでもその点ではソフトウェア技術者に重宝されるプラクティス集としての主旨は排除して、チーム開発でスケールする手法のエッセンスをまとめることに徹している。その点は、著者がテックジャイアント企業のソフトウェア開発チームへのアドバイスを実施したりコンサルティングを行っている一端が如実に表れている面であろう。本文中にも記述があるが、著者がスケールする開発体制の中でも常に「安定の尺度」と「スループットの尺度」から方向付けを行っており、より品質の良いソフトウェアを、より効率よく開発する体系をまとめたことがよくわかる内容になっている。本書は「工学」というテーマを扱ってはいるが、まさにビジネスの最前線でソフトウェアを開発している人にこそ読んでほしい実践の書であると思う所以である。

私自身も大手IT企業に35年以上勤務し、複雑化するソフトウェア開発の現場を目の当たりにしてきた。ウォーターフォールもアジャイルも経験し、ここ数年では少なくともクラウドベンダーの製品・サービス開発においてウォーターフォールが採用されることは皆無となったことも実感として持っている。クラウドのようにLean的なアプローチを行う現場では、「学び」をベースとしたプロセスでなくては社会のスピードについていけないのだ。しかし、著者はソフトウェアの進化は思ったよりも進んでいないと問題提起している。ハードウェアの進歩に隠されて相対的な停滞が見えなくなってしまっているとの言及がある。客観的に評価できない原因は効果的な計測が要所要所で行われていないという追記もあり、自分の長年の経験と照らし合わせて耳の痛い論調がある部分も確かだ。本書はこれからソフトウェア開発の大海に船を漕ぎ出す人には良い羅針盤となる書籍だと思うし、私のように長年この業界で過ごしてきた人間にとっては、自分の経験を振り返る良いきっかけとなり、自分の考えが変化を受容しているか客観的に見る示唆を与えてくれるものとなることを確信する。もう一度じっくり読み直す必要がありそうだ。まだ読んでいない著者が引用した数多くの文献を紐解くのもいいだろう。私自身も「学び」の行動指針をあらためて胸に刻んで新しい挑戦に向かおうと思う。

最後に、過去にジーン・キムの「DevOps」3部作をご一緒した翻訳者の長尾さん、編集者の田島さんのお二人にお礼を申し上げます。今回も、またご一緒できるだけではなく良書に巡り会えて大変幸せです。機会がありましたらまた是非！

2022年11月<br>榊原 彰

# 索引

**太字**は本文でも太字の箇所

## ■人名



## ■英文字

## ■日本語

### あ行

## か行



## さ行

## た行



## な行



## は行

## ま・や・ら行

## 著者について

**デイビッド・ファーリー**（David Farley）は、継続的デリバリーの先駆者であり、継続的デリバリー、DevOps、TDD、その他ソフトウェア開発全般についてのソートリーダー、エキスパートプラクティショナーです。

デーブは、コンピューティングの初期の時代から長年に渡ってプログラマー、ソフトウェアエンジニア、システムアーキテクト、成功したチームのリーダーとして活躍しており、コンピューターとソフトウェアが機能する仕組みについての基本原理を理解した上でソフトウェア開発に対する従来のアプローチをひっくり返すイノベーティブで画期的なアプローチを生み出してきました。そして、ワールドクラスのソフトウェアを構築したチームをリードしてきました。

デーブは、ジョルト賞を受賞した*Continuous Delivery*（邦訳『継続的デリバリー』）の著者のひとりであり、カンファレンスの人気のスピーカーであり、ソフトウェア工学を取り上げて成功し、多くの登録者を集めているYouTubeチャンネル、"Continuous Delivery"の主催者です。世界最高速の金融取引システムのひとつを構築したほか、BDDのパイオニア、リアクティブ宣言の著者のひとり、オープンソースソフトウェアに対するDuke賞受賞者（LMAX Disruptor）でもあります。

デーブは、コンサルティング、YouTubeチャンネル、トレーニングコースを通じて専門知識をシェアしており、ソフトウェアの設計、品質、信頼性の向上を目指す世界中の開発チームを熱心に支援しています。

Twitter：`@davefarley77`
YouTube チャンネル：`https://bit.ly/CDonYT`
ブログ：`http://www.davefarley.net`
会社サイト：`https://www.continuous-delivery.co.uk`

## 訳者について

**長尾 高弘**（ながお たかひろ）

1960年千葉県生まれ、東京大学教育学部卒、株式会社ロングテール社長。最近の訳書は『SOFT SKILLS ソフトウェア開発者の人生マニュアル 第2版』、『The DevOps 勝利をつかめ！』、『The DevOps 逆転だ！』、『The DevOps ハンドブック』（日経BP）、『Infrastructure as Code』（オライリー・ジャパン）、『マイクロサービスパターン』（インプレス）など。

## 解説者について

**榊原 彰**（さかきばら あきら）

1986年日本アイ・ビー・エム株式会社入社。SEとして多数のシステム開発プロジェクトに参画。専門はアーキテクチャ設計技術。2005年にIBMディスティングイッシュト・エンジニアに任命される。2006年から同社東京基礎研究所にてサービス・ソフトウェア・エンジニアリングの研究に従事した後、グローバル・ビジネス・サービス事業CTO、スマーター・シティ事業CTOを経て2015年末に同社を退職。2016年1月より日本マイクロソフト株式会社にて執行役員 最高技術責任者（CTO)。2018年2月よりマイクロソフトディベロップメント株式会社 代表取締役社長を兼任。2021年10月末にて同社を退職した後、2021年11月よりパナソニック株式会社コネクティッドソリューションズ社常務カンパニーCTOに就任。2022年4月より、パナソニックグループのホールディングス制移行に伴い、パナソニックコネクト株式会社執行役員常務CTO技術研究開発本部本部長。

著訳書に『ソフトウェア品質知識体系（SQuBOK）ガイド（第2版）』『ソフトウェアエンジニアリングの基礎知識体系 -SWEBOK-』（オーム社)、『プロブレムフレーム』『Eclipse モデリングフレームワーク』（翔泳社)、『実践ソフトウェアエンジニアリング』（日科技連出版社)、『ソフトウェアシステムアーキテクチャ構築の原理』（SBクリエイティブ)、『The DevOps 逆転だ！』『The DevOps ハンドブック』『The DevOps 勝利をつかめ！』（日経BP）などがある。

ACM、IEEE Computer Society、情報処理学会、日本ソフトウェア科学会、プロジェクトマネジメント学会の各正会員。NPO法人ソフトウェアテスト技術振興協会理事。

# 継続的デリバリーの<br>ソフトウェア工学

2022年12月19日　第1版第1刷発行

著　者　　デイビッド・ファーリー
訳　者　　長尾 高弘
解　説　　榊原 彰
発行者　　村上 広樹
発　行　　株式会社日経BP
発　売　　株式会社日経BPマーケティング
　　　　　〒105-8308　東京都港区虎ノ門4-3-12
装　丁　　小口 翔平＋阿部 早紀子（tobufune）
制　作　　岩井 康子（アーティザンカンパニー株式会社）
編　集　　田島 篤
印刷・製本　図書印刷株式会社


本書籍に関するお問い合わせ、ご連絡は下記にて承ります。
https://nkbp.jp/booksQA

ISBN978-4-296-07036-7
Printed in Japan